Fun! Fun! Korean

재미있는 한국어

2

고려대학교 한국어문화교육센터 지음

교보문고

재미있는 한국어 2

Written by Korean Language & Culture Center,
            Institute of Foreign Language Studies, Korea University
Published by KYOBO Book Centre
Designed by Gabwoo
Illustrated by Soh, Yong Hoon

KYOBO Book Centre CO., Ltd
1, Jongro 1-ga
Jongro-Gu, Seoul 110-121 Korea
Tel: 82-2-2076-0366
Fax: 82-2-2076-0470
Http://www.kyobobook.co.kr

Fun! Fun! Korean

재미있는
한국어
2

한국어는 사용 인구면에서 세계 10대 언어에 속하는 주요 언어로, 지금도 많은 사람들이 세계 곳곳에서 한국어를 배우고 있습니다. 이러한 한국어 학습 열기는 국제 사회에서 한국의 위상이 높아짐에 따라 앞으로 더욱 뜨거워질 것으로 전망합니다.

고려대학교 한국어문화교육센터는 설립 이래 20여 년간 다양한 학습자를 대상으로 한국어와 한국 문화를 교육해 왔으며, 체계적이고 효율적인 교수 방법으로 세계적으로 정평이 나 있습니다. 그리고 그동안 학습자에 따른 맞춤형 교육을 실시해 오면서 다양한 한국어 교재를 개발해 왔습니다.

이 교재는 한국어문화교육센터가 그동안 쌓아 온 연구와 교육의 성과를 바탕으로 개발한 것입니다. 이 교재의 가장 큰 특징은 한국어 구조에 대한 이해와 다양한 말하기 연습을 바탕으로 학습자 스스로 의사소통 활동을 할 수 있도록 구성했다는 점입니다. 이 교재를 통해 학습자는 다양한 의사소통 상황에서 성공적인 한국어 의사소통을 할 수 있는 능력을 기르게 될 것입니다.

이 교재가 나오기까지 참으로 많은 분들의 정성과 노력이 있었습니다. 무엇보다도 밤낮으로 고민하고 연구하면서 최고의 교재를 개발하느라 고생하신 저자들께 감사를 드립니다. 또한 고려대학교의 모든 한국어 선생님들께도 깊은 감사를 드립니다. 이분들의 교육과 연구에 대한 열정과 헌신적인 노력이 없었다면 이 교재의 개발은 불가능했을 것입니다. 이 선생님들의 교육 방법론과 강의안 하나하나가 이 교재를 개발하는 데 훌륭한 기초 자료가 되었습니다. 이 외에도 이 책이 보다 좋은 모습을 갖출 수 있도록 도와 주신 번역자를 비롯해 편집자, 삽화가, 사진 작가들께 감사를 드립니다. 또한 한국어 교육에 관심과 애정을 가지고 이렇듯 훌륭한 교재를 출간해 주신 교보문고에도 큰 감사를 드립니다.

부디 이 책이 여러분의 한국어 학습에 큰 도움이 되기를 바라며, 한국어 교육의 발전에 새로운 이정표가 될 수 있기를 바랍니다.

2009년 1월
국제어학원장 김기호

Introductory Remarks 일러두기

Overview

『Fun! Fun! Korean 2』 is a text that was developed for beginner learners of the Korean language so that the learners can have fun while studying Korean with ease. The text is composed of materials that focus on approaches to daily activities. This was made in order for the learners to familiarize themselves with the necessary themes and functions useful in the daily lives, especially to communicate one's thoughts effectively in real life situations. Additionally, the text does not teach by the structure or the concept of grammar and mere explanation of vocabulary but through various speaking activities and by having fun. Through these types of activities, the learners of Korean will be able to communicate their thoughts in real life naturally without even recognizing it themselves.

Goals

- Achieve everyday basic communication ability such as introducing oneself, shopping, etc..
- Understand and express content based on one's daily and personal life such as introduction of oneself, family, daily activities, etc..
- Ask and answer simple questions in one's everyday life by familiarizing oneself with basic vocabulary and expressions, pronunciation, etc..
- Understand Korean conversation on personal and familiar topics.
- Get familiarized with the Korean language and the basic Korean language structure so as to read and understand simple written Korean text, and express oneself in written Korean.

Unit Structure

『Fun! Fun! Korean 2』 is made up of 15 units. The 15 units are composed of topics centering on the potential real life situations that students may experience while living in Korea. Each unit is composed as shown below.

Goals ▶	Introduction ▶	Dialogue & Story ▶	Speaking Practice ▶	Activity ▶	Grammar
	Picture Warm-up question	Dialogue 1 Dialogue 2 Story	Vocabulary Grammar Pronunciation	Listening Speaking Reading Writing Culture Self-Check	

Goals

We have thoroughly described the overall lesson goals and contents (Topic, Function, Activity, Vocabulary, Grammar, Pronunciation, Culture) in the unit so that the students can get acquainted with the lesson goals and contents prior to the lesson.

Introduction

We have suggested a picture relating to the unit's topic including a few questions below. Through the picture and the questions, the students are able to think about the unit's topic beforehand and therefore, are able to prepare for their studies.

Dialogue & Story

This section will be used as a speech sample, in which the students will ultimately use after the completion of this unit. We have suggested 2 dialogues and 1 story. The students can confirm the lesson goals of the corresponding unit with further details through the example.

New Vocabulary

By explaining the new words or the meaning of the expressions that appear next to the example, we have made it easier for the students to understand the content of the dialogue and story.

Speaking Practice

In this section, the students practice and review vocabulary, grammar, etc. in order to perform and achieve the skills laid out in the topic of the corresponding unit. The practice questions are not in the form of ordinary drills but are in the form of speaking chances so that the students can familiarize the vocabulary and grammar orally.

Language Tip

In this section, we have included in depth of the usage of particular expression and its meaning in case further explanation is needed.

Vocabulary

When a new word appears, we explain the meaning of the new words immediately at the time in order to make it easier for the students to study. In addition, next to the vocabulary practice, we suggest that the vocabulary to study be categorized according to the meanings of the word (e.g., vocabulary for food/occupation).

Pronunciation

The following unit presents pronunciations that must be familiarized with. In order for the students to acquire accurate pronunciation, the unit presents simple explanation of pronunciation methods and provides words and sentences that the students could practice with.

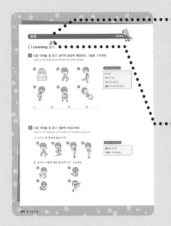

Activity

In this section, a real-life, communicative situation is re-enacted so the students can perform practical tasks such as ⟨Listening⟩, ⟨Speaking⟩, ⟨Reading⟩, and ⟨Writing⟩ by using grammar and expressions learned in the speaking practice stage.

Listening

This section is to help perform listening tasks. It is constructed in stages of 'vocabulary listening - sentence listening - text listening' so the students can reach the level of naturally understanding long texts.

Speaking

This section is to help perform speaking tasks. It is constructed in regards to contents and situation that the students will likely encounter in real life. Aside from dialogues, the students will also practice giving narrative talks including a presentation.

Reading

This section is to help perform reading tasks. The selected reading texts are the ones that the students will encounter in real life and will help the students to perform effective reading practices based on the comprehension of the contents and types of the text.

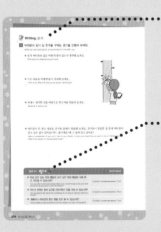

Writing

This section is to help perform writing tasks. The students will be asked to do types of writing that they will likely to encounter in real life, which will help the students to write effectively according to the types and subjects of the text.

Self-Check

In this section, a self check chart is provided in order to evaluate whether one's learning has been successfully accomplished or not. One would not only be able to check how much learning has been accomplished and check his/her weaknesses but one could also find the main function of each unit and could identify areas that he/she has to focus on.

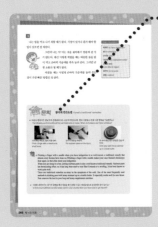

Culture

This section introduces Korean culture that is related to the topic of each unit. With the comprehension of Korean culture as a basis, the students will gain a better understanding of Korean language and will be able to use the language more naturally. When it comes to introducing Korean culture, the contents have been constructed in ways of understanding Korean culture during the process of mutual functioning with the students as they comprehend other cultures as well, rather than just conveying Korean culture alone.

Grammar

This section is to help the grammar comprehension of the students by presenting grammar descriptions from each unit along with exemplary sentences. This part, which is being dealt with items related to class session, is organized and placed at the end of each unit making it easy for each student to find when studying alone and could also play a role as a grammar dictionary. As a chance to practice the grammar, the last two among exemplary sentences are left with blanks for the learner to complete using the grammar they have learned.

Listening Transcript

In this section, all the transcripts for listening activity are presented.

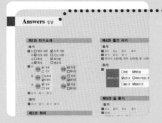

Answers

This section provides answers to questions from listening and reading activities.

Glossary

This section lists all the vocabulary presented in the textbook in an alphabetical order with its meanings and the page number where its explanation is given.

Contents 차례

Syllabus 교재 구성

Lesson	Topic	Function	Vocabulary	Grammar
1 자기소개	Self-introduction	• Introducing yourself in formal and informal settings	• Majors • Jobs	• –네요 • –고 있다 • –이/가 아니다 • –이/가 되다
2 취미	Hobby	• Talking about hobbies • Introducing your hobbies	• Hobbies • Playing musical instruments • Frequency • Numbers	• –(으)ㄹ 때 • –(이)나 • –(으)ㄹ 수 있다/없다 • –기 때문에
3 날씨	Weather	• Predicting the weather • Comparing the weather • Understanding the weather forecast • Explaining symbols of the weather	• Weather • Weather-related activities of daily life • Expressions related to weather	• –는/(으)ㄴ(Present tense modifier) • –(으)ㄹ까요? • –(으)ㄹ 것 같다 • –아/어/여지다
4 물건 사기	Shopping	• Buying fruits at a store • Buying clothes that you want at a store • Explaining one's taste in clothes	• Fruits • Clothes • Color • Depth of color • Clothing size	• –짜리 • –어치 • –는/(으)ㄴ 것 같다 • –(으)니까
5 길 묻기	Directions	• Asking for directions • Explaining how to get to the place	• Movement • Traffic signals	• –(으)면 되다 • –아/어/여서 • –(으)면 • –지만
6 안부 · 근황	Asking how one is doing these days	• Asking how one is and answer how you are • Talking about how one is doing	• Current life • Changes in personal life • Vacation and holiday activities	• Low forms of speech (–아/어/여, –았/었/였어, –(이)야, –자, –지, –(으)래, –(으)ㄹ까, –(으)ㄹ게, –아/야)
7 외모 · 복장	Appearance and clothes	• Describing appearance and clothes • Describing what one wears	• Appearance • Expressions related to putting on & taking off	• –는/(으)ㄴ 편이다 • –(으)ㄴ(Past tense modifier) • –처럼 • ㄹ irregular conjugation

Activity	Pronunciation	Culture
• Listen to a conversation about personal information exchange • Listen to self-introduction • Have a conversation about personal information exchange Introduce oneself • Understand an ad looking for a foreign friend • Write an ad looking for a Korean friend	Voicing	How to call a Korean by name
• Listen to a conversation about hobbies • Interview your friends about their hobbies • Introduce your hobbies • Read a passage about hobbies • Write about your hobbies	ㄹ-ㄹ	Internet community
• Listen to a conversation about the weather • Listen to the weather forecast • Ask and answer on the weather in your friend's country • Ask and answer one's favorite weather • Read a weather forecast in a newspaper • Write a passage introducing your country's weather	ㅜ and ㅗ	Weather and a way of life
• Listen to a conversation about buying fruits or clothes • Talk about one's favorite clothes • Buy clothes at a store • Read an interview about one's taste in clothes • Write about one's favorite clothes	Sentence intonation 1	Famous markets in Korea
• Listen to a conversation about asking and answering directions • Listen to announcements • Ask and answer about the location of places • Introduce a nice restaurant and explain how to get there • Read a passage introducing where a nice restaurant is on the internet bulletin board • Write an email about how to get to the meeting place	The first ㄹ of a syllable	Talking to a stranger
• Listen to a conversation about how one is doing • Listen to a voice mail • Ask how one has been during vacation • Introduce how you have been • Read an e-mail asking how one is doing • Write an e-mail about how one is doing	Sentence intonation 2	The meaning of '다음에 밥 한 번 먹자'
• Listen to dialogs about appearance and clothes • Listen to Missing Child Alert • Find out your friends' Mr. Right or Miss. Right • Talk about your appearance and what you wear today • Read a Missing Person ad • Write about your appearance and clothes that you like to wear	Syllable-final consonant ㄻ and ㄼ	Koreans who attach importance to appearance

Lesson	Topic	Function	Vocabulary	Grammar
8 교통	Transportation	• Asking transportation • Explaining transportation	• Expressions related to transportation	• -기는 하다 • -는 게 좋겠다 • -는/(으)ㄴ데 • -마다
9 기분 · 감정	Feelings and Emotions	• Talking about feelings and emotions • Giving congratulations or encouragement to others' feelings and emotions	• Feelings and emotions • Expressing one's emotions	• ㅡ irregular conjugation • -(으)면서 • -겠- • -지 않다 • -(으)ㄹ까 봐
10 여행	Travel	• Asking travel information • Explaining your travel experience	• Destination • Descriptions of travel • Words explaining the state	• -거나 • -(으)ㄴ 적이 있다/없다 • -아/어/여 있다 • -밖에 안/못/없다
11 부탁	Asking a favor	• Asking a favor • Accepting a request • Refusing a request	• Request and refusal • Kinds of request	• -는/(으)데 • -아/어/여 주다 • -기는요 • -(이)든지
12 한국 생활	Living in Korea	• Talking about living in Korea • Talking about plan and resolutions	• Expressions showing that time has passed • Lodging	• -(으)ㄴ 지 • -(으)려고 • -게 되다 • -기로 하다
13 도시	City	• Talking about a city • Explaining the characteristics of a city	• Direction • City • Characteristics of a city	• -다 style(sentence ending form in written language)
14 치료	Treatment	• Explaining symptoms and the causes • Buying a medicine • Recommending good remedy to a friend	• External injuries • Treatment • Digestion related diseases	• -(으)ㄹ(future tense modifier) • -때문에 • -(으)ㄹ 테니까 • -아무 -도
15 집 구하기	Looking for a house	• Talking about moving and the conditions of a house to rent at a real estate agency • Going house hunting	• Structure of a house • House moving • Features of a house • Surroundings of a house	• -(으)ㄹ까 하다 • -았/었/였으면 좋겠다 • -만큼 • -에 비해서

Activity	Pronunciation	Culture
• Listen to a passage explaining transportation • Listen to subway announcements • Talk about transportation to places where you often go • Read a passage explaining transportation • Write a passage explaining experiences that you took the wrong subway or bus	Tensification of word-initial consonant in English loanwords	The seats for senior citizens and the disabled
• Listen to a conversation about feelings and emotions • Talk about feelings and emotions • Read about feelings and emotions • Write about your feelings and emotions	Two kinds of intonation of wh-question	Koreans and Italians
• Listen to a conversation asking travel information • Listen to a conversation about experience • Get travel information • Explain how the trip was • Understand the travel guide • Write about travel experience	ㅃ and ㅍ	Places to travel in Korea
• Listen to a conversation about asking a favor • Ask a favor • Read an email asking a favor • Write an email asking a favor	Intonation of –기는요	Other uses of family terms in Korean
• Listen to a conversation about living in Korea • Interview about living in Korea • Read a passage about living in Korea • Write a passage introducing your life in Korea	ㅚ, ㅙ, ㅞ	Useful information for foreigners
• Listen to a conversation describing a city • Have a conversation about a city • Explain one's hometown • Read a passage about a city • Write a passage about one's hometown	Syllable-final sounds [ㅂ, ㄷ, ㄱ]	Seoul
• Listen to a conversation in a hospital • Listen to symptoms and how to respond to them • Perform a role-play as a pharmacist and a patient • Read a first-aid treatment of an external injury • Write a letter to a sick friend asking how he or she is and advising how to respond	Fortis and tense sound between vowels	Korea's traditional remedies
• Listen to a conversation at a real estate agency • Talk about a house • Do house hunting role play • Read an ad looking for a studio and a room for boarding • Write an ad looking for a roommate	ㄺ	Korea's housing culture

제1과 자기소개
Self-introduction

Goals

You will be able to introduce yourself to someone you are meeting for the first time.

Topic	Self-introduction
Function	Introducing yourself in formal and informal settings
Activity	Listening : Listen to a conversation about personal information exchange, Listen to self-introduction
	Speaking : Have a conversation about personal information exchange, Introduce oneself
	Reading : Understand an ad looking for a foreign friend
	Writing : Write an ad looking for a Korean friend
Vocabulary	Majors, Jobs
Grammar	–네요, –고 있다, –이/가 아니다, –이/가 되다
Pronunciation	Voicing
Culture	How to call a Korean by name

제1과 **자기소개** Self-introduction

1. 여자는 남자에게 무슨 말을 하고 있을까요?

   What might a woman be talking to a man?

2. 처음 만난 사람에게 보통 어떤 내용을 말해요? 여러분이라면 어떻게 자신을 소개하겠어요?

   What do you talk to a person you meet for the first time? What are you going to talk about when you introduce yourself?

1

현중: 처음 뵙겠습니다. 저는 김현중이라고 합니다.

린다: 안녕하세요. 저는 린다예요. 미국에서 왔어요.

현중: 미국 어디에서 왔어요?

린다: 애틀란타에서 왔어요.

현중: 언제 한국에 왔어요?

린다: 3개월 전에 왔어요.

현중: 그런데 한국어를 잘하시네요.

린다: 미국에서 조금 배우고 왔어요.
　　　지금은 고려대학교에서 한국어를 공부하고 있어요.

New Vocabulary

처음 뵙겠습니다
How do you do?

애틀란타 Atlanta

2

수　미: 안녕하세요, 선배님. 이쪽은 제가 지난번에 말씀드린 니콜라
　　　　씨입니다.

호　철: 아, 그래요? 만나서 반갑습니다. 저는 최호철입니다.

니콜라: 안녕하십니까? 저는 니콜라라고 합니다.

호　철: 지금 대학원에서 공부하고 있지요?

니콜라: 네, 나중에 한국어과 교수가 되고 싶어서 한국어교육학을
　　　　전공하고 있습니다.

호　철: 대학에서도 한국어를 전공했습니까?

니콜라: 아니요, 대학 때 전공은 한국어가 아니라 이탈리아어였습
　　　　니다. 앞으로 잘 부탁드립니다.

New Vocabulary

선배 senior

이쪽 this

지난번 before/last time

말씀드리다 to tell

나중에 later

한국어과
department of Korean
language

되다 to become

한국어교육학
Korean language education

전공하다 to major in

전공 major

이탈리아어
Italian (language)

부탁드리다
to ask a favor (of a person
who is older)

안녕하십니까. 저는 베트남에서 온 투안이라고 합니다. 1년 전부터 고려대학교에서 한국어를 공부하고 있습니다. 저는 1년 전에 하노이 국립대학교를 졸업했습니다. 대학 때 전공은 경영학이었습니다.

제 꿈은 한국 회사에 취직을 하는 것입니다. 그래서 지금 한국어를 공부하고 컴퓨터도 배우고 있습니다.

New Vocabulary

하노이 국립대학교
Hanoi national university

졸업하다 to graduate

경영학
business administration

꿈 dream

 **문화** **한국인의 호칭법** How to call a Korean by name

● 여러분 나라에서는 다른 사람의 이름을 부를 때 어떻게 불러요? 한국에서는 어떻게 부르는지 아세요? 아래의 그림을 보고 어떻게 부르는 것이 맞는지 찾아보세요.
  How do you call another person by name in your country? Do you know how to call a person by name in Korea? Look at the picture and find out the appropriate way.

In Korea, people use 씨 after the name or the full name when they call another person by name. So 영민 씨 or 김영민 씨 is ther right way to call him. 영민 씨 is more intimate expression than 김영민 씨. Some manual laborers call people by using 씨 after the family name like 김 씨, but it is not recommendable.

● 알고 있는 한국 사람의 이름을 불러 보세요.
  Call a Korean that you know by his or her name.

1 〈보기〉와 같이 연습하고, 친구와 인사를 나눠 보세요.

After practicing as in example, exchange greetings with your classmate.

>
>
> **이동주 / 왕치엔**
>
> 가: 안녕하세요? (저는) 이동주입니다.
> Hello, I am 이동주.
>
> 나: 안녕하십니까? (저는) 왕치엔이라고 합니다.
> Hello, I am 왕치엔.

❶ 앤더슨 / 사토 　　　　　**❷** 종초홍 / 마이클

❸ 김수미 / 아딘다 　　　　**❹** 린다 / 압둘라

❺ 세르반테스 / 강유미 　　**❻** 소냐 / 클린턴

2 세 사람이 한 조가 되어 〈보기〉와 같이 연습하고, 서로 인사를 나눠 보세요.

Make a group of three and exchange greetings as in example.

>
>
>
>
> **왕치엔 / 최호철**
>
> 가: 선배님, 이쪽은 제가 지난번에 이야기한 왕치엔 씨입니다.
> This is 왕치엔 that I talked about the other time.
>
> 나: 아, 그래요? 만나서 반갑습니다. 저는 최호철입니다.
> Oh, really? Nice to meet you. I am 최호철.
>
> 다: 안녕하십니까? 저는 왕치엔이라고 합니다.
> Nice to meet you. I am 왕치엔.

❶ 앤더슨 / 김수미 　　　　**❷** 사토 / 이동주

❸ 린다 / 박지영 　　　　　**❹** 압둘라 / 오현욱

❺ 세르반테스 / 강수정 　　**❻** 클린턴 / 한상호

3 〈보기〉와 같이 연습하고, 친구와 어디에서 왔는지 이야기해 보세요.

Talk about where you come from with your classmate as in example.

> **보기**
>
> 중국 / 베이징
>
> 가: 중국에서 왔어요?
> Are you from China?
>
> 나: 네, 중국 베이징에서 왔어요.
> Yes, I am from Beijing, China.

❶ 프랑스 / 파리 ❷ 이집트 / 카이로 ❸ 칠레 / 산티아고

❹ 태국 / 방콕 ❺ 스위스 / 취리히 ❻ 호주 / 시드니

4 〈보기〉와 같이 이야기해 보세요.

> **보기**
>
> 한국어를 잘하다 /
> 1년 동안 공부하다
>
> 가: 한국어를 잘하시네요.
> You speak Korean very well.
>
> 나: 감사합니다.
> Thank you.
>
> 1년 동안 공부했어요.
> I have been studying Korean for a year.

New Vocabulary

발음 pronunciation
연습 practice
글씨 handwriting
단어 word
보고서 report
준비 preparation

❶ 발음이 아주 좋다 / 연습을 많이 하다

❷ 글씨를 예쁘게 쓰다 / 많이 써 보다

❸ 단어를 많이 알다 / 공부를 많이 하다

❹ 보고서를 잘 썼다 / 준비를 많이 하다

❺ 한국 음식을 잘 만들다 / 친구한테 배우다

❻ 스키를 잘 타다 / 10년 동안 타다

5 〈보기〉와 같이 연습하고, 친구와 무슨 일을 하는지 이야기해 보세요.

Talk about what you do with your classmate as in example.

> **보기**
>
> 한국어를 공부하다
>
> 가: 지금 무슨 일을 하세요?
> What do you do?
>
> 나: 한국어를 공부하고 있어요.
> I am studying Korean.

❶ 회사에 다니다 ❷ 대학에 다니다 ❸ 취직을 준비하다

❹ 유학을 준비하다 ❺ 쉬다 ❻ 놀다

6 〈보기〉와 같이 이야기해 보세요.

전공 Majors

보기

가: 대학을 졸업했습니까?
Did you finish your college?

나: 네, 1년 전에 졸업했습니다.
Yes, I graduated a year ago.

1년 전 / 사회학

가: 무엇을 전공했습니까?
What did you major in?

나: 사회학을 전공했습니다.
I majored in sociology.

한국어문학
Korean language & literature

영어영문학
English language & literature

일어일문학
Japanese language & literature

중어중문학
Chinese language & literature

한국어교육학
Korean language education

동아시아학 East Asian studies

역사학 history

심리학 psychology

사회학 sociology

법학 law

경제학 economics

경영학
business administration

신문방송학
mass communication

의학 medicine

공학 engineering

❶ 3년 전 / 한국어문학   ❷ 올해 / 법학

❸ 작년 / 공학   ❹ 3년 전 / 역사학

❺ 2년 전 / 경영학   ❻ 1년 전 / 의학

7 〈보기〉와 같이 이야기해 보세요.

보기

가: 대학에서 한국어를 전공했습니까?
Did you major in Korean at the college?

한국어 / 중국어

나: 아니요, 한국어가 아니라 중국어를
전공했습니다.
No, I majored in Chinese, not Korean.

❶ 법학 / 심리학   ❷ 의학 / 공학

❸ 역사학 / 사회학   ❹ 한국어문학 / 동아시아학

❺ 일어일문학 / 중어중문학   ❻ 경영학 / 경제학

8 〈보기〉와 같이 이야기해 보세요.

한국어교육학 /
한국어과 교수

가: 왜 한국어교육학을 전공합니까?
Why are you majoring in Korean language education?

나: 나중에 한국어과 교수가 되고 싶어서 한국어교육학을 전공합니다.
I want to become a professor, so I major in Korean language education.

직업 Jobs

교사 teacher
교수 professor
강사 lecturer
대학원생 graduate student
번역가 translator
통역가 interpreter
관광 안내원 tour guide
기자 journalist / reporter
변호사 lawyer
기술자 engineer
사업가
businessman/businesswoman

❶ 법학 / 변호사 ❷ 신문방송학 / 신문 기자

❸ 공학 / 기술자 ❹ 역사학 / 고등학교 교사

❺ 한국어 / 관광 안내원 ❻ 중어중문학 / 통역가

9 〈보기〉와 같이 연습하고, 자신의 꿈을 이야기해 보세요.
Talk about your dream as in example.

한국어과 교수,
되다 /
한국어교육학

제 꿈은 한국어과 교수가 되는 것입니다. 그래서 한국어교육학을 전공하고 있습니다.
I chose Korean language education as my major so as to become a professor.

New Vocabulary

고등학교 high school
사업 business
자동차 car
여행사 travel agency

❶ 신문기자, 되다 / 신문방송학

❷ 관광 안내원, 되다 / 역사학

❸ 사업, 하다 / 경영학

❹ 여행사, 만들다 / 한국어

❺ 자동차, 만들다 / 자동차 공학

❻ 한국 회사, 취직하다 / 경영학

10 〈보기 1〉이나 〈보기 2〉와 같이 연습하고, 친구와 서로 소개해 보세요.

Introduce each other with your classmate as in example 1 or 2.

발음 Pronunciation

보기1	
베트남, 투안 / 6개월 전 / 한국대학교에서 한국어를 공부하다	안녕하세요? 저는 베트남에서 온 투안이라고 합니다. 6개월 전에 한국에 왔습니다. 저는 지금 한국대학교에서 한국어를 공부하고 있습니다. 만나서 반갑습니다. Hello, I am 투안 from Vietnam. I came to Korea six months ago. I am studying Korean at *Han-guk* University. Nice to meet you.

Voicing

관광 바보
[k] [g] [p] [b]

When ㄱ, ㄷ, ㅂ, ㅈ are used between voiced sounds like a vowel, a nasal sound, and ㄹ, they are pronounced as voiced sounds.

보기2	
하나은행, 사토 / 1년 전, 한국어를 공부하다	안녕하십니까? 저는 하나은행에서 일하는 사토라고 합니다. 1년 전부터 한국어를 공부하고 있습니다. 만나서 반갑습니다. Hello, I am 사토, working for *Hana* Bank. I have been studying Korean for one year. Nice to meet you.

▶연습해 보세요.

(1) 가: 어디 가요?
　　나: 집에 가요.
(2) 가: 전공이 뭐예요?
　　나: 한국어예요.
(3) 가: 나중에 무슨 일을 하고 싶어요?
　　나: 기자가 되고 싶어요.

❶ 프랑스, 미셸 / 올해 / 대학원에서 한국 역사를 전공하다

❷ 러시아, 안드레이 / 3년 전 / 대학에서 경영학을 전공하다

❸ 아메리카 은행, 아만다 / 9개월 전, 한국에서 살다

❹ 현대자동차, 왕샤오칭 / 작년, 한국에서 일하다

11 〈보기〉와 같이 연습하고, 친구와 자기를 소개해 보세요.

Introduce yourself with your classmate as in example.

New Vocabulary

대사관 embassy

(서울) 지점 (seoul) branch

여행사를 차리다
to open a travel agency

보기

 사토 하루미

일본, 교토, 대학생

한국어를 전공하다

한국 회사에 취직하고 싶다

 제인 에어

영국, 런던

영국 대사관에서 일하다

하루미: 안녕하세요? 저는 사토 하루미라고 합니다.

제　인: 안녕하세요? 저는 제인 에어예요.

　　　　만나서 반갑습니다.

하루미: 제인 씨는 어디에서 오셨어요?

제　인: 저는 영국 런던에서 왔어요.

하루미: 저는 일본 교토에서 왔어요.

제　인: 지금 무슨 일을 하세요?

하루미: 대학생이에요. 한국 회사에 취직하고 싶어서

　　　　한국어를 전공하고 있어요.

　　　　제인 씨도 학생이세요?

제　인: 아니요, 저는 학생이 아니에요.

　　　　지금 영국 대사관에서 일하고 있어요.

❶ 이범수

미국, 시카고, 대학원생

법학을 전공하다

변호사가 되고 싶다

 왕웨이

중국, 상하이

고려대학교에서 중국어를 가르치다

❷ 차따

태국, 방콕, 대학생

한국어를 배우다

여행사를 차리고 싶다

 요시노 타로

일본, 도쿄

일본은행 서울지점에서 일하다

🎧 Listening_듣기

1 다음 대화를 잘 듣고 여자의 직업이나 국적을 찾아보세요.
Listen to the dialogue and find out a woman's job or nationality.

1) ☐ 영국 사람   ☐ 호주 사람

2) ☐ 태국 사람   ☐ 인도 사람

3) ☐ 학생   ☐ 회사원

4) ☐ 학생   ☐ 변호사

2 다음은 여러 나라 사람들의 모임에 온 사람들이 자신을 소개하는 내용입니다.
잘 듣고 어느 나라 사람인지, 무슨 일을 하는지 맞는 답을 고르세요.
The following is an introduction of people from many countries. Listen carefully, and choose the correct answer of where he or she is from and what he or she does.

1)
국적	몽골		직업	학생
	인도			회사원

2)
국적	알제리		직업	학생
	이집트			회사원

3)
국적	중국		직업	학생
	일본			회사원

3 다음 대화를 잘 듣고 아래의 내용이 맞으면 ○, 틀리면 ×에 표시하세요.
Listen to the dialogue and mark the following statements as either ○ or ×.

1) 여기는 한국입니다.   ○ ×

2) 디에고 씨는 관광 안내원입니다.   ○ ×

3) 디에고 씨는 대학에서 한국어를 전공했습니다.   ○ ×

🎙 Speaking_말하기

1 친구들에게 이름, 고향, 직업, 한국어 학습 기간, 한국어 학습 이유를 물어보세요.
Ask your friends what their names are, what they do, how long they have studied Korean, and why they are studying Korean.

● 이름, 고향, 직업, 한국어 학습 기간, 한국어 학습 이유를 알고 싶으면 어떻게 질문해야 할까요?
How are you going to ask your friends what their names are, what they do and how long they have studied Korean?

● 친구들과 위의 내용을 묻고 대답해 보세요.
Ask and answer the following questions.

이름	고향	직업	한국어 학습 기간	한국어 학습 이유
마려	중국 베이징	학생	1년	취직

2 친구들에게 여러분을 소개해 보세요.
Introduce yourself to your friends.

● 함께 공부하는 친구들에게 여러분을 소개하려고 합니다. 어떤 내용을 소개할지 생각해 보세요.
You are going to introduce yourself to your classmates. Think about what you are going to talk about.

이름,

● 소개하고 싶은 내용에 관한 여러분의 정보를 간단히 메모해 보세요.
Take a note of what you are going to talk about when introducing yourself.

왕치엔,

● 위에서 메모한 내용을 바탕으로 여러분을 소개해 보세요. "안녕하세요. 지금부터 제 소개를 시작하겠습니다." 로 발표를 시작하고, "이상으로 제 소개를 마치겠습니다." 로 발표를 마치세요.
Based on it, introduce yourself. Start the introduction with "안녕하세요. 지금부터 제 소개를 시작하겠습니다." and end it with "이상으로 제 소개를 마치겠습니다."

Reading_읽기

1 우리는 가끔 외국인 친구를 구하는 광고문을 보게 됩니다. 다음 글은 한국의 한 대학생이 외국인 친구를 사귀고 싶다고 어느 대학교의 홈페이지 게시판에 올린 글입니다. 잘 읽고 내용을 파악해 보세요.

We often see an ad looking for a foreign friend. The following is an article looking for a foreign friend on a university website posted by a Korean university student. Read it carefully.

● 먼저 글에 어떤 내용이 들어 있을지 생각해 보세요.
  Make a guess of what might be written on the article.

● 다음 글을 읽고 이 사람은 어떤 사람인지, 어떤 친구를 찾는지 생각해 보세요.
  Read the following ad and find out what the friend the person is looking for is like.

● New Vocabulary

국제변호사
international lawyer

외국인 친구를 찾습니다

안녕하세요? 저는 한국대학교 법학과 3학년 이진혁입니다. 제 꿈은 국제변호사가 되는 것입니다. 그래서 여러 나라의 친구들을 사귀고 싶습니다.

저는 운동을 좋아합니다. 그리고 영화를 보는 것도 좋아합니다. 저는 외국인 친구와 같이 운동도 하고 영화도 보고 싶습니다.

저는 영어와 중국어를 잘합니다. 그리고 지금 스페인어를 배우고 있습니다. 그러니까 한국어를 잘하지 못하는 사람도 괜찮습니다.

외국인 친구의 전화를 기다리겠습니다.

(이진혁: 010-233-7543)

● 아래의 내용이 맞으면 ○, 틀리면 ×에 표시하세요.
  Mark the following statements as either ○ or ×.

(1) 이진혁 씨는 한국대학교에서 법학을 전공하고 있어요.   ○ ×

(2) 이진혁 씨는 외국인 친구가 여러 명 있어요.   ○ ×

(3) 이진혁 씨는 외국인 친구와 운동을 같이 하고 싶어해요.   ○ ×

(4) 이진혁 씨는 한국어를 잘하는 외국인을 찾아요.   ○ ×

✎ Writing_쓰기

1 한국인 친구를 구하는 글을 써 보세요.
Write an ad looking for a Korean friend.

● 여러분이 한국인 친구를 구하는 글을 쓴다면 어떤 내용을 쓰겠어요?
What would you write if you look for a Korean friend?

이름, 나라

● 여러분의 정보를 간단히 메모해 보세요.
Take a note of your information.

린다 테일러, 미국

● 위에서 메모한 내용을 바탕으로 한국인 친구를 구하는 글을 써 보세요. 한국 친구들이 관심을 가질 수 있도록 재미있게 써 보세요.
Based on it, write an ad looking for a Korean friend. Try to make the ad interesting and attractive to Korean friends.

자기 평가 ✏   Self-Check

● 처음 만난 사람에게 자기소개를 할 수 있습니까?
Are you able to introduce yourself to the person you meet for the first time?

Excellent ●━━●━━● Poor

● 격식적인 상황에서 자기소개를 할 수 있습니까?
Are you able to introduce yourself in a formal setting?

Excellent ●━━●━━● Poor

● 자기소개를 하는 글을 읽고 쓸 수 있습니까?
Are you able to read and write a passage on self-introduction?

Excellent ●━━●━━● Poor

1 – 네요

- -네요 is attached to a verb, an adjective and 'noun+이다'. It is an exclamatory ending that expresses surprise or exclamation at the moment when the speaker is talking about something. It is often used in informal settings.

  한국어를 아주 잘하시네요.   You speak Korean really well.

  (1) 가: 한국 음식을 잘 드시네요.
  　　 나: 한국 음식이 아주 맛있어요.
  (2) 가: 키가 아주 크네요. 키가 얼마나 돼요?
  　　 나: 180센티미터입니다.
  (3) 가: 중국인이시네요.
  　　 나: 네, 중국 상하이에서 왔어요.
  (4) 가: 어제는 열 시간 정도 등산을 했어요.
  　　 나: 많이 걸으셨네요.
  (5) 가: 한국어 발음이 아주 _____.
  　　 나: 정말요? 열심히 연습했어요.
  (6) 가: 집에서 학교까지 5분이 걸려요.
  　　 나: _____.

2 –고 있다

- -고 있다 is attached to a verb stem, indicating the motion or action is continuing.
  저는 책을 읽고 있어요.   I am reading a book.

- It is not required to use -고 있다 in order to indicate the progressive form in Korean. Koreans use the present form like 들어가요, 와요, 읽어요, indicating the present motion or action is continuing.
  저는 책을 읽고 있어요.   I am reading a book.
  저는 책을 읽어요.   I read a book.

- -고 있었다 is not used to indicate a continued action for a certain period of time in the past. -고 있었다 is used only when the action continued at a certain point of time in the past.
  저는 일요일 오후에 집에서 책을 읽고 있었어요. (×) ➡ 책을 읽었어요. (○)
  I read a book at home in the Sunday afternoon.

  일요일 오후에 집에서 책을 읽고 있었어요. 그런데 그때 친구가 찾아왔어요. (○)
  I was reading a book at home in the Sunday afternoon. Then my friend came to see me.

(1) 가: 전공이 뭐예요?

나: 저는 한국어를 전공하고 있어요.

(2) 가: 학생이세요?

나: 아니요, 회사에 다니고 있어요.

(3) 가: 지금 뭐 하고 있어요?

나: 영화를 보고 있어요.

(4) 가: 어제 오후 세 시에 뭐 했어요?

나: 도서관에서 책을 읽고 있었어요. 그런데 왜요?

(5) 가: 무슨 일을 하고 계세요?

나: _____ .

(6) 가: 여기서 뭐 해요?

나: _____ .

3 -이/가 아니다

- -이/가 아니다 is attached to a noun, negating -이다. In informal settings, -이/가 아니에요 is used for the present tense endings.

  저는 학생이에요. I am a student.

  저는 학생이 아니에요. I am not a student.

- This takes two forms.

  a. If the noun ends in a consonant, -이 아니다 is used.

  b. If the noun ends in a vowel, -가 아니다 is used.

- 'A가 아니라 B다.' is used to indicate 'not A but B'.

  저는 대학생이 아니라 대학원생입니다. I am not a undergraduate student but a graduate student.

(1) 가: 한국 사람이세요?

나: 아니요, 저는 한국 사람이 아니에요. 몽골 사람이에요.

(2) 가: 고향이 서울이에요?

나: 아니요, 제 고향은 서울이 아닙니다. 인천입니다.

(3) 가: 의사세요?

나: 아니요, 저는 의사가 아니라 의대생이에요.

(4) 가: 저기가 도서관이에요?

나: 아니요, 저기는 도서관이 아니라 우체국이에요.

(5) 가: 이 우산은 마이클 씨의 것이에요?

나: _____ .

(6) 가: 취미가 영화를 보는 거예요?

나: _____ .

4 **-이/가 되다**

● -이/가 되다 is attached to a noun, indicating that the subject becomes the noun.

수미가 벌써 대학생이 되었어요. 수미 is already a university student.

● This takes two forms.

    a. If the noun ends in a consonant, -이 되다 is used.

    b. If the noun ends in a vowel, -가 되다 is used.

(1) 가: 나중에 무슨 일을 하고 싶어요?

    나: 저는 한국어 선생님이 되고 싶어요.

(2) 가: 저는 가수가 되고 싶습니다.

    나: 꿈을 꼭 이루기 바랍니다.

(3) 가: 저 3월에 대학에 입학했어요.

    나: 벌써 대학생이 되었어요?

(4) 가: 7월이에요. 어느새 여름이 되었어요.

    나: 글쎄 말이에요. 시간이 참 빠르네요.

(5) 가: 꿈이 뭐예요?

    나: 제 꿈은 _____.

(6) 가: _____.

    나: 그럼 퇴근합시다.

> ● New Vocabulary
>
> 꿈을 이루다
> to realize one's dream
>
> 어느새 already
>
> 글쎄 말이에요.
> I suppose you're right.

제2과 취미
Hobby

Goals

You will be able to talk about hobbies and introduce your hobbies.

Topic	Hobby
Function	Talking about hobbies, Introducing your hobbies
Activity	Listening : Listen to a conversation about hobbies
	Speaking : Interview your friends about their hobbies, Introduce your hobbies
	Reading : Read a passage about hobbies
	Writing : Write about your hobbies
Vocabulary	Hobbies, Playing musical instruments, Frequency, Numbers
Grammar	-(으)ㄹ 때, -(이)나, -(으)ㄹ 수 있다/없다, -기 때문에
Pronunciation	ㄹ-ㄹ
Culture	Internet community

제2과 취미 Hobby

1. 이 사람들은 지금 무엇을 하고 있어요?
   What are these people doing now?

2. 취미에 대해 이야기할 때 무슨 이야기를 해요?
   What do you say when you talk about hobbies?

1

린다: 미키 씨는 시간이 있을 때 보통 무엇을 해요?

미키: 저는 사진 찍는 것을 좋아해요. 그래서 시간이 있을 때 사진을 찍으러 가요.

린다: 주로 무슨 사진을 찍어요?

미키: 가족이나 친구들 사진을 많이 찍어요. 그런데 린다 씨는 취미가 뭐예요?

린다: 제 취미는 춤추는 거예요. 요즘은 재즈 댄스를 배우고 있어요.

미키: 그래요? 어디에서 재즈 댄스를 배울 수 있어요?

린다: 학교에 재즈 댄스 동아리가 있어서 거기에서 배워요.

미키: 나도 한 번 배워 보고 싶어요.

New Vocabulary

주로 mostly
재즈 댄스 jazz dance
동아리 club

2

사토: 와! 모형 자동차가 정말 많네요. 이거 모두 영진 씨가 만들었어요?

영진: 네, 제가 만들었어요. 모형 자동차를 만드는 게 제 취미예요.

사토: 멋있네요. 전부 몇 개쯤 돼요?

영진: 한 백 개쯤 될 거예요.

사토: 모형 자동차를 자주 만들어요?

영진: 전에는 한 달에 서너 개쯤 만들었어요. 그런데 요즘은 바빠서 거의 못 만들어요.

사토: 재료는 어디에서 사요?

영진: 백화점이나 문방구에서 살 때도 있고 인터넷에서 살 때도 있어요.

사토: 만드는 게 어려워요?

영진: 아니요, 별로 안 어려워요. 한 번 만들어 볼래요?

New Vocabulary

모형 자동차 miniature car
멋있다 wonderful
한 about
서너 three or four
재료 materials
인터넷 on-line shopping

3

제 취미는 등산을 하는 것입니다. 보통 일주일에 한두 번쯤 집 근처의 산에 갑니다. 한국에는 산이 많기 때문에 고향에 있을 때보다 더 자주 등산을 합니다. 산에 올라가는 것은 아주 힘들지만 기분이 좋습니다. 특히 산꼭대기에서의 기분은 최고입니다.

요즘에는 학교에서 암벽 등반을 배우고 있습니다. 나중에 암벽 등반으로 산꼭대기까지 올라가 보고 싶습니다.

 **문화** **인터넷 동호회** Internet community

● 여러분 나라에서는 같은 취미를 가진 사람들이 어떻게 모여 취미 활동을 해요? 취미 생활과 관련된 정보는 어떻게 공유해요?
In your country, how do people with the same hobby gather together and do things they like? How do they share the information related with the hobby?

 Internet which revolutionizes how people interact each other also changes the way people who are interested in the same hobby gather together. In the past, people shared what they like with those who they already know from school, work or the neighborhood, but now, people gather together on the web. Members of the internet community have offline meetings and share the information on the hobby. Recently, the internet community has an increasing influence over the quality, the design and the after-sales service of a product reflated with the hobby, so it would be fair to say that the internet community is the treasury of the accumulated information on the hobby.

● 여러분이 가입하고 있거나 알고 있는 인터넷 동호회에 대해 이야기해 보세요.
Talk about the internet community that you are participating in or know.

말하기 연습

1 〈보기〉와 같이 이야기해 보세요.

보기

가 : 시간이 있을 때 보통 무엇을 해요?
When you have free time, what do you usually do?

나 : 영화를 봐요.
I usually watch a movie.

기타를 치다
to play the guitar

등산을 하다
to climb a mountain

그림을 그리다
to draw

컴퓨터 게임을 하다
to play computer games

우표를 모으다
to collect stamps

모형 자동차를 만들다
to assemble a miniature car

전시회에 가다
to go to an (art) exhibition

음악회에 가다
to go to a music concert

❶

❷

❸

❹

❺

❻

2 〈보기〉와 같이 연습하고, 여러분의 취미에 대해 묻고 대답해 보세요.

Ask and answer about your hobbies as in example.

보기

**시간이 있다 /
그림을 그리다**

가 : 시간이 있을 때 뭘 해요?
When you have free time, what do you usually do?

나 : 저는 시간이 있을 때 그림을 그려요.
When I have free time, I draw pictures.

소설책 novel
시간이 나다 to be free

❶ 시간이 있다 / 영화를 보다

❷ 시간이 있다 / 소설책을 읽다

❸ 시간이 많다 / 음악회에 가다

❹ 시간이 많다 / 쇼핑을 하다

❺ 시간이 나다 / 컴퓨터 게임을 하다

❻ 시간이 나다 / 사진을 찍으러 가다

3 〈보기〉와 같이 이야기해 보세요.

> 보기
>
> 수영, 축구, 하다
>
> 가: 시간이 있을 때 보통 무엇을 해요?
> When you have spare time, what do you usually do?
>
> 나: 수영이나 축구를 해요.
> I usually swim or play soccer.

● New Vocabulary

잡지 magazine
연주하다
to play(a musical instrument)

❶ 텔레비전, 영화, 보다

❷ 탁구, 테니스, 치다

❸ 신문, 잡지, 읽다

❹ 집 근처, 공원, 산책하다

❺ 청소, 빨래, 하다

❻ 피아노, 기타, 연주하다

● 발음 Pronunciation

ㄹ-ㄹ

달라요 별로

If the last consonant is ㄹ, and it is followed by another ㄹ, keep/place your tip of tongue on the roof of the mouth/on the upper gum for a long time like when you pronounce the last consonant ㄹ.

다　　ㄹㄹ　　ㅏ

▶연습해 보세요.

(1) 가: 운동하러 갈래요?
　　나: 저는 운동을 별로 안 좋아해요.

(2) 가: 청소할래요?
　　나: 아니요, 저는 빨래할래요.

(3) 가: 오늘은 맛이 어때요?
　　나: 어제하고 달라요. 조금 달아요.

4 〈보기 1〉이나 〈보기 2〉와 같이 이야기해 보세요.

> 보기1
>
> 어디에서 사진을 찍다/
> 학교 , 공원
>
> 가: 어디에서 사진을 찍어요?
> Where do you take pictures?
>
> 나: 학교나 공원에서 사진을 찍어요.
> I take pictures at the school or at the park.

> 보기2
>
> 어디에서 사진을 찍다/
> 학교, 공원
>
> 가: 어디에서 사진을 찍어요?
> Where do you take pictures?
>
> 나: 학교하고 공원에서 사진을 찍어요.
> I take pictures at the school and at the park.

❶ 어디에서 영화를 보다 / 극장 , 집

❷ 언제 등산을 하다 / 토요일 , 일요일

❸ 어느 나라에 여행을 가다 / 중국 , 일본

❹ 누구하고 산책하다 / 수미 씨, 린다 씨

❺ 무슨 운동을 좋아하다 / 야구, 축구

❻ 무슨 음식을 만들다 / 불고기, 된장찌개

5 〈보기〉와 같이 이야기해 보세요.

보기

가: 악기를 연주할 수 있어요?
Can you play a musical instrument?

나: 네, 기타를 칠 수 있어요.
Yes, I can play the guitar.

악기연주 Playing musical instruments

악기를 연주하다
to play a musical instrument

기타를 치다
to play the guitar

피아노를 치다
to play the piano

바이올린을 켜다
to play the violin

하모니카를 불다
to play the harmonica

피리를 불다
to play the flute

첼로를 켜다
to play the cello

북을 치다
to beat a *buk* (Korean drum)

❶

❷

❸

❹

❺

❻

6 〈보기 1〉과 〈보기 2〉와 같이 연습하고, 무엇을 할 수 있는지 친구와 묻고 대답해 보세요.

Talk with your classmate about what you can do as in example 1 and 2.

New Vocabulary

종이비행기를 접다
to make/fold a paper airplane

보기1

한국 노래를 부르다

가: 한국 노래를 부를 수 있어요?
Can you sing a Korean song?

나: 네, 한국 노래를 부를 수 있어요.
Yes, I can sing a Korean song.

보기2

한국 노래를 부르다

가: 한국 노래를 부를 수 있어요?
Can you sing a Korean song?

나: 아니요, 한국 노래를 부를 수 없어요.
No, I cannot sing a Korean song.

❶ 스키를 타다 ❷ 한국 신문을 읽다

❸ 종이비행기를 접다 ❹ 하모니카를 불다

❺ 한국 음식을 만들다 ❻ 재즈 댄스를 추다

7 〈보기 1〉이나 〈보기 2〉와 같이 연습하고, 여러분은 다음의 일을 얼마나 자주 하는지 묻고 대답해 보세요.

Talk with your classmate about how often you do your hobbies as in example 1 or 2.

보기1

영화를 보다 /
시간이 있다,
항상

가: 영화를 자주 봐요?
Do you often watch movies?

나: 네, 시간이 있을 때는 항상 봐요.
Yes, when I have time, I always watch movies.

보기2

영화를 보다 /
시간이 없다,
거의 안

가: 영화를 자주 봐요?
Do you often watch movies?

나: 아니요, 시간이 없어서 거의 안 봐요.
No, I don't have time, so I rarely watch movies.

빈도 Frequency

항상 always

언제나 all the time, always

자주 often

가끔 from time to time

별로 안 hardly

거의 안 rarely

전혀 안 not at all

❶ 요리를 하다 / 시간이 있다, 언제나

❷ 책을 읽다 / 시간이 있다, 항상

❸ 등산을 하다 / 시간이 나다, 자주

❹ 운동을 하다 / 시간이 없다, 가끔

❺ 음악회에 가다 / 시간이 없다, 별로 안

❻ 컴퓨터 게임을 하다 / 안 좋아하다, 전혀 안

8 〈보기〉와 같이 이야기해 보세요.

보기

운동을 하다 /
일주일, 한두 번

가: 운동을 얼마나 자주 해요?
How often do you work out?

나: 보통 일주일에 한두 번 정도 해요.
I work out once or twice a week.

수 Numbers

한두 one or two

두세 two or three

서너 three or four

네댓 four or five

대여섯 five or six

예닐곱 six or seven

❶ 피아노를 치다 / 일주일, 한두 번

❷ 춤을 추다 / 하루, 두세 시간

❸ 산책을 하다 / 일주일, 서너 시간

❹ 사진을 찍다 / 일주일, 한두 번

❺ 여행을 하다 / 일 년, 두세 번

❻ 전시회에 가다 / 서너 달, 한 번

Language Tip

한두, 두세, 서너 are often used, but other expressions related to number are not used frequently.

9 〈보기〉와 같이 이야기해 보세요.

> **보기**
>
> 한국 영화를 자주 보다/
> 한국어를 연습할 수 있다
>
> 가 : 한국 영화를 자주 봐요?
> Do you often watch the Korean movies?
>
> 나 : 네, 한국어를 연습할 수 있기 때문에 자주 봐요.
> Yes, I watch them often since I can pratice Korean.

> **New Vocabulary**
>
> 건강에 좋다
> to be good for health/healthy
>
> 경치가 아름답다
> (the) scenery to be beautiful
>
> 즐겁다
> to be pleasant/happy

❶ 운동을 자주 하다 / 건강에 좋다

❷ 사진을 많이 찍다 / 요즘 경치가 아름답다

❸ 책을 많이 읽다 / 여러 가지를 배울 수 있다

❹ 산책을 자주 하다 / 요즘 날씨가 아주 좋다

❺ 음악회에 자주 가다 / 음악을 듣는 것이 즐겁다

❻ 한국 음식을 자주 먹다 / 한국 음식을 좋아하다

10 〈보기〉와 같이 이야기해 보세요.

> **보기**
>
> 등산을 하다 /
> 한 달, 서너 번 /
> 건강에 좋다
>
> 가 : 시간이 있을 때 보통 무엇을 해요?
> What do you usually do when you have time?
>
> 나 : 등산을 해요.
> I climb mountains.
>
> 가 : 등산을 얼마나 자주 해요?
> How often do you climb mountains?
>
> 나 : 한 달에 서너 번 정도 해요.
> I climb mountains three or four times a month.
>
> 가 : 왜 등산을 해요?
> Why do you climb mountains?
>
> 나 : 건강에 좋기 때문에 등산을 자주 해요.
> I climb mountains because it is good for health.

> **New Vocabulary**
>
> 기분이 좋아지다 to feel better
> 소리 sound
> 여러 가지 various things
> 느끼다 to experience/to feel

❶ 컴퓨터 게임을 하다 / 하루, 한두 시간 / 재미있다

❷ 춤을 추다 / 일주일, 두세 번 / 기분이 좋아지다

❸ 하모니카를 불다 / 일주일, 서너 번 /
한모니카 소리를 좋아하다

❹ 여행을 하다 / 두세 달, 한 번 / 여러 가지를 느낄 수 있다

🎧 Listening_듣기

1 다음 대화를 잘 듣고 남자의 취미로 알맞은 그림을 고르세요.

Listen to the dialogue and choose the correct picture.

1)＿＿＿＿＿　　2)＿＿＿＿＿　　3)＿＿＿＿＿　　4)＿＿＿＿＿

2 다음 대화를 잘 듣고 질문에 대답하세요.

Listen to the dialogue and answer the following questions.

1) 남자의 취미는 무엇입니까?

What is the man's hobby?

  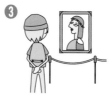

2) 다시 한 번 듣고 여자에 대한 설명이 맞으면 ○, 틀리면 ✕ 에 표시하세요.

Each sentence is an explanation about the woman, Mark the following statements as either ○ or ✕.

(1) 맛있는 음식을 먹는 것을 좋아해요.　　　　○　✕

(2) 요즘은 시간이 없어서 거의 요리를 안 해요.　○　✕

(3) 다음에 남자하고 같이 요리를 할 거예요.　　○　✕

3 다음을 잘 듣고 질문에 대답하세요.

Listen to the passage and answer the following questions.

1) 여자는 언제부터 야구를 했어요?

2) 여자는 왜 야구를 배웠어요?

3) 여자의 꿈은 뭐예요?

> **New Vocabulary**
>
> 선수 player
>
> (5)살 (five) years old

Speaking_말하기

1 친구들의 취미에 대해 인터뷰해 보세요.
Interview your friend about his/her hobbies.

● 친구의 취미에 대해 인터뷰하려고 합니다. 무엇을 질문할지 메모해 보세요.
그리고 어떻게 질문할지 생각해 보세요.
You are going to interview your friend about his/her hobby. Take a note about what you are going to ask your friend, and how you will ask those.

질문	친구 1	친구 2
취미		
언제부터		

● 여러분이 준비한 질문으로 친구를 인터뷰해 보세요.
Interview your friend with the questions that you prepared.

2 친구들에게 여러분의 취미를 소개해 보세요.
Introduce your hobbies to your friends.

● 무엇을 이야기할지 정리해 보세요.
Think about what you are going to talk about.

● 정리한 내용을 바탕으로 친구들에게 여러분의 취미를 소개해 보세요.
Based on that, introduce your hobbies to your friends.

📖 Reading_읽기

1 다음은 취미를 소개한 글입니다. 잘 읽고 질문에 답하세요.
Below is a passage about hobby. Read carefully and answer the questions.

● 취미를 소개하는 글에는 어떤 내용이 있을지 추측해 보세요.
Make a guess what would be included in the passage about hobby.

● 빠른 속도로 읽으면서 예상한 내용이 있는지 확인해 보세요.
Read it quickly and see if your guess is right or not.

> 내 취미는 사진을 찍는 것입니다. 요즘은 부모님과 친구들에게 보내고 싶기 때문에 고향에 있을 때보다 더 많이 사진을 찍습니다. 사진은 내가 말로 이야기 할 수 없는 것도 잘 이야기해 줍니다. 그래서 나는 사진 찍는 것을 좋아합니다.
> 요즘은 바쁠 때도 매일 두세 장의 사진을 찍습니다. 그리고 가족이나 친구들에게 보냅니다. 사진을 보내고 사진에 대해서 이야기하는 것은 정말 즐겁습니다.
> 한국에 있는 동안 재미있는 사진을 많이 찍고 싶습니다.

● 다시 한 번 읽고 아래의 질문에 대답하세요.
Read it once again and answer the following questions.

(1) 이 사람의 취미는 무엇입니까?

(2) 왜 그것을 좋아합니까?

(3) 얼마나 자주 합니까?

✏️ Writing_쓰기

1 여러분의 취미를 소개하는 글을 써 보세요.

Write about your hobby.

● 취미를 소개할 때 보통 무엇을 써요? 아래 ⬜에 메모하세요.

What do you usually write when you introduce your hobby? Take a note in the ⬜ .

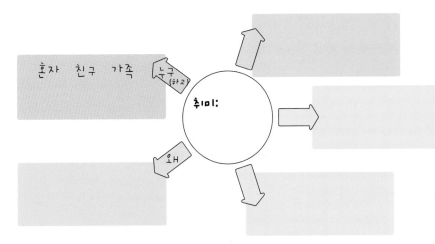

● 여러분은 어때요? 위의 ⬜에 여러분의 취미에 대해 메모하세요.

What about you? Fill in the above ⬜ with the information about your hobby.

● 메모한 내용을 바탕으로 여러분의 취미를 소개하는 글을 써 보세요.

Using the notes that you wrote above, write a passage introducing your hobby.

● 여러분의 취미를 친구들에게 소개해 보세요.

Introduce your hobbies to your friend.

자기 평가 ✏️   Self-Check

● 취미에 대해 묻고 대답할 수 있습니까?

Are you able to ask and answer about hobbies?

Excellent ●——●——●——● Poor

● 자신의 취미를 소개할 수 있습니까?

Are you able to introduce your hobby to others?

Excellent ●——●——●——● Poor

● 취미를 소개하는 글을 읽고 쓸 수 있습니까?

Are you able to read and write a passage about hobbies?

Excellent ●——●——●——● Poor

1 -(으)ㄹ 때

- -(으)ㄹ 때 is attached to a verb, an adjective, 'noun+이다', indicating a period of time when something or a situation continues or the moment when something happens.

  가: 시간이 있을 때 뭘 해요? When you have time, what do you do?

  나: 시간이 있을 때 영화를 봐요. When I have time, I watch movies.

- Even if the event happened in the past, the expressions -았/었/였 are not used in front of -(으)ㄹ 때 and the tense is shown at the end of a sentence instead. However, if the event has been completed in the past, -았/었/였 can be used.

  집에 올 때 비가 와서 우산을 샀어요. When I come home, I bought an umbrella since it rained.

  집에 다 왔을 때 비가 와서 우산이 필요없었어요.
  The umbrella wasn't necessary since it started to rain when we almost got home.

- This takes two forms.

  a. If the stem ends in a vowel or ㄹ, -ㄹ 때 is used.

  b. If the stem ends in a consonant other than ㄹ, -을 때 is used.

  (1) 가: 시간이 있을 때 무엇을 해요?

      나: 저는 그림 그리는 것을 좋아해요. 그래서 시간이 있을 때는 그림을 그려요.

  (2) 가: 수미 씨한테 언제 전화가 왔어요?

      나: 집에서 쉬고 있을 때 전화가 왔어요.

  (3) 가: 학교에 올 때 뭐 타고 와요?

      나: 버스를 타고 와요.

  (4) 가: 식당에 사람이 많아요?

      나: 아니요, 제가 갔을 때는 사람이 별로 없었어요.

  (5) 가: 책을 자주 읽어요?

      나: _____ 책을 읽어요.

  (6) 가: 언제 부모님이 보고 싶어요?

      나: _____ 부모님이 보고 싶어요.

2 -(이)나

- -(이)나 is attached to a noun, indicating 'or'.

  시간이 있을 때 수영이나 축구를 해요. When I have time, I swim or play soccer.

- This takes two forms.

  a. If the noun ends in a vowel, -나 is used.

  b. If the noun ends in a consonant, -이나 is used.

(1) 가: 주말에는 보통 무엇을 해요?

나: 축구나 야구를 해요.

(2) 가: 방학에 뭐 할 거예요?

나: 바다나 산에 놀러 갈 거예요.

(3) 가: 언제 등산을 갈 거예요?

나: 토요일이나 일요일에 갈 거예요.

(4) 가: 연필이나 볼펜 좀 빌려 줄래요?

나: 여기 있어요.

(5) 가: 수미 씨에게 무엇을 선물할까요?

나: _____ 선물해요.

(6) 가: 이번 주말에 뭘 하고 싶어요?

나: _____ .

> ● New Vocabulary
>
> 연필 pencil
>
> 선물하다 to present

3 -(으)ㄹ 수 있다/없다

● -(으)ㄹ 수 있다/없다 is attached to a verb stem, indicating an ability/disability or a possibility/impossibility.

피아노를 칠 수 없어요.   I cannot play the piano.(ability)

주말에는 도서관에서 책을 빌릴 수 없어요.   You cannot borrow a book from library on weekends.(possibility)

● This takes two forms.

a. If the stem ends in a vowel or ㄹ, -ㄹ 수 있다/없다 is used.

b. If the stem ends in a consonant other than ㄹ, -을 수 있다/없다 is used.

(1) 가: 스키를 탈 수 있어요?

나: 네, 탈 수 있어요.

(2) 가: 지난 주말에도 산에 갔어요?

나: 아니요, 비가 너무 많이 와서 갈 수 없었어요.

(3) 가: 한국 음식을 좋아해요?

나: 네, 좋아해요. 그렇지만 김치는 매워서 먹을 수 없어요.

(4) 가: 제주도에서 수영도 했어요?

나: 아니요, 날씨가 추워서 수영을 할 수 없었어요.

(5) 가: 악기를 연주할 수 있어요?

나: _____ .

(6) 가: 어떤 외국어를 할 수 있어요?

나: _____ .

4 -기 때문에

- -기 때문에 is attached to a verb, an adjective and 'noun+이다', indicating a reason or a cause for an action or a situation.

  건강에 좋기 때문에 산책을 자주 해요.
  I often take a walk because it is good for health.

- -기 때문에 cannot be followed by an imperative or a propositive ("Let's~") sentence.

  시험이 있기 때문에 열심히 공부했어요.(○)
  시험이 있기 때문에 열심히 공부하세요.(×)
  시험이 있기 때문에 열심히 공부합시다.(×)

- If a past event or state is the cause or the reason, the form -았/었/였기 때문에 is used.

  비가 많이 왔어요. 그래서 산에 안 갔어요.
  ➡ 비가 많이 왔기 때문에 산에 안 갔어요.

(1) 가 : 영화를 보는 것을 좋아해요?

   나 : 네, 좋아해요. 한국어를 공부할 수 있기 때문에 특히 한국 영화를 자주 봐요.

(2) 가 : 요즘도 사진을 많이 찍어요?

   나 : 요즘은 시간이 별로 없기 때문에 거의 못 찍어요.

(3) 가 : 이번 주말에 같이 영화 보러 갈래요?

   나 : 미안해요. 고향에서 부모님이 오셨기 때문에 이번 주말은 안 돼요.

(4) 가 : 왜 여행을 자주 가요?

   나 : 여러 가지를 생각할 수 있기 때문에 자주 가요.

(5) 가 : 왜 한국어를 공부해요?

   나 : _____ 한국어를 공부해요.

(6) 가 : 한국 생활은 어때요?

   나 : _____.

MEMO

제3과 날씨
Weather

Goals

You will be able to talk about the weather and understand the weather forecast.

Topic	Weather
Function	Predicting the weather, Comparing the weather, Understanding the weather forecast, Explaining symbols of the weather
Activity	Listening : Listen to a conversation about the weather, Listen to the weather forecast
	Speaking : Ask and answer on the weather in your friend's country, Ask and answer one's favorite weather
	Reading : Read a weather forecast in a newspaper
	Writing : Write a passage introducing your country's weather
Vocabulary	Weather, Weather-related activities of daily life, Expressions related to weather
Grammar	–는/(으)ㄴ, –(으)ㄹ까요, –(으)ㄹ 것 같다, –아/어/여지다
Pronunciation	ㅜ and ㅗ
Culture	Weather and a way of life

제3과 날씨 Weather

1. 여자는 무엇을 하고 있어요? 지금 날씨가 어떨까요?

   What is this woman doing? What would be the weather like?

2. 여러분 나라는 요즘 날씨가 어때요? 여러분은 어떤 날씨를 좋아해요?

   What is the weather like in your country these days? What kind of weather do you like?

1

수미: 어머! 밖에 비가 와요.

사토: 어! 정말 그러네요.

수미: 혹시 텔레비전에서 일기예보 봤어요?

사토: 아니요, 못 봤어요. 그건 왜요?

수미: 토요일에 친구들하고 놀러 갈 거예요.
　　　 내일도 비가 올까요?

사토: 글쎄요. 소나기 같아요.

수미: 그럴까요?

사토: 네, 걱정하지 마세요. 곧 그칠 것 같아요.

New Vocabulary

어머 oh, no!(usually used by women)

어 oh!

그렇다 to be so

혹시 by some chance

일기예보 weather forecast

소나기 shower

같다 to be alike

그럴까요? Is it so?

걱정하다 to worry

(비가) 그치다 (rain) to stop

2

영진: 날씨가 굉장히 춥네요.

제인: 그렇죠? 날씨가 많이 추워졌어요.

영진: 런던은 요즘 날씨가 어때요?

제인: 런던은 요즘 비가 많이 와요.

영진: 겨울에 비가 많이 와요?

제인: 네, 겨울에는 보통 흐리고 비가 오는 날이 많아요.

영진: 그래도 기온은 한국보다 좀 높지요?

제인: 네, 그래요. 그런데 습도가 높기 때문에 좀 추워요.

New Vocabulary

굉장히 very (much)

추워지다 to become colder

그래도 still

기온이 높다
to be high temperature

습도가 높다
to show a high percentage of humidity

3

오늘의 날씨를 말씀드리겠습니다. 오늘 중부지방은 구름이 많이 끼겠고, 남부지방은 대체로 맑겠습니다. 아침 최저기온은 0도에서 7도, 낮 최고기온은 10도에서 17도로 어제보다 조금 올라가겠습니다.

아침과 낮의 기온 차이가 큽니다. 이럴 때는 두꺼운 옷보다 얇은 옷을 여러 개 입는 것이 좋습니다. 건강한 하루 보내십시오.

● New Vocabulary

말씀드리겠습니다.
I'll talk about ~.

중부지방 the middle part

구름이 끼다 to be cloudy

남부지방
the southern part
(of the country)

대체로 for the most part

최저기온
the lowest temperature

(0)도 (zero) degree

최고기온
the highest temperature

차이 difference

두껍다 to be thick

얇다 to be thin

여러 several

보내다 to spend

 **문화**　**날씨와 생활** Weather and a way of life

● 여러분은 날씨가 사람들의 생활 습관이나 성격에 어떤 영향을 미친다고 생각해요?
Do you think that the weather affects people's way of life or character?

● 한국의 날씨는 한국 사람들의 생활 습관, 성격과 어떤 관계가 있을까요?
Is there a relationship between Korea's weather and Koreans' way of life and character?

 There are four seasons in Korea, and each season has very distinctive weather. Therefore Koreans are very sensitive to weather changes and busy with preparing for the next season. In summer, Koreans prepare for the fall, and in fall, people prepare for the winter. For example, Koreans buy clothes for the winter, and make Kimchi for the winter in the fall. Such a distinctive seasonal weather difference may have led to Koreans' higher interest in fashion and quick temper.

● 여러분 나라의 날씨와 사람들의 생활 습관, 성격은 어떤 관계가 있을까요?
What would be the relationship between the weather in your country and people's way of life and character?

1 〈보기 1〉이나 〈보기 2〉와 같이 연습하고, 좋아하는 날씨
에 대해 이야기해 보세요.

Talk about your favorite weather as in example 1 and 2.

보기1

비가 오다

가: 수미 씨는 어떤 날씨를 좋아해요?
What kind of weather do you like?.

나: 저는 비가 오는 날씨를 좋아해요.
I like the rainy weather.

보기2

흐리다

가: 수미 씨는 어떤 날씨를 좋아해요?
What kind of weather do you like?.

나: 저는 흐린 날씨를 좋아해요.
I like the cloudy weather.

---

❶ 맑다   ❷ 따뜻하다

❸ 춥다   ❹ 눈이 오다

❺ 바람이 불다   ❻ 시원하다

2 〈보기〉와 같이 연습하고, 오늘의 날씨를 예상해 보세요.

Make a prediction about today's weather as in example.

보기

비가 오다

가: 오늘 비가 올 것 같아요?
Do you think it's going to rain today?

나: 네, 비가 올 것 같아요.
Yes, it's going to rain.

---

❶ 날씨가 좀 춥다   ❷ 날씨가 흐리다

❸ 하루 종일 맑다   ❹ 바람이 많이 불다

❺ 날씨가 시원하다   ❻ 날씨가 별로 안 덥다

발음 Pronunciation

ㅜ and ㅗ

뿌 뿌   뽀 뽀

When you pronounce ㅜ, make
your lips round and stick them
out forward. When you pronounce
ㅗ, make your lips round and keep
your chin down,

ㅜ   ㅗ

▶연습해 보세요.
(1) 여름에는 소나기가 자주 와요.
(2) 보통 봄에는 바람이 조금 불어
요.
(3) 중국 북경은 한국보다 더워요.

New Vocabulary

하루 종일 all day long

3 〈보기〉와 같이 연습하고, 내일의 날씨를 예상해 보세요.
Make a forecast about tomorrow's weather as in example.

> **보기**
>
> 비가 오다 /
>
> 비가 안 오다
>
> 가: 내일 비가 올까요?
> Do you think it's going to rain tomorrow?
>
> 나: 글쎄요. 아마 비가 안 올 것 같아요.
> Well, maybe not.

❶ 날씨가 춥다 / 좀 춥다

❷ 날씨가 맑다 / 좀 흐리다

❸ 눈이 오다 / 눈이 좀 오다

❹ 날씨가 덥다 / 별로 안 덥다

❺ 날씨가 따뜻하다 / 따뜻하다

❻ 바람이 많이 불다 / 바람이 별로 안 불다

4 일기도를 보고 〈보기〉와 같이 이야기해 보세요.
Look at the weather forecast map and talk as in example.

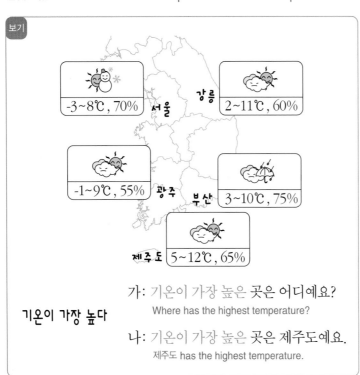

> **보기**
>
> 가: 기온이 가장 높은 곳은 어디예요?
> Where has the highest temperature?
>
> 나: 기온이 가장 높은 곳은 제주도예요.
> 제주도 has the highest temperature.
>
> 기온이 가장 높다

날씨 1 Weather 1
기온이 높다/낮다 (temperature) to be high/low
기온이 올라가다/떨어지다 (temperature) to go up/down
습도가 높다/낮다 (humidity) to be high/low
건조하다 to be dry
최고기온 the highest temperature/ the highs
최저기온 the lowest temperature/ the lows
영상 above zero
영하 below zero

❶ 기온이 가장 낮다 　　❷ 습도가 가장 높다

❸ 습도가 가장 낮다 　　❹ 최고기온이 가장 낮다

❺ 최저기온이 가장 높다 　　❻ 최저기온이 영하이다

5 〈보기〉와 같이 연습하고, 친구와 고향 날씨에 대해 이야기해 보세요.

Talk about the weather in your hometown with your classmate as in example.

> 보기
>
> 상하이, 기온이 높다 /
> 서울
>
> 가: 상하이는 기온이 높아요?
> Does Shanghai have the high temperature?
>
> 나: 네, 서울보다 높아요.
> Yes, it has higher temperature than Seoul.

❶ 일본, 습도가 높다 / 한국

❷ 베이징, 비가 잘 안 오다 / 서울

❸ 시드니, 겨울이 따뜻하다 / 제주도

❹ 한국, 겨울에 날씨가 춥다 / 영국

❺ 서울, 눈이 많이 오다 / 부산

❻ 제주도, 바람이 많이 불다 / 한국의 다른 곳

6 〈보기〉와 같이 연습하고, 요즘의 날씨 변화에 대해 이야기해 보세요.

Talk about the weather changes of these days as in example.

> 보기
>
> 날씨가 좋다
>
> 가: 날씨가 참 좋네요.
> The weather is very good.
>
> 나: 그렇죠? 요즘 날씨가 많이 좋아졌어요.
> Isn't it? The weather has become really nice these days.

❶ 날씨가 따뜻하다   ❷ 기온이 낮다

❸ 습도가 높다   ❹ 날씨가 덥다

❺ 날씨가 춥다   ❻ 날씨가 시원하다

7 〈보기〉와 같이 연습하고, 여러분 나라의 날씨를 이야기해 보세요.

Talk about your country' weather as in example.

 보기

날씨가 춥다
/ 따뜻하다

가: 날씨가 춥네요.
It is cold.

나: 그렇죠? 요즘 날씨가 많이 추워졌어요.
Isn't it? It has become much colder these days.

가: 린다 씨 고향은 요즘 날씨가 어때요?
What is the weather like in your hometown?

나: 한국보다 따뜻해요.
It is warmer than Korea.

❶ 날씨가 따뜻하다 / 춥다　❷ 기온이 높다 / 기온이 낮다

❸ 습도가 높다 / 습도가 낮다　❹ 날씨가 덥다 / 시원하다

❺ 기온이 낮다 / 기온이 높다　❻ 날씨가 시원하다 / 덥다

8 〈보기〉와 같이 연습하고, 내일의 일기예보에 대해 이야기해 보세요.

Talk bout tomorrow's weather forecast as in example.

보기

구름이 많이 끼다

가: 일기예보 봤어요?
Did you see the weather forecast?

나: 네. 내일은 구름이 많이 낄 거예요.
Yes. It is going to be more cloudy tomorrow.

❶ 해가 나다　　　　　❷ 비가 그치다

❸ 날이 개다　　　　　❹ 소나기가 내리다

❺ 태풍이 불다　　　　❻ 비가 오고 번개가 치다

● 날씨 2 Weather 2

구름이 끼다 to be cloudy

해가 나다 to be sunny

비가 그치다 (rain) to stop

날이 개다 to clear up

소나기가 내리다
(shower) to come

천둥이 치다 (thunder) to roll

번개가 치다
(lightening) to flash

태풍이 불다
(typhoon) to blow

장마가 시작되다
(the rainy season) to start

9 〈보기〉와 같이 연습하고, 내일의 날씨에 대해 이야기하고 어떻게 하는 것이 좋은지 이야기해 보세요.
Talk about tomorrow's weather as in example and talk about what you are preparing for the weather.

<table>
<tr><td>보기</td></tr>
<tr><td>
날씨가 춥다 /
따뜻한 옷을 입고
나가다
</td><td>
가: 내일은 날씨가 추울 것 같아요.
It will be cold tomorrow, I think.

나: 그래요? 그럼 따뜻한 옷을 입고 나가는 게 좋겠네요.
Really? Then, you'd better wear warmer clothes.
</td></tr>
</table>

❶ 밤에 추워지다 / 난방을 조금 하다

❷ 오전에 비가 많이 오다 / 오후에 외출하다

❸ 소나기가 오다 / 우산을 가지고 가다

❹ 장마가 끝나다 / 오래간만에 세차를 하다

❺ 눈이 오다 / 차를 안 가지고 가다

❻ 날씨가 좋다 / 이불을 빨다

날씨와 생활
Weather-related activities of daily life

외출하다 to go out

나들이를 하다
to go on a picnic

세차를 하다 to wash a car

이불을 빨다
to wash bedclothes

차를 가지고 가다 to drive a car

난방을 하다
to heat/be heated

New Vocabulary

오래간만에 after a long time

10 〈보기〉와 같이 연습하고, 지금의 날씨와 내일의 날씨, 싫어하는 날씨에 대해 이야기해 보세요.

Talk about what the weather is like today and tomorrow and the weather you hate as in example.

날씨가 꽤 춥다 /

기온이 많이 내려갔다 /

덥다 /

땀이 나다

가: 날씨가 꽤 춥네요.
It's quite cold.

나: 그렇죠? 요즘 기온이 많이 내려갔어요.
Isn't it? It is much colder these days.

가: 내일도 이렇게 추울까요?
Is it going to be this cold tomorrow?

나: 글쎄요. 내일도 추울 것 같아요.
Well, maybe yes.

가: 그럴까요? 저는 추운 날씨를 정말 싫어해요.

민수 씨는 어때요?
Really? In fact, I really hate the cold weather. How about you?

나: 저는 더운 것보다 추운 게 좋아요.

더운 날은 땀이 나서 싫어요.
I prefer the cold weather to the hot one. I hate the hot weather because it makes me sweat.

● 날씨 관련 표현
Expressions-related to weather

땀이 나다 to sweat

손이 시리다
(hands) to be cold

옷이 젖다 (colthes) to get wet

길이 미끄럽다
(road) to be slippery

먼지가 나다 to be dusty

● New Vocabulary

장마철 rainy season

❶ 날씨가 무척 덥다 / 기온이 많이 올라갔다 / 춥다 /

손이 시리다

❷ 계속 비가 오다 / 장마철이다 / 눈이 오다 / 길이 미끄럽다

❸ 습도가 꽤 높다 / 비가 많이 왔다 / 건조하다 / 먼지가 나다

❹ 눈이 많이 오다 / 며칠 동안 계속 눈이 오다 / 비가 오다 /

옷이 젖다

🎧 **Listening_듣기**

1 다음 대화를 잘 듣고 지금의 날씨가 어떤지 그림에서 골라 기호를 쓰세요.
Listen to the dialogue and choose the correct picture.

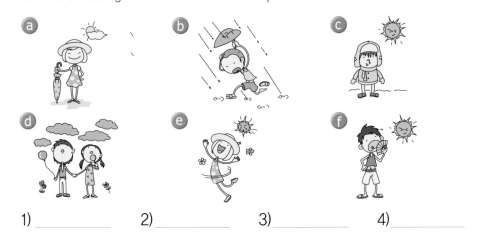

ⓐ　　　　　　ⓑ　　　　　　ⓒ

ⓓ　　　　　　ⓔ　　　　　　ⓕ

1) _____　　2) _____　　3) _____　　4) _____

2 다음 대화를 잘 듣고 아래의 내용이 맞으면 ○, 틀리면 ×에 표시하세요.
Listen to the dialogue and mark the following statements as either ○ or ×.

1) 지금 비가 와서 날씨가 많이 추워요.　　　　　○　×

2) 겨울이 되어서 날씨가 계속 추워질 거예요.　　○　×

3) 마이클 씨는 추운 날씨를 싫어해요.　　　　　○　×

4) 마이클 씨의 고향은 한국보다 따뜻해요.　　　○　×

3 다음은 일기예보입니다. 일기예보를 잘 듣고 질문에 대답하세요.
You'll listen to a weather forecast. Listen to the passage and answer the following questions.

1) 지금 날씨는 어때요?
What is the weather like?

❶ 　　❷ 　　❸

2) 내일의 날씨는 어떨까요?
What would be the weather like tomorrow?

❶ 　　❷ 　　❸

3) 마이클 씨는 내일 어떤 옷을 입는 게 좋을까요?
What kind of clothes are recommended for Michael to wear tomorrow?

❶ 　　　❷ 　　　❸

Speaking_말하기

1 친구와 날씨에 대해 이야기해 보세요.
Talk about the weather with your friend.

- 친구의 나라는 날씨가 어떨 것 같아요? 여러분 나라의 날씨와 비교해서 어떤 점이 다를 것 같아요?
  What do you think what is the weather like in your frined's country? How different would it be if compared to that of your country's?

날씨(기온, 습도)	친구의 나라	우리 나라

- 여러분이 생각한 것이 맞는지 친구에게 〈보기〉와 같이 질문을 해 보세요.
  Ask a question to your friend to see if you are right or not.

> 캐나다는 날씨가 추울 것 같아요. 맞아요?
> 캐나다는 한국보다 날씨가 추울 것 같아요. 맞아요?

2 우리 반 친구들은 어떤 날씨를 좋아하는지, 어떤 날씨를 싫어하는지 알아봅시다.
Let's find out what kind of weather my classmates like and what kind of weather they hate.

- 여러분은 어떤 날씨를 좋아하고, 싫어해요? 그 이유가 뭐예요? 그리고 그런 날에는 무엇을 해요?
  What kind of weather do you like? What kind of weather do you hate? Why? Is there any special thing to do on those weather?

좋아하는 날씨		싫어하는 날씨	
이유		이유	
하는 일		하는 일	

- 반 친구들은 어떤 날씨를 좋아하고 싫어하는지 조사해 보세요.
  Find out what kind of weather your classmates like and what kind of weather they hate, and the reason why they do.

📖 Reading_읽기

1 다음 신문의 일기예보를 읽어 보세요.
Read the following weather forecast in a newspaper.

● 아래의 그림을 보고 오늘의 날씨가 어떤지 이야기해 보세요.
Look at the picture below and talk about today's weather.

● 오늘의 날씨에 대한 설명을 잘 읽고 질문에 답하세요.
Read the description of today's weather and answer the questions.

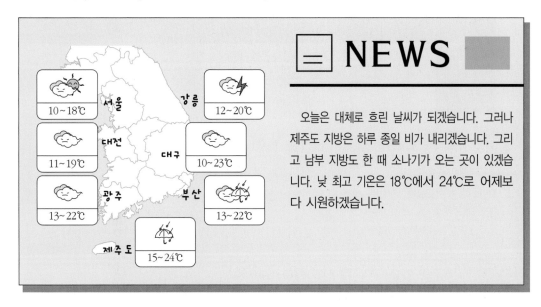

서울 10~18℃
강릉 12~20℃
대전 11~19℃
대구 10~23℃
광주 13~22℃
부산 13~22℃
제주도 15~24℃

NEWS

오늘은 대체로 흐린 날씨가 되겠습니다. 그러나 제주도 지방은 하루 종일 비가 내리겠습니다. 그리고 남부 지방도 한 때 소나기가 오는 곳이 있겠습니다. 낮 최고 기온은 18℃에서 24℃로 어제보다 시원하겠습니다.

(1) 그림을 보고 알 수 없는 것을 고르세요.
Choose what you cannot know from the picture.

❶ 최저 기온   ❷ 습도   ❸ 비가 오는 곳

(2) 오늘의 날씨에 대한 설명이 맞으면 O, 틀리면 ✕에 표시하세요.
Mark the following statements as either O or ✕.

❶ 오늘은 대체로 흐린 날씨예요.   O ✕

❷ 어제는 오늘보다 날씨가 더웠어요.   O ✕

❸ 제주도는 한때 비가 올 거예요.   O ✕

> **New Vocabulary**
>
> 한때 once

✏ Writing_쓰기

1 여러분의 친구가 3월이나 8월에 여러분 나라로 여행을 가려고 합니다. 언제 여행을 가면 좋은지 알려주는 이메일을 써 보세요.

Your friend is going to have a trip to your country in March or in August. Write an email in order to tell him or her when is the best time.

● 3월과 8월에 여러분 나라의 날씨는 어때요? 그때 여러분 나라에 여행을 갈 때 꼭 준비해야 할 것이나 조심해야 할 것이 있어요? 메모해 보세요.

What is the weather like in March or August in your country? Is there anything that he or she has to prepare or be careful of when going to your country? Take a note.

월	날씨	기온	주의사항 Matters that demand special attention
3월			
8월			

● 친구에게 3월과 8월의 날씨를 비교해서 설명하고, 언제가 여행하기 좋은지 조언하는 이메일을 써 보세요.

Write an email to compare the weather between in March and in August and advise your friend which is the best time to go on a trip.

● 옆 친구가 쓴 이메일을 읽고 언제 친구의 나라에 여행을 가고 싶은지 이야기해 보세요.

Read an email that your friend wrote, and talk about when you want to go on a trip to your friend's country.

자기 평가 ✏ Self-Check

● 날씨를 예상해서 이야기할 수 있습니까?
Are you able to make a weather forecast?

Excellent ●—●—●—● Poor

● 여러분 나라의 날씨를 소개할 수 있습니까?
Are you able to introduce what the weather is like in your country?

Excellent ●—●—●—● Poor

● 일기예보를 읽거나 듣고 이해할 수 있습니까?
Are you able to understand after you read or listen to the weather forecast?

Excellent ●—●—●—● Poor

1 -는/(으)ㄴ (Present tense modifier)

- -는/(으)ㄴ is attached to a verb, an adjective or 'noun+이다' and used to modify a following noun, indicating a current action or state.

  가 : 어떤 날씨를 좋아해요? What kind of weather do you like?

  나 : 저는 흐린 날씨를 좋아해요. I like the cloudy weather.

- This takes three forms.

  a. For the verb stem or the adjective stem ending with 있다/없다, -는 is used.

  b. If the adjective stem ends in a vowel or ㄹ, -ㄴ is used.

  c. If the adjective stem ends in a consonant other than ㄹ, -은 is used.

  (1) 가 : 비가 오는 날에는 김치찌개를 먹고 싶어요.

        나 : 그럼, 김치찌개를 먹으러 가요.

  (2) 가 : 사진을 찍으러 자주 가요?

        나 : 네, 이렇게 날씨가 좋은 날에는 꼭 가요.

  (3) 가 : 오늘 날씨 좋지요?

        나 : 네. 그런데 저는 바람이 부는 날씨를 좋아해요.

  (4) 가 : 점심 먹으러 갈래요?

        나 : 네, 좋아요. 우리 맛있는 걸 먹으러 가요.

  (5) 가 : 어떤 날씨를 좋아해요?

        나 : _____ .

  (6) 가 : 어떤 사람을 좋아해요?

        나 : _____ .

> **Language Tip**
>
> The ending which usually goes with adjectives are attached to the stem of 'noun+이다'.
> 예) 회사원인 철수 씨

2 -(으)ㄹ까요

- -(으)ㄹ까요 is attached to a verb, an adjective and 'noun+이다', indicating one's intention to ask the listener how he/she predicts about the present/future situation.

  가 : 내일 비가 올까요? Is it going to rain tomorrow?

  나 : 글쎄요. 아마 안 올 거예요. Well, maybe not.

- When asking predictions about the past, -았/었/였을까요 can be used.

  가 : 마이클 씨가 전에 무슨 일을 했을까요? What kind of job did Michael have before?

  나 : 회사에 다녔을 거예요. He must have worked for a company.

- This takes two forms.

  a. If the stem ends in a vowel or ㄹ, -ㄹ까요 is used.

  b. If the stem ends in a consonant other than ㄹ, -을까요 is used.

  (1) 가: 내일 날씨가 좋을까요?

      나: 네, 내일은 날씨가 좋을 거예요.

  (2) 가: 한국은 여름에 습도가 높을까요?

      나: 네, 높을 거예요.

  (3) 가: 부산은 날씨가 어떨까요?

      나: 바닷가라서 바람이 많이 불 거예요.

  (4) 가: 어제 제주도에도 비가 왔을까요?

      나: 네, 왔어요. 텔레비전에서 봤어요.

  (5) 가: 내일 날씨가 _____ ?

      나: 글쎄요. 오늘보다 따뜻할 거예요.

  (6) 가: 저 상자 안에 무엇이 _____ ?

      나: 글쎄요. 우리 한 번 열어 볼까요?

3 -(으)ㄹ 것 같다

- -(으)ㄹ 것 같다 is attached to a verb, an adjective and 'noun+이다', indicating one's subjective guess or presumption, about the present/future.

  가: 내일 비가 올까요? Is it going to rain tomorrow?

  나: 제 생각에는 내일 비가 올 것 같아요. I think that it will rain tomorrow.

- When making predictions about the past, '-았/었/였을 것 같아요' can be used.

  가: 지금 제주도에는 비가 올 것 같아요. It is going to rain in 제주도 now.

  나: 어제 제주도에는 비가 왔을 것 같아요. It must have rained in 제주도 yesterday.

- This takes two forms.

  a. If the stem ends in a vowel or ㄹ, -ㄹ 것 같다 is used.

  b. If the stem ends in a consonants other than ㄹ, -을 것 같다 is used.

  (1) 가: 내일 날씨가 어떨까요?

      나: 글쎄요. 눈이 올 것 같아요.

  (2) 가: 내일 날씨가 어떨 것 같아요?

      나: 바람이 많이 불 것 같아요.

  (3) 가: 저 사람은 무슨 일을 할까요?

      나: 학생일 것 같아요.

  (4) 가: 영진 씨가 어제 왜 안 왔을까요?

      나: 글쎄요. 아파서 못 왔을 것 같아요.

(5) 가 : 내일 날씨가 어떨까요?

　나 : ＿＿＿＿＿＿＿＿＿＿＿＿＿＿＿＿＿ .

(6) 가 : 선생님이 어제 뭐 했을까요?

　나 : ＿＿＿＿＿＿＿＿＿＿＿＿＿＿＿＿＿ .

4 -아/어/여지다

- -아/어/여지다 is attached to an adjective stem, indicating the changes in the state.
  봄이에요. 날씨가 많이 따뜻해졌어요.　It is spring. It has become much warmer.

- This takes three forms.
  a. If the last vowel in the stem is ㅏ or ㅗ, -아지다 is used.
  b. If the last vowel in the stem is any vowel other than ㅏ or ㅗ, -어지다 is used.
  c. For 하다, the correct form is -하여지다. However, -해지다 is generally used instead of 하여지다.

(1) 가 : 날씨가 춥지요?

　나 : 네, 많이 추워졌어요.

(2) 가 : 날씨가 꽤 덥네요.

　나 : 맞아요. 요즘 기온이 많이 높아졌어요.

(3) 가 : 언제쯤 봄이 올까요?

　나 : 이제 곧 따뜻해질 거예요.

(4) 가 : 미영 씨 요즘 많이 예뻐졌어요.

　나 : 정말요? 고마워요.

(5) 가 : 한국어가 아직 어려워요?

　나 : 아니요, 이제 좀 ＿＿＿＿＿＿＿＿＿＿＿ .

(6) 가 : 요즘 할아버지 건강은 어떠세요?

　나 : ＿＿＿＿＿＿＿＿＿＿＿＿＿＿＿＿＿ .

제4과 물건 사기
Shopping

Goals

You will be able to talk about characteristics of an item and buy the product that you want.

Topic	Shopping
Function	Buying fruits at a store, Buying clothes that you want at a store, Explaining one's taste in clothes
Activity	Listening : Listen to a conversation about buying fruits or clothes, Listen to an introduction about discount products at a supermarket
	Speaking : Talk about one's favorite clothes, Buy clothes at a store
	Reading : Read an interview about one's taste in clothes
	Writing : Write about one's favorite clothes
Vocabulary	Fruits, Clothes, Color, Depth of color, Clothing size
Grammar	-짜리, -어치, -는/(으)ㄴ 것 같다, -(으)니까
Pronunciation	Sentence intonation 1
Culture	Famous markets in Korea

제4과 물건 사기 Shopping

1. 여기는 어디입니까? 여자는 지금 무엇을 하고 있어요?

   What place is shown in the picture? What is this woman doing now?

2. 옷을 살 때 어떤 이야기를 할까요?

   What do you say when you buy clothes?

1

손님: 아저씨, 요즘은 무슨 과일이 맛있어요?

주인: 지금은 딸기가 아주 싱싱하고 맛있습니다.

손님: 그러면 딸기 3,000원어치 주세요.
　　　그리고 이 배는 어떻게 해요?

주인: 이건 2,000원짜리이고, 저건 1,000원짜리입니다.

손님: 배가 좀 비싸네요. 저 사과는 얼마예요?

주인: 사과는 다섯 개에 2,000원입니다.

손님: 그럼 사과 2,000원어치 주세요.

주인: 여기 있습니다. 전부 5,000원입니다.

New Vocabulary

딸기 strawberry

싱싱하다 to be fresh

배 pear

어떻게 해요? how much?

이건(이것은) This is ~

저건(저것은) That is ~

2

점원: 어서 오세요. 뭘 찾으세요?

손님: 블라우스를 사려고 하는데요.

점원: 블라우스요? 이건 어떠세요? 요즘 이 디자인이 유행이에요.

손님: 그런데 색깔이 별로 마음에 안 들어요.
　　　이것 말고 다른 색깔은 없어요?

점원: 여기 흰색하고 분홍색도 있어요. 한번 입어 보시겠어요?

손님: 그러면 흰색으로 입어 볼게요.

〈잠시 후〉

점원: 아주 잘 어울리시네요.

손님: 저에게 좀 작은 것 같아요.

점원: 더 큰 사이즈도 있으니까 잠깐만 기다리세요.

New Vocabulary

뭘 찾으세요?
What are you looking for?

블라우스 blouse

디자인 design

유행이다 to be in fashion

색깔 color

흰색 white

분홍색 pink

어울리다
to suit / fit you well

작다 small

사이즈 size

3

저는 어제 남대문 시장에 갔습니다. 남대문 시장은 아주 크고 넓었습니다. 그리고 여러 가지 물건이 많이 있어서 구경하는 것이 재미있었습니다. 저는 가족에게 보내고 싶어서 티셔츠 몇 개와 김을 샀습니다. 그리고 제 청바지도 하나 샀습니다. 물건 값이 싸서 아주 기분이 좋았습니다.

● New Vocabulary

넓다 to be broad

티셔츠 T-shirt

김 (green, dry) laver

청바지 blue jeans

문화 한국의 시장 Famous markets in Korea

● 여러분은 다음의 장소가 어디에 있는지, 주로 무엇을 파는지 알아요? 다음 장소에 대해 알고 있는 것을 이야기해 보세요.
Do you know where the followings are and what they sell? Talk about what you know about the following markets.

남대문 시장

동대문 시장

용산 전자 상가

서울 풍물 시장

● 다음은 위의 시장에 대한 설명입니다. 이 시장들은 어떤 특징을 가지고 있는지 살펴보세요.
The following is an explanation of each market. Take a look at the characteristics that each market has.

 남대문 시장(Namdaemun Market): Located near 남대문, Seoul. The biggest market in Korea, which is famous for the 600-year history and 7,000 stores. A variety of daily commodities, clothes, accessories and imported goods are sold in the market.
동대문 시장(Dongdaemun Market): Located near 동대문, Seoul. Along with 남대문 시장, one of the biggest markets in Korea. Daily commodities and other variety of goods are sold, but especially famous for clothes and miscellaneous goods.
용산 전자 상가(Yongsan Electronics Market): Located in 용산(district), Seoul. Computers, digital cameras, electronic dictionary and other electronic goods are sold at a low price.
서울 풍물 시장(Seoul Folk Flea Market): Located in 황학동(district), Seoul. Traditional goods, craft items and tourism souvenirs are sold.

● 여러분 나라에도 이런 시장이 있으면 이야기해 보세요.
Talk with your classmate if you have this kind of famous market in your country.

1 〈보기〉와 같이 이야기해 보세요.

> 보기
>
>
>
> 가: 요즘은 무슨 과일이 맛있어요?
> Which fruits are in season?
>
> 나: 딸기가 아주 달고 맛있어요.
> Strawberries are very sweet and good.

● 과일 Fruits

딸기	strawberry
사과	apple
귤	tangerine
수박	watermelon
포도	grape
복숭아	peach
배	pear
참외	melon
감	persimmon
토마토	tomato
체리	cherry

❶   ❷   ❸

❹   ❺   ❻

2 〈보기〉와 같이 이야기해 보세요.

> 보기
>
>
> 500원
> 400원
> 500원, 3개
>
> 가: 사과가 얼마예요?
> How much is an apple?
>
> 나: 이건 한 개에 500원짜리이고, 그건
> 한 개에 400원짜리예요.
> This is ₩500 and that is ₩400 per one.
>
> 가: 그럼 500원짜리 사과 세 개 주세요.
> I need three ₩500 apples.

● New Vocabulary

통 head of (watermelon)

● Language Tip

이것, 그것, and 저것 refer to things. When you indicate an item that is close to a speaker, use 이것. When you indicate an item that is close to a listener, use 그것. When you indicate an item that is far from both a speaker and a listener, use 저것. 이것, 그것, and 저것 are used as 이거, 그거, and 저거 in daily lives, and when 이것, 그것, and 저것 are followed by a postpositional word, compression happens like the following example.
▶예 : 이것이→이게
　　이것은→이건
　　이것을→이걸

❶
1,200원　1,500원
1,200원, 1개

❷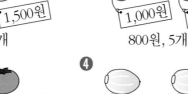
1,000원　800원
800원, 5개

❸
500원　1,000원
1,000원, 2개

❹
1,500원　2,000원
1,500원, 2개

❺
300원　200원
200원, 10개

❻
10,000원　13,000원
10,000원, 1통

3 〈보기〉와 같이 이야기해 보세요.

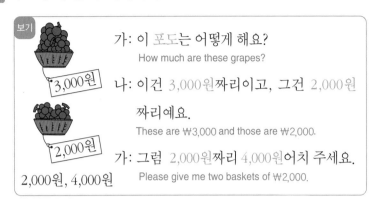

> 보기
>
> 가: 이 포도는 어떻게 해요?
> How much are these grapes?
>
> 나: 이건 3,000원짜리이고, 그건 2,000원
> 짜리예요.
> These are ₩3,000 and those are ₩2,000.
>
> 가: 그럼 2,000원짜리 4,000원어치 주세요.
> Please give me two baskets of ₩2,000.
>
> 2,000원, 4,000원

❶ 1,000원 800원
800원, 4,000원

❷ 1,500원 2,000원
2,000원, 10,000원

❸ 500원 1,000원
500원, 4,000원

❹ 3,000원 4,000원
3,000원, 6,000원

❺ 3,000원 2,500원
2,500원, 5,000원

❻ 1,500원 2,000원
1,500원, 3,000원

4 〈보기〉와 같이 연습하고, 여러분이 사고 싶은 옷에 대해 묻고 대답해 보세요.

Ask and answer about the clothes that you want to buy as in exmple.

> 보기
>
> 가: 뭘 찾으세요?
> May I help you?
>
> 나: 블라우스를 하나 사려고 하는데요.
> I'd like to buy a blouse.

❶ ❷ ❸

❹ ❺ ❻

옷 Clothes
바지 trousers
청바지 blue jeans
반바지 shorts
치마 skirt
티셔츠 T-shirts
블라우스 blouse
남방 oxford shirt
스웨터 sweater
조끼 vest
양복 suit
원피스 one-piece dress
정장 formal clothes
캐주얼 casual

5 〈보기〉와 같이 연습하고, 여러분이 사고 싶은 옷에 대해
묻고 대답해 보세요.

Ask and answer about clothes that you want to buy as in example.

> **보기**
>
>
>
> 가: 뭘 찾으세요?
> May I help you?
>
> 나: 까만색 바지 좀 보여 주세요.
> Please show me a pair of black trousers.

①

②

③

④

⑤

⑥

◆ 색깔 Color

까만색/검정색	black
하얀색/흰색	white
빨간색	red
파란색	blue
노란색	yellow
초록색	green
분홍색	pink
주황색	orange
보라색	violet
갈색	brown
회색	gray

6 〈보기〉와 같이 이야기해 보세요.

> **보기**
>
> 파란색 바지/
> 까만색
>
> 가: 이 파란색 바지 한번 입어 보시겠어요?
> Would you like to try this pair of blue trousers on?
>
> 나: 그건 별로 마음에 안 들어요.
> 파란색 말고 까만색으로 보여 주세요.
> No, I don't like them. Instead of blue ones, please
> show me the black ones.

**◆ 색깔의 농도
Depth of color**

색/색깔이 진하다	to be deep
색/색깔이 연하다	to be light
색/색깔이 어둡다	to be dark
색/색깔이 밝다	to be bright

① 보라색 치마 / 하얀색

② 초록색 블라우스 / 파란색

③ 갈색 티셔츠 / 진한 빨간색

④ 분홍색 남방 / 연한 노란색

⑤ 검정색 원피스 / 더 밝은 색

⑥ 주황색 바지 / 좀 어두운 색

7 〈보기〉와 같이 이야기해 보세요.

> 보기
>
> 빨간색, 유행이다 /
> 너무 진하다
>
> 가: 이 빨간색은 어떠세요?
> 요즘 유행이에요.
> What about this red one?
> It is in fashion now.
>
> 나: 그건 색이 너무 진한 것 같아요.
> Its color is too dark.

❶ 분홍색, 유행이다 / 좀 연하다

❷ 노란색, 유행이다 / 너무 밝다

❸ 파란색, 잘 팔리다 / 너무 진하다

❹ 보라색, 잘 팔리다 / 좀 어둡다

❺ 갈색, 많이 찾으시다 / 좀 밝다

❻ 회색, 많이 찾으시다 / 너무 어둡다

8 〈보기〉와 같이 이야기해 보세요.

> 보기
>
> 티셔츠 /
> 좀 작다,
> 더 큰 것
>
> 가: 티셔츠가 잘 맞으세요?
> Does the T-shirt fit you well?
>
> 나: 저한테 좀 작은 것 같아요.
> 이것보다 더 큰 것은 없어요?
> It's a little bit small for me.
> Can you show me a larger one?

❶ 청바지 / 좀 크다, 작은 것

❷ 치마 / 길이가 짧다, 더 긴 것

❸ 스웨터 / 헐렁하다, 작은 사이즈

❹ 남방 / 너무 딱 붙다, 더 큰 사이즈

❺ 바지 / 너무 꽉 맞다, 더 큰 것

❻ 원피스 / 안 어울리다, 밝은 색

New Vocabulary

팔리다 to sell

발음 Pronunciation

sentence intonation

> 보라색을 좋아해요.
> 노란색으로 보여주세요.
> 주황색 남방이 저에게
> 어울려요?

Korean sentences' intonation comes in LH-LH per breath group (except for the breath group starting with ㅋ/ㅌ/ㅍ/ㅊ, ㄲ/ㄸ/ㅃ/ㅉ, ㅅ/ㅆ, ㅎ). Regardless of how many syllables constitute a breath group, the first two syllables' intonation comes in LH, the last two syllables' comes in LH.

▶연습해 보세요.
(1) 나나나나 나나나나.
(2) 나나나 나나나나.
(3) 나나나나 나나나나나.
(4) 나나 나나나 나나나나.
(5) 나나나나 나나나나나.
(6) 나나나나나나 나나나.

옷의 사이즈 Clothing size

헐렁하다 to be loose

붙다 to be tight

딱 붙다 to be too tight

맞다 to fit perfectly

꽉 맞다 to fit too tightly

New Vocabulary

길이 length

길다 to be long

짧다 to be short

9 〈보기〉와 같이 이야기해 보세요.

> 보기
>
> 가: 이것도 한 번 입어 보시겠어요?
> Would you like to try this on, too?
>
> 그 색깔은 많이 있다,
> 다른 색
>
> 나: 그 색깔은 많이 있으니까 그것
> 말고 다른 색으로 보여 주세요.
> I have many clothes in that color. May I
> see some others in a different color?

① 까만색 옷은 많다, 밝은 색

② 치마 길이가 너무 짧다, 더 긴 것

③ 그건 사람들이 많이 입다, 다른 것

④ 그건 별로 마음에 안 들다, 다른 것

⑤ 그 색은 저한테 안 어울리다, 다른 색

⑥ 그 디자인은 집에도 있다, 다른 디자인

10 〈보기 1〉이나 〈보기 2〉와 같이 이야기해 보세요.

> 보기1
>
> 가: 잘 어울리시네요. 마음에 드세요?
> It suits you really well. Do you like it?
>
> 편하다
>
> 나: 생각보다 편한 것 같아요.
> 이걸로 주세요.
> It feels comfortable. Give me this one.

> 보기2
>
> 가: 잘 어울리시네요. 마음에 드세요?
> It suits you really well. Do you like it?
>
> 좀 불편하다
>
> 나: 좀 불편한 것 같아요. 다음에 다시
> 올게요.
> It feels a little bit uncomfortable. I'll come again.

> New Vocabulary
>
> 편하다 to be comfortable
> 불편하다 to be uncomfortable
> 답답하다 to be stuffy/tight

① 예쁘다 ② 괜찮다

③ 잘 어울리다 ④ 너무 딱 붙다

⑤ 안 어울리다 ⑥ 좀 답답하다

11 〈보기〉와 같이 이야기해 보세요.

• New Vocabulary

품질이 좋다 to be good quality

보기

까만색 바지 /
요즘 유행이다 /
마음에 안 들다,
다른 디자인 /
아주 편하다,
이걸로 하다

가: 까만색 바지 좀 보여 주시겠어요?
Could you show me a pair of black trousers?

나: 이건 어떠세요? 요즘 유행이에요.
How about this? It is the most popular one these days.

가: 그건 마음에 안 들어요. 그거 말고 다른 디자인으로 보여 주세요.
I don't like it. Please show me other designs.

나: 그럼 이걸 한번 입어 보세요.
Then try this on.

가: 아주 편한 것 같아요.
이걸로 할게요.
I feel very comfortable wearing this.
I'll take this one.

❶ 티셔츠 / 아주 편하다 / 색이 너무 어둡다, 밝은 색 /
저한테 잘 어울리다, 이걸로 하다

❷ 스웨터 / 요즘 잘 팔리다 / 길이가 너무 짧다, 다른 디자인 /
아주 따뜻하다, 이걸로 하다

❸ 회색 양복 / 품질이 아주 좋다 / 색이 너무 밝다, 다른 색 /
아주 편하다, 이걸로 하다

❹ 남방 / 요즘 유행이다 / 사이즈가 너무 작다, 다른 디자인 /
좀 답답하다, 다음에 사다

❺ 청바지 / 아주 편하다 / 색이 너무 진하다, 좀 밝은 색 /
너무 딱 붙다, 나중에 사다

❻ 원피스 / 요즘 잘 팔리다 / 색이 너무 연하다, 다른 색 /
좀 불편하다, 나중에 오다

🎧 Listening_듣기

1 손님은 무엇을 사려고 합니까? 다음 대화를 잘 듣고 알맞은 그림을 고르세요.

What does the customer want to buy? Listen to the dialogue and choose the correct picture.

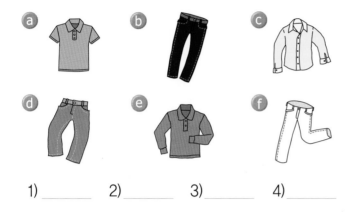

1) _____ 2) _____ 3) _____ 4) _____

New Vocabulary

천천히 slowly

잘 나가다 to be sold well

2 다음 대화를 잘 듣고 아래의 내용이 맞으면 ○, 틀리면 ✕에 표시하세요.

Listen to the dialogue and mark the following statements as either ○ or ✕.

1) 남자는 요즘 유행하는 옷을 사려고 해요. ○ ✕

2) 남자는 밝은 색보다는 어두운 색의 옷을 더 좋아해요. ○ ✕

3) 남자는 자기에게 맞는 사이즈의 옷을 주문했어요. ○ ✕

New Vocabulary

주문하다 to order

3 다음은 슈퍼마켓에서 하는 과일 할인 행사의 안내 방송입니다. 방송을 잘 듣고 할인된 과일 가격이 얼마인지 쓰세요.

You'll listen to an announcement in a supermarket. Listen carefullly, and write the discount price of each fruit.

과일	얼마짜리였어요?	어떻게 팔아요?
	6,000원	
	5,000원	
	2,000원	

New Vocabulary

고객 customer

할인 행사 special discount

봉지 bag/packet

Speaking_말하기

1 우리 반 친구들은 어떤 옷을 좋아하고, 어디에서 옷을 살까요? 우리 반 친구들의 옷에 대한 취향을 조사해 보세요.

What kind of clothes do your classmates like and where do they buy clothes? Ask your classmates about their taste in clothes.

● 아래의 내용을 조사할 때 어떻게 질문하면 좋을까요?

What do you say when you want to know what kind of clothes your classmates like and where they buy them.

좋아하는 옷	☐정장	☐캐주얼	
	☐편한 옷	☐예쁘고 멋있는 옷	☐유행하는 옷
	☐붙는 옷	☐헐렁한 옷	
좋아하는 색깔	☐밝은 색	☐어두운 색	
옷을 사는 곳	☐백화점	☐시장	☐옷 가게

● 우리 반 친구들을 조사해 보세요.

Ask your classmates about their favorite clothes and where they buy them.

● 조사한 내용을 다른 친구들에게도 이야기해 주세요.

Share what you find out with your friends.

2 옷 가게의 주인과 손님이 되어 옷을 팔고 사 보세요.

Imagine that you and your classmate are a store owner and a customer, then try to buy and sell items.

● 다음 그림을 보고 어떤 옷이 있는지 확인해 보세요.

Look at the following picture. Check what kind of clothes the store has.

● 주인은 옷의 색깔, 사이즈, 가격을 어떻게 정할지 생각해 보세요.

If you are a store owner, think about how to decide the color, size and price of clothes.

● 손님은 사고 싶은 옷의 종류, 색깔, 사이즈, 특징 등을 생각해 보세요.

If you are a customer, think about the kind, the color, and the size of clothes you want to buy.

● 가게에서 옷을 팔고 사 보세요.

Try buying and selling items at a store.

● 어떤 옷을 샀는지, 왜 샀는지 이야기해 보세요.

Talk about what clothes you bought and why you bought them.

Reading_읽기

1 다음은 영화배우에게 옷에 대한 취향을 물은 인터뷰 기사의 일부입니다. 다음을 읽고 질문에 답하세요.

The following is part of an interview with an actor about his taste in clothes. Read it and answer the questions.

- 여러분은 인터뷰 기사를 읽어본 적이 있어요? 인터뷰 기사는 어떻게 구성될까요?

  Have you ever read an interview? What is the structure of an interview?

- 옷에 대한 취향을 묻는 인터뷰에서 기자는 어떤 질문을 할까요?

  What is a reporter going to ask in an interview about the taste in clothes?

- 여러분이 추측한 내용을 생각하면서 다음 기사를 읽어 보세요. 그리고 아래 표에 정리해 보세요.

  Keeping what you assumed in mind, read the following article. Complete the following table.

기　자 : 어떤 옷을 즐겨 입으세요?

강준혁 : 영화를 찍을 때는 화려한 옷도 입고, 유행하는 옷도 많이 입어서 그런 옷을 좋아할 것 같지요? 그런데 일을 안 할 때는 편하고 헐렁한 옷을 주로 입어요.

기　자 : 그러면 특별히 좋아하는 옷이 있으세요?

강준혁 : 제가 진한 파란색을 좋아하는데 그래서 그런지 청바지가 제일 많아요. 스웨터도 좋아하고요.

기　자 : 패션 감각이 뛰어난 것 같은데 옷을 직접 고르세요?

강준혁 : 아니요, 영화 촬영을 할 때는 코디네이터가 옷을 골라 줘요. 그리고 옷을 선물 받을 때도 많아요. 그래서 제가 직접 옷을 살 때가 거의 없어요.

좋아하는 옷	☐ 정장　　☐ 캐주얼
	☐ 편한 옷　☐ 예쁘고 멋있는 옷　☐ 유행하는 옷
	☐ 붙는 옷　☐ 헐렁한 옷

New Vocabulary

즐겨 입다 to like to wear
화려하다 to be brilliant
특별히 specifically
패션 감각 fashion sense
직접 in person
고르다 to select
영화 촬영 shooting
코디네이터 coordinator

✎ Writing_쓰기

1 여러분의 옷에 대한 취향을 소개하는 글을 써 보세요.
Write about what kind of clothes you like.

● 여러분은 어떤 옷을 좋아해요? 여러분이 좋아하는 옷의 종류, 특징, 색깔에 대해 메모해 보세요.
What kind of clothes do you like? Take a note of the kind, the characteristics, and the color of the clothes you like.

● 여러분은 주로 어디에서 옷을 사요? 옷을 살 때 입어보고 사요? 옷을 살 때의 특징을 메모해 보세요.
Where do you usually buy clothes? Do you try them on when you buy clothes? Take a note of your habits for buying clothes.

● 위의 내용을 바탕으로 옷에 대한 여러분의 취향을 소개하는 글을 써 보세요.
Based on the notes, write about what kind of clothes you like.

자기 평가 ✏   Self-Check

● 과일 가게에서 과일을 살 수 있습니까?
Are you able to buy fruits at a fruit store?

Excellent ●━━●━━●━━● Poor

● 옷 가게에서 옷의 종류, 색깔, 특징 등을 이야기하며 옷을 살 수 있습니까?
Are you able to explain your taste in clothes when you buy them?

Excellent ●━━●━━●━━● Poor

● 옷에 대한 취향을 설명하는 글을 읽고 쓸 수 있습니까?
Are you able to read and write a passage which describes the taste in clothes?

Excellent ●━━●━━●━━● Poor

1 -짜리

- -짜리 is attached to a noun indicating a number, and it means the price or the value of that noun.

가: 혹시 10,000원짜리 있어요? Do you have a ten-thousand won bill?

나: 5,000원짜리는 두 장 있지만 10,000원짜리는 없어요.
    I have two five-thousand won bills but I do not have a ten-thousand won bill.

(1) 가: 사과는 어떻게 해요?

   나: 큰 건 천 원짜리이고 작은 건 팔백 원짜리예요.

(2) 가: 뭘 드릴까요?

   나: 천 원짜리 배 세 개 주세요.

(3) 가: 이 가방 얼마짜리예요?

   나: 20,000원짜리예요.

(4) 가: 동전 있으면 이 1,000원짜리 좀 바꿔 주세요.

   나: 여기 100원짜리 다섯 개하고 500원짜리 한 개 있어요.

(5) 가: 뭘 드릴까요?

   나: _____ 복숭아 두 개만 주세요.

(6) 가: 그 신발은 얼마짜리예요?

   나: _____.

2 -어치

- -어치 is attached to a noun, indicating something worth the amount of money you pay for.

가: 딸기를 얼마나 드릴까요? How many strawberries do you want to buy?

나: 5,000원어치 주세요. I need ₩5,000 worth of strawberries.

(1) 가: 뭘 드릴까요?

   나: 귤 3,000원어치 주세요.

(2) 가: 과일을 얼마나 샀어요?

   나: 사과 5,000원어치하고 배 3,000원어치 샀어요.

(3) 가: 전부 얼마예요?

   나: 5,200원어치인데 5,000원만 주세요.

(4) 가: 뭘 드릴까요?

   나: 사과 _____.

(5) 가: 과일을 전부 얼마나 샀어요?

   나: _____.

3 -는/(으)ㄴ 것 같다

- -는/(으)ㄴ 것 같다 is attached to a verb, an adjective, and 'noun+이다' stem, meaning uncertain judgement or assumption about the present situation.

  치마가 너무 짧은 것 같아요.   I think the skirt is too short.

- This takes three forms.

  a. For the verb stem and the adjective stem ending with 있다/없다, -는 것 같다 is used.

  b. If the adjective stem ends in a vowel or ㄹ, -ㄴ 것 같다 is used.

  c. If the adjective stem ends in a consonant other than ㄹ, -은 것 같다 is used.

- When -는/(으)ㄴ 것 같다 is used, it weakens the conclusive tone and gives soft and passive tone. Therefore, this form is frequently used for mild expressions of one's feeling.

  (1) 가: 바지가 잘 맞으세요?

      나: 아니요, 좀 큰 것 같아요.

  (2) 가: 블라우스가 마음에 드세요?

      나: 디자인은 마음에 들어요. 그런데 좀 작은 것 같아요.

  (3) 가: 옷이 아주 잘 어울리네요.

      나: 그런데 몸에 좀 붙는 것 같아요. 더 큰 사이즈는 없어요?

  (4) 가: 이 색은 저에게 잘 안 어울리는 것 같아요. 좀 밝은 색으로 보여 주세요.

      나: 그럼 이 노란색을 입어 보세요.

  (5) 가: 옷이 마음에 드세요?

      나: _____. 이것보다 작은 것은 없어요?

  (6) 가: _____.

      나: 그러면 조금 흐린 색으로 보여 드릴게요.

4 -(으)니까

- -(으)니까 is attached to a verb, an adjective, or 'noun+이다', indicating a reason or a cause.

  이건 좀 작으니까 더 큰 것으로 보여 주세요.

  This is a little bit small. Can you please show me a bigger one?

- -(으)니까 is usually used in an imperative or a propositive sentence or a sentence that shows a speaker's determination or hope.

  다음 주에 시험이 있으니까 열심히 공부하세요.

  다음 주에 시험이 있으니까 열심히 공부합시다.

  수미 씨가 저녁을 샀으니까 나는 커피를 살게요.

  날씨가 더우니까 바다에 가고 싶어요.

● This takes two forms.

a. If the stem ends in a vowel or ㄹ, -니까 is used.

b. If the stem ends in a consonant other than ㄹ, -으니까 is used.

(1) 가: 이 노란색 치마는 어떠세요?

나: 색깔이 좀 밝으니까 어두운 색으로 보여 주세요.

(2) 가: 무슨 색이 좋을까요?

나: 파란색이 더 잘 어울리니까 파란색을 사세요.

(3) 가: 수미 씨는 하얀색이 아주 잘 어울리네요.

나: 하얀색 옷은 많으니까 오늘은 까만색을 살래요.

(4) 가: 택시를 타고 갈까요?

나: 시간이 별로 없으니까 지하철을 타고 갑시다.

(5) 가: 과일을 어디에서 살까요?

나: _____ 서울슈퍼에 가서 사세요.

(6) 가: _____ 다른 걸 보여 주세요.

나: 그럼 이 티셔츠는 어떠세요?

가: 괜찮네요.

제5과 길 묻기
Asking for directions

Goals

You will be able to ask and answer the location of a place or how to get there.

Topic	Directions
Function	Asking for directions, Explaining how to get to the place
Activity	Listening : Listen to a conversation about asking and answering directions, Listen to announcements
	Speaking : Ask and answer about the location of places Introduce a nice restaurant and explain how to get there
	Reading : Read a passage introducing where a nice restaurant is on the internet bulletin board
	Writing : Write an email about how to get to the meeting place
Vocabulary	Movement, Traffic signals
Grammar	-(으)면 되다, -아/어/여서, -(으)면, -지만
Pronunciation	The first ㄹ of a syllable
Culture	Talking to a stranger

제5과 길 묻기 Asking for directions

1. 이 사람들은 무엇을 하고 있어요? 무슨 말을 하고 있을까요?

   What might the people be doing now? What might they be talking about now?

2. 여러분은 한국 사람에게 길을 묻거나 가르쳐 준 적이 있어요? 길을 묻거나 알려줄 때 어떻게 이야기해요?

   Have you asked or given directions to Koreans? What do you say when you ask or give directions?

1

링링: 저, 실례합니다. 말씀 좀 묻겠습니다.

행인: 네, 말씀하세요.

링링: 혹시 이 근처에 우체국이 있어요?

행인: 네. 이쪽으로 쭉 가면 사거리가 나와요.

링링: 사거리요?

행인: 네. 거기에서 오른쪽으로 50미터쯤 가면 은행이 있어요.
　　　은행 옆에 우체국이 있어요.

링링: 네, 감사합니다.

New Vocabulary

말씀 좀 묻겠습니다.
Can I ask you something?

쭉 가다 to keep going

나오다 to be there

2

사토: 린다 씨, 혹시 이 근처에 비빔밥을 잘 하는 식당 알아요?

린다: 비빔밥이요? 아! 생각났어요. 여기에서 좀 멀지만 '서울식당'
　　　이 진짜 맛있어요.

사토: 그래요? 거기에 어떻게 가야 돼요?

린다: 학교 정문으로 나가서 왼쪽으로 쭉 가면 삼거리가 있지요?

사토: 삼거리요? 아! 네, 맞아요.

린다: 삼거리에서 다시 왼쪽으로 쭉 가면 버스정류장이 나올 거예요.
　　　그 근처에 횡단보도가 있어요. 거기에서 길을 건너가면 돼요.

사토: 네, 알겠어요. 고마워요.

New Vocabulary

생각나다
to come to mind

진짜 really

정문 main gate

삼거리 three-way intersection

횡단보도 crosswalk

3

영진 씨, 금요일 저녁 6시에 린다 씨의 생일 파티 하는 거 알지요? 파티 장소를 알려 드릴게요.

생일 파티는 안암 역 근처의 '우리 커피숍'에서 해요. 안암 역에서 내려서 2번 출구로 나오세요. 밖으로 나와서 20미터쯤 가면 편의점이 있어요. 그 편의점을 지나서 조금만 더 오면 오른쪽에 있어요. 그럼 금요일에 거기에서 만나요.

New Vocabulary

내리다 to get off
출구 exit
편의점 convenience store
지나다 to pass

  **문화 낯선 사람에게 말 걸기** Talking to a stranger

● 한국에서는 낯선 사람에게 길을 묻거나 말을 걸 때 어떻게 이야기할까요?
What do Koreans say when they ask a direction or talk to a stranger?

In Korea, when you give directions, people do not use the name of street of the address but the name of a big building or the subway station. So, you may find it hard to go to the place according to the direction that the other person gave to you. You may have to ask directions to strangers on your way to the destination. When you talk to a stranger you have to say '저~, 실례합니다. 말씀 좀 묻겠습니다.' You can also call a person by '아주머니, 아저씨, 학생, 저기요' and ask directions.

● 아래 사진과 같은 상황에서 어떻게 길을 물어보면 될까요? 사진 속의 사람이 되어 이야기해 보세요.
In the situation, how are you going to ask directions? Imagine you are the person in the picture.

1 〈보기〉와 같이 이야기해 보세요.

> | 보기 |
> |---|
> | 은행 /
이쪽으로 쭉 가다 | 가: 은행이 어디에 있어요?
Where is the bank?
나: 이쪽으로 쭉 가세요.
Go straight ahead. |

❶ 은행 / 길을 건너가다

❷ 우체국 / 오른쪽으로 돌아가다

❸ 화장실 / 위로 올라가다

❹ 식당 / 지하로 내려가다

❺ 공중전화 / 밖으로 나가다

❻ 정수기 / 안으로 들어가다

이동 Movement

지나다 to pass

건너다 to go across

쭉 가다 to keep going

돌아가다 to turn back

올라가다 to go up

내려가다 to go down

나가다 to go outside

들어가다 to go inside

New Vocabulary

지하 underground

정수기 water purifier

2 〈보기〉와 같이 이야기해 보세요.

가: 은행이 어디에 있어요?
Where is the bank?

나: 저기에 삼거리가 있지요?

그 근처에 있어요.
Do you see the three-way
intersection? It's near it.

교통 지표 Traffic signals

삼거리 three-way intersection

사거리 four-way intersection

로터리 traffic circle

횡단보도 crosswalk

지하도 underground passage

육교 overpass

도로 road

골목 alley

❶ 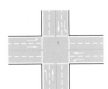　　❷

❸ 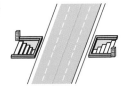　　❹

❺ 　　❻

3 〈보기〉와 같이 연습하고, 어떤 장소의 위치에 대해 묻고 대답해 보세요.

Ask and answer about the location of a place as in example.

> **보기**
>
> 은행 /
>
> 지하도를 건너가다
>
> 가: 이 근처에 은행이 있어요?
> Is there a bank near here?
>
> 나: 네. 지하도를 건너가면 돼요.
> Yes. Go straight ahead.

● New Vocabulary

PC방 internet cafe

❶ 우체국 / 저 사거리에서 오른쪽으로 가다

❷ 편의점 / 이 길로 50미터쯤 가다

❸ 약국 / 저 횡단보도에서 길을 건너가다

❹ 병원 / 저 삼거리에서 왼쪽으로 가다

❺ PC방 / 이쪽으로 쭉 가다

❻ 서점 / 저 골목으로 들어가다

4 〈보기〉와 같이 연습하고, 어떤 장소의 위치에 대해 묻고 대답해 보세요.

Ask and answer about the location of a place as in example.

> **보기**
>
> 식당 /
>
> 밖으로 나가다
>
> 가: 식당이 어디에 있어요?
> Where is the restaurant?
>
> 나: 밖으로 나가서 왼쪽으로 가세요.
> Go outside and turn left.

❶ 우체국 / 횡단보도를 지나다

❷ 약국 / 길을 건너다

❸ 신발 가게 / 아래로 내려가다

❹ 엘리베이터 / 뒤로 돌아가다

❺ 공중전화 / 안으로 들어가다

❻ 남자 화장실 / 위로 올라가다

5 〈보기〉와 같이 연습하고, 어떤 장소의 위치에 대해 묻고 대답해 보세요.

Ask and answer about the location of a place as in example.

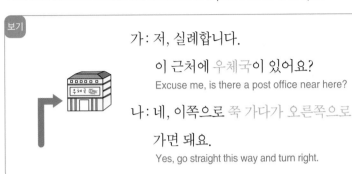

보기

가: 저, 실례합니다.

　　이 근처에 우체국이 있어요?
　　Excuse me, is there a post office near here?

나: 네, 이쪽으로 쭉 가다가 오른쪽으로

　　가면 돼요.
　　Yes, go straight this way and turn right.

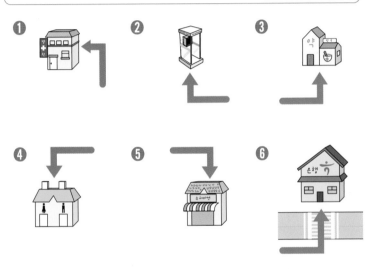

6 〈보기〉와 같이 연습하고, 어떤 장소의 위치에 대해 묻고 대답해 보세요.

Ask and answer about the location of a place as in example.

보기

은행 /

이쪽으로 쭉 가다,

보이다

가: 이 근처에 은행이 있어요?
　　Is there a bank near here?

나: 이쪽으로 쭉 가면 보일 거예요.
　　Go straight this way and you will see it.

① 은행 / 저기 사거리에서 왼쪽으로 가다, 보이다

② 커피 자동판매기 / 오른쪽으로 돌아가다, 보이다

③ 남자 화장실 / 2층으로 가다, 있다

④ 현금 인출기 / 1층으로 내려가다, 있다

⑤ 공중전화 / 입구 쪽으로 가다, 그 옆에 있다

⑥ 정수기 / 휴게실로 들어가다, 왼쪽에 보이다

7 〈보기〉와 같이 이야기해 보세요.

> 보기
>
> 가: 저, 말씀 좀 묻겠습니다.
>
> 교보문고가 어디에 있어요?
> Excuse me, where is the *Kyobo* bookstore?
>
> 교보문고 /
> 오른쪽
>
> 나: 여기에서 오른쪽으로 100미터쯤 가면 보일 거예요.
> Go right about 100 meters from here and you can/will see it.
>
> 가: 감사합니다.
> Thank you.

발음 Pronunciation

The first ㄹ of a syllable

오른쪽으로
가세요

When you pronounce the first ㄹ of a syllable (except when ㄹ is followed by the last consonant ㄹ), roll the tongue and make the tip of the tongue touch the upper gum very briefly.

아다   아라

▶연습해 보세요.
(1) 뒤로 돌아가세요.
(2) 안으로 들어가세요.
(3) 아래로 내려가세요.

❶ 고려대학교 / 이쪽   ❷ 지하철역 / 왼쪽

❸ 버스정류장 / 저쪽   ❹ 하나은행 / 오른쪽

❺ 서울식당 / 이쪽   ❻ 서울극장 / 저쪽

8 〈보기〉와 같이 연습하고, 어떤 장소의 위치에 대해 묻고 대답해 보세요.

Ask and answer about the location of a place as in example.

> 보기
>
> 가: 이 근처에 은행이 있어요?
> Is there a bank near here?
>
> 은행 /
> 병원이 나오다,
> 왼쪽으로 가다
>
> 나: 네. 이쪽으로 쭉 가면 병원이 나와요.
> 거기에서 왼쪽으로 가세요.
> Yes, go straight this way, and you will see a hospital. Go left there.

❶ 우체국 / 슈퍼마켓이 있다, 길을 건너가다

❷ 약국 / 은행이 보이다, 오른쪽으로 가다

❸ 편의점 / 버스 정류장이 있다, 길을 건너가다

❹ 병원 / 백화점이 나오다, 50미터쯤 더 가다

❺ PC방 / 편의점이 보이다, 골목으로 들어가다

❻ 서점 / 우체국이 있다, 뒤로 돌아가다

9 〈보기〉와 같이 연습하고, 근처의 맛있는 식당에 대해 묻고 대답해 보세요.

Ask and answer about a nice restaurant as in example.

> **보기**
>
> 맛있는 식당 /
> 서울식당,
> 여기에서 좀 멀다,
> 정말 맛있다
>
> 가 : 이 근처에 맛있는 식당 없어요?
> Isn't there any nice restaurant near here?
>
> 나 : '서울식당'에 가 보세요.
> 여기에서 좀 멀지만 정말 맛있어요.
> Go to 서울식당. It is quite far from here but its food is really delicious.

New Vocabulary

조용하다 to be quiet

Language Tip

찾기 쉽다 means that a place is 'to be easy to find', while 찾기 어렵다 means 'to be difficult to find'.

❶ 조용한 커피숍 / 안암커피숍, 조금 멀다, 찾기 쉽다

❷ 맛있는 식당 / 참맛식당, 조금 비싸다, 아주 맛있다

❸ 조용한 커피숍 / 나래커피숍, 값은 비싸다, 정말 조용하다

❹ 맛있는 식당 / 엄마손 식당, 식당은 작다, 싸고 맛있다

10 그림을 보고 〈보기〉와 같이 이야기해 보세요.

> **보기**
>
>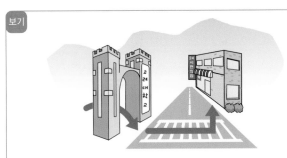
>
> 가 : 저, 말씀 좀 묻겠습니다. 이 근처에 편의점이 있어요?
> Excuse me, is there a convenience store near here?
>
> 나 : 네, 있어요.
> Yes, there is.
>
> 가 : 어떻게 가야 돼요?
> How can I get there?
>
> 나 : 학교 정문으로 나가면 횡단보도가 나와요.
> Pass through the main gate of the school, and you'll see a crosswalk.
>
> 거기에서 길을 건너서 왼쪽으로 가면 돼요.
> Cross it and go left.

❶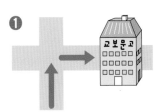

❷

🎧 **Listening_**듣기

1 다음 대화를 잘 듣고 여자가 찾는 장소가 어디인지 찾아보세요.

Listen to the dialogue and find out the location that the woman is looking for.

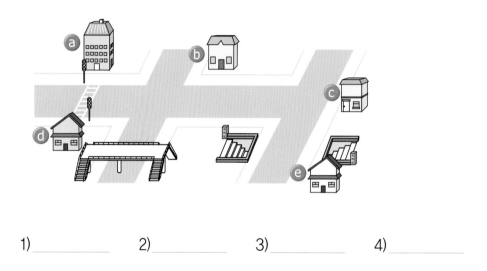

1) _____   2) _____   3) _____   4) _____

2 다음 대화를 잘 듣고 질문에 대답하세요.

Listen to the dialougue and answer the following questions.

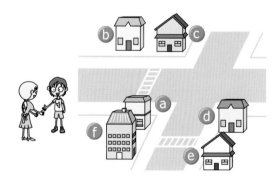

1) 여자가 찾는 장소는 어디입니까? 그림에서 찾아보세요.

Where is the place that the woman is looking for? Find it in the picture.

2) 대화를 잘 듣고 맞으면 O, 틀리면 X 에 표시하세요.
   Listen to the dialogue carefully and mark the following statements as either O or X.

   (1) 여자는 지금 우체국에 가려고 해요.　　　O　X

   (2) 여자와 남자는 아는 사이예요.　　　　　O　X

   (3) 여자는 두 사람에게 길을 물어봤어요.　　O　X

3 다음은 떡 박물관의 위치 안내입니다. 잘 듣고 떡 박물관의 위치를 그림에서 찾아보세요.

The following is an information about the location of rice cake museum. Listen carefully and find where the museum is in the picture.

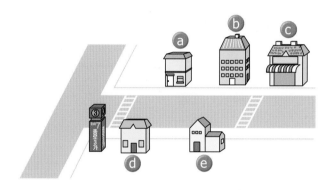

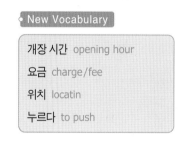

New Vocabulary

개장 시간 opening hour

요금 charge/fee

위치 locatin

누르다 to push

Speaking_말하기

1 다른 사람에게 길을 물어보세요. 그리고 다른 사람에게 길을 알려주세요.
Ask others directions and give directions to others.

● 다음 역할 카드를 읽어 보세요.
Read the following role-play cards.

1)	A	하나커피숍에 가야 합니다. 그런데 위치를 모릅니다. 친구에게 위치를 물어보세요.
	B	친구가 하나커피숍의 위치를 물어봅니다. 친구에게 위치를 알려주세요.
2)	A	당신은 우체국을 찾고 있습니다. 지나가는 사람에게 길을 물어보세요.
	B	길을 걸어가는데 어떤 사람이 우체국의 위치를 물어봅니다. 위치를 알려주세요.

● 그림을 보고 한 사람은 우체국, 한 사람은 커피숍의 위치를 여러분 마음대로 정하세요.
Look at the picture and decide the location of the post office and the coffee shop according to the role assigned to you.

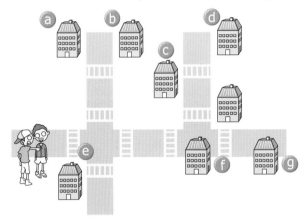

● 우체국과 커피숍을 찾았습니까? 위치를 설명해 보세요.
Did you find the post office and the coffee shop? Explain where they are.

2 맛있는 식당을 소개하고, 가는 방법을 반 친구들에게 알려주세요.
Introduce a nice restaurant to your classmates and show them how to get there.

● 여러분들이 알고 있는 맛있는 식당이 있어요? 어떤 음식이 맛있어요? 그 식당에 어떻게 가야 돼요?
메모해 보세요.
Is there a nice restaurant that you know of? What kind of food is the restaurant famous for? How do you get there?
Take a note.

식당 이름	맛있는 음식	위치	찾아가는 방법

● 위의 메모를 보고 친구들에게 맛있는 식당을 소개해 보세요.
Based on the note, introduce a nice restaurant to your classmates.

● 친구들이 소개해 준 식당 중에서 어떤 식당에 가 보고 싶어요?
Which restaurant do you want to go among the restaurants that your classmates recommend?

 **Reading**_읽기

1 다음은 학교 홈페이지 자유게시판에 실린 글입니다. 잘 읽고 질문에 답하세요.

The following is a passage posted on the school homepage bulletin board. Read it carefully and answer the questions.

번호	제목	작성자	조회	작성일
3352	학교 근처에 싸고 맛있는 식당 없을까요?	최은미	135	2008/10/30
3353	▶ 답글: 칼국수를 좋아한다면 여기로...	이준수	217	2008/10/30
3351	방학이라서 학교가 조용하네요.	방문자	64	2008/10/30
3350	책상, 냉장고, 침대 싸게 팝니다.	김진영	202	2008/10/30
3349	방 구합니다.	박장우	98	2008/10/29

> 혹시 칼국수를 좋아하면 후문 근처에 있는 칼국수 집에 가 보세요.
> 값도 싸고 양도 많고 무엇보다도 맛이 정말 좋습니다.
> 위치는 후문 근처입니다. 먼저 후문으로 나가서 왼쪽으로 가면 횡단보도가 나옵니다.
> 그 횡단보도를 건너서 오른쪽으로 조금 가면 작은 골목이 나옵니다.
> 그 골목 안에 칼국수 집이 있습니다. 식당 이름은 잘 생각나지 않지만 잘 찾을 수 있을 겁니다.
> 그럼, 가서 맛있게 드세요.

1) 위 글에서 설명하는 식당은 어디에 있습니까? 그림에서 찾아보세요.

Where is the restaurant that is mentioned above? Find it in the picture.

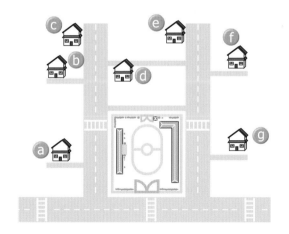

New Vocabulary

후문 back gate
양 amount
무엇보다도 above all

2) 다음은 위의 식당에 대한 설명입니다. 맞으면 ○, 틀리면 × 에 표시하세요.

Based on what you have just read, mark the following statements as either O or X.

(1) 이 식당은 학교에서 가까워요.   ○ ×

(2) 이 식당은 음식이 싸고 맛있어요.   ○ ×

(3) 이 식당의 이름은 '칼국수 집' 이에요.   ○ ×

(4) 이 식당은 골목 안에 있어서 찾기 어려워요.   ○ ×

✏️ Writing_쓰기

1 친구들에게 모임 장소를 알려주는 이메일을 쓰세요.
Write an email to tell your friends where you are going to meet.

● 친구들과 모임을 하려고 합니다. 언제, 어디에서 모이면 좋을까요? 시간과 장소를 정해 보세요.
You are going to have a gathering with your friends. Decide when and where you are going to meet.

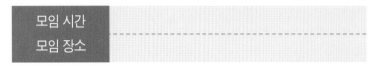

모임 시간	
모임 장소	

● 친구들에게 모임을 알리는 이메일을 써서 보내세요. 모임 장소에 가는 방법을 자세히 설명해 주세요.
Write an email about the gathering. Explain in detail how to get to the place.

● 옆 사람이 쓴 이메일을 읽고 약도를 그려 보세요.
Read an email that your classmate writes and draw a rough sketch according to the explanation.

● 친구가 그린 약도를 보고 여러분이 정한 장소가 맞는지 확인해 보세요. 설명이 정확하지 않았다면 다시 한 번 이메일을 써 보세요.
Look at the sketch that your classmate draws and see if it shows the place you decided to have a gathering. If it does not, write an email once again.

자기 평가 ✏️   Self-Check

● 어떤 장소의 위치를 설명할 수 있습니까?
Are you able to explain the location of a place?

Excellent ●——●——●——● Poor

● 다른 사람에게 길을 묻거나 알려줄 수 있습니가?
Are you able to ask or give directions to others?

Excellent ●——●——●——● Poor

● 장소의 위치를 설명하는 글을 읽고 쓸 수 있습니까?
Are you able to read and write a passage which explains the location of a place?

Excellent ●——●——●——● Poor

1 -(으)면 되다

- -(으)면 되다 is attached to a verb stem, indicating 'how to' do something.

  가 : '서울식당'에 어떻게 가요? How can I get to 서울식당?

  나 : 여기에서 길을 건너가면 돼요. Cross the road here and you will see it.

- This takes two forms.

  a. If the stem ends in a vowel or ㄹ, -면 되다 is used.

  b. If the stem ends in a consonant other than ㄹ, -으면 되다 is used.

  (1) 가 : 이 근처에 우체국이 있어요?

  　　나 : 네. 이쪽으로 쭉 가면 돼요.

  (2) 가 : 커피 자동판매기가 어디에 있어요?

  　　나 : 1층으로 가면 돼요.

  (3) 가 : 내일 어떤 옷을 입어야 돼요?

  　　나 : 그냥 편한 옷을 입으면 돼요.

  (4) 가 : 이렇게 만들면 돼요?

  　　나 : 네, 그렇게 만들면 돼요.

  (5) 가 : 숙제를 언제까지 해야 돼요?

  　　나 : 다음 주 월요일까지 _____.

  (6) 가 : 한국말을 잘하고 싶어요.

  　　나 : _____.

2 -아/어/여서

- -아/어/여서 is attached to a verb stem, indicating 'do that action and then'.

  길을 건너서 왼쪽으로 가세요. Cross the raod, and go straight to the left.

- -아/어/여서 is used when the actions in the first and second clauses are closely related.

  어제는 친구를 만났어요. 그 친구하고 같이 영화를 봤어요.

  ➡ 친구를 만나서 영화를 봤어요. I met my friend and we saw a movie together.

  어제는 친구를 만났어요. 그리고 혼자 영화를 봤어요.

  ➡ 친구를 만나고 영화를 봤어요. I saw a movie after meeting with my friend.

- -아/어/여서 is used when you do something at some place, you do something with someone together, the object in a preceding clause is the same as in the following clause, and when you do something while sitting or standing.

집에 가서 쉬세요. Go and take some rest at home.

친구를 만나서 얘기했어요. I met my friend and talked with him.

부모님께 선물을 사서 보냈어요. I bought a pressent and sent it for parents.

저기에 앉아서 얘기할까요? Can we sit over there and talk?

(1) 가 : 이 근처에 약국이 어디에 있어요?

　　나 : 길을 건너서 오른쪽으로 가세요.

(2) 가 : 이 근처에 은행이 있어요?

　　나 : 네. 밖으로 나가서 왼쪽으로 가세요.

(3) 가 : 오른쪽으로 가면 돼요?

　　나 : 네. 우회전해서 조금만 더 가면 돼요.

(4) 가 : 이쪽으로 쭉 가면 고려대학교예요?

　　나 : 네. 저기 사거리를 지나서 계속 가시면 돼요.

(5) 가 : 어제 영진 씨를 만났어요?

　　나 : 네. _____ 같이 영화를 봤어요.

(6) 가 : 도착하면 전화할게요.

　　나 : 네. 버스에서 _____ 전화해 주세요.

<table>
<tr><td>● New Vocabulary</td></tr>
<tr><td>우회전하다
to turn to the right</td></tr>
</table>

3　-(으)면

● -(으)면 is attached to a verb, an adjective and 'noun+이다', indicating a prerequisite or an assumption.

사무실은 2층에 가면 있어요. If you go to the second floor, you'll see the office .

일이 끝났으면 집에 갑시다. If the work is done, let's go home.

● This takes two forms.

a. If the stem ends in a vowel or ㄹ, -면 is used.

b. If the stem ends in a consonant other than ㄹ, -으면 is used.

(1) 가 : 이 근처에 서점이 있어요?

　　나 : 네. 이 길로 쭉 가면 보여요.

(2) 가 : 정수기가 어디에 있어요?

　　나 : 사무실 문을 열면 오른쪽에 보일 거예요.

(3) 가 : 방학이 되면 뭘 할 거예요?

　　나 : 여행을 할 거예요.

(4) 가 : 지금 버스에서 내렸어요. 여기에서 어떻게 가면 돼요?

　　나 : 버스에서 내렸으면 거기에서 길을 건너세요.

(5) 가 : 고향에 언제 갈 거예요?

　　나 : _____ 갈 거예요.

(6) 가 : 내일 산에 가요? 내일 비가 올 것 같은데.

　　나 : 그래요? _____.

4 −지만

● −지만 is attached to a verb, an adjective and 'noun+이다', indicationg 'but'.

가 : '서울식당'이 여기에서 멀어요? Is 서울식당 far form here?

나 : 네, 좀 멀지만 음식이 아주 맛있어요. Yes, it is a little far away from here, but the food is very delicious.

(1) 가 : 학교 안에 서점이 있어요?

　　 나 : 학교 안에 있지만 6시까지만 문을 열어요.

(2) 가 : 은행에 걸어가면 돼요?

　　 나 : 걸어갈 수 있지만 조금 멀어요.

(3) 가 : 식당 이름이 뭐예요?

　　 나 : 이름은 잘 모르겠지만 금방 찾을 수 있을 거예요.

(4) 가 : 영진 씨 집에 갔다 왔어요?

　　 나 : 네. 그런데 영진 씨 집에 갔지만 영진 씨가 없었어요.

(5) 가 : 등산을 해서 피곤하지요?

　　 나 : ＿＿＿＿＿＿＿＿＿＿＿＿ 기분은 좋아요.

(6) 가 : 기숙사에 식당이 없어요? 왜 밖에서 먹어요?

　　 나 : ＿＿＿＿＿＿＿＿＿＿＿＿＿＿ .

> **◆ New Vocabulary**
>
> 금방 in a minute

제6과 안부 · 근황
Asking how one is

Goals

You will be able to ask how your friend who haven't seen you in ages is doing and answer how you are.

Topic	Asking how one is doing these days
Function	Asking how one is and answer how you are, Talking about how one is doing
Activity	Listening : Listen to a conversation about how one is doing, Listen to a voice mail
	Speaking : Ask how one has been during vacation, Introduce how you have been
	Reading : Read an e-mail asking how one is doing
	Writing : Write an e-mail about how one is doing
Vocabulary	Current life, Changes in personal life, Vacation and holiday activities
Grammar	Low forms of speech (−아/어/여, −았/었/였어, −(이)야, −자, −지, −(으)ㄹ래, −(으)ㄹ까, −(으)ㄹ게, −아/야)
Pronunciation	Sentence intonation 2
Culture	The meaning of '다음에 밥 한 번 먹자'

제6과 안부 · 근황 Asking how one is

1. 두 사람은 지금 무엇을 하고 있는 것 같아요?

   What might the two people be doing now?

2. 오래간만에 만난 친구들은 어떤 이야기를 할까요?

   What do friends who haven't seen each other in ages talk about?

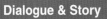
1

린다: 수미야, 안녕. 오래간만이야.

수미: 안녕, 린다. 정말 오랜만이야. 그동안 잘 지냈어?

린다: 응, 잘 지냈어. 너도 잘 지냈지?

수미: 응, 덕분에 잘 지냈어. 그런데 너는 얼굴이 좀 탔네. 어디 놀러 갔
다 왔어?

린다: 응, 친구들하고 지리산에 갔다 왔어. 너는 방학 동안 뭐 했어?

수미: 고향에도 갔다 오고 아르바이트도 하고. 좀 바빴어.

New Vocabulary

오래간만이다/오랜만이다
to haven't seen someone for
a long time

그동안 meanwhile

잘 지내다 to be quite well

덕분에 thanks to (you)

얼굴이 타다 to get sunburned

갔다 오다 to have been

지리산 *Jirisan*(mountain)

2

영진: 저기, 혹시 제인 씨 아니에요?

제인: 네, 그런데요.

영진: 나 영진이야.

제인: 어머! 영진아. 정말 오래간만이야.

영진: 그래, 이게 얼마 만이야? 그런데 너 한국에 계속 있었어?

제인: 아니, 얼마 전에 다시 왔어. 너는 그동안 어떻게 지냈어?

영진: 2월에 학교를 졸업하고, 바로 취직했어.

제인: 그랬구나.

영진: 정말 반갑다. 시간 있으면 우리 차 한 잔 마실래?

제인: 미안해. 지금은 일이 있어서 가야 되니까 나중에 내가 연락할게.

영진: 그래. 그러면 다음에 보자.

New Vocabulary

얼마 만이다
It's been a long time

계속 continuously

그랬구나 Oh, I see

연락하다 to get in touch with

3

석호야, 안녕? 나 유키야.

답장이 늦어서 미안해. 기말 시험 공부도 해야 되고, 아르바이트
도 해야 돼서 좀 바빴어.

너는 그동안 어떻게 지냈어? 취직 준비는 잘 하고 있어?

나는 다음 주부터 방학이야. 이번 방학에는 열심히 아르바이트를
하려고 해. 새로운 일도 하나 더 구했어. 한국어를 일본어로 번역하
는 일이야. 한국어를 사용할 수 있는 일이라서 너무 좋아.

너는 지금 방학이지? 재미있게 보내고 있어? 그럼 또 연락할게.
잘 지내. 안녕.

문화 **'다음에 밥 한 번 먹자'의 의미** The meaning of '다음에 밥 한 번 먹자'

● 여러분 나라에서는 우연히 만난 친구와 다시 헤어질 때 어떤 인사말을 해요?
In your country, what do you say when you say goodbye to a friend who you have not seen you for a long time?

● 여러분은 한국 사람들에게 '다음에 밥 한 번 먹자', '나중에 한 번 보자'라는 말을 들어 본 적이 있어요? 이 말은 어떤 의미일
까요?
Have you ever heard 'Let's have a meal sometime' or 'I'll see you soon'? What do you think those words mean?

 Koreans often say 'Let's have a meal sometime' or 'I'll see you soon' when they bump into a friend who they
haven't seen you for a long time. But that does not mean that they promise to have a meal or see each other later,
but they try to express their wish to spend some time together later even though they do not have enough time
today. Of course, there are people who really meet later, but most Koreans say 'Let's have a meal sometime' or
'I'll see you soon' as an etiquette in order to express that they have an affection toward the listener.

● 여러분도 길에서 우연히 만난 친구와 헤어질 때 한국 사람처럼 헤어지는 인사를 해 보세요.
Try to say 'Let's have a meal sometime' or 'I'll see you soon' like Koreans do when you bump into your friend on the
street.

1 〈보기〉와 같이 연습하고, 친구와 함께 여러분의 안부에 대해 묻고 대답해 보세요.

Ask and answer how you are doing with your classmate as in example.

보기	
잘 지내다 / **O, 잘 지내다**	가 : 요즘 잘 지내? Are you doing fine these days? 나 : 응, 잘 지내. Yes, I'm fine.

❶ 잘 지내다 / O, 덕분에 잘 지내다

❷ 바쁘다 / X, 별로 안 바쁘다

❸ 별일 없다 / O, 별일 없다

❹ 바쁘다 / X, 한가하다

❺ 학교 잘 다니다 / O, 덕분에 잘 다니고 있다

❻ 친구들 자주 만나다 / X, 잘 못 만나다

2 〈보기 1〉이나 〈보기 2〉와 같이 이야기해 보세요.

보기1	
그동안 잘 지내다 / **덕분에 잘 지내다**	가 : 그동안 잘 지냈어? How have you been? 나 : 응, 덕분에 잘 지냈어. I have been fine, thanks.

보기2	
그동안 잘 쉬다 / **많이 바쁘다**	가 : 그동안 잘 쉬었어? Did you take some rest? 나 : 아니, 많이 바빴어. No, I have been very busy.

❶ 방학 잘 보내다 / 잘 보내다

❷ 그 동안 별일 없다 / 별일 없다

❸ 방학 동안 잘 있다 / 잘 있다

❹ 주말에 푹 쉬다 / 바빠서 정신이 없다

❺ 주말 잘 보내다 / 좀 아프다

❻ 방학 재미있게 보내다 / 그저 그렇다

안부와 근황 Current life

잘 지내다 to be quite well

덕분에 잘 지내다
to be doing just fine, thanks.

잘 보내다
to have a good time

잘 있다 to be fine

별일 없다
to be without any accident

바쁘다 to be busy

정신이 없다
to be deadly busy

한가하다
to have a lot of spare time

그저 그렇다
neither so good nor so bad

Language Tip

응 and 아니 are low forms of speech for 네 and 아니요. 맞아요, 그래요, 몰라요, 글쎄요, 아니에요 are used as 맞아, 그래, 몰라, 글쎄, 아니야 in informal settings.

그저 그렇다 is used as 그저 그래요, 그저 그랬어요, 그저 그럴 거예요, in sentences. 그저 그래, 그저 그랬어, 그저 그럴 거야 are used in informal settings.

3 〈보기〉와 같이 이야기해 보세요.

> **보기**
>
> **회사에 취직하다**
>
> 가: 오래간만이야. 그동안 어떻게 지냈어?
> Long time no see! How have you been?
>
> 나: 얼마 전에 회사에 취직했어.
> I got a job a while ago.

❶ 대학교에 입학하다

❷ 대학원을 졸업하다

❸ 회사를 옮기다

❹ 회사를 그만두다

❺ 결혼하다

❻ 학교 근처로 이사하다

4 〈보기〉와 같이 연습하고, 친구와 함께 여러분의 근황에 대해 묻고 대답해 보세요.

Ask and answer how you are doing with your classmate as in example.

> **보기**
>
>
>
> **다음 주가 시험이다,
> 좀 바쁘다**
>
> 가: 요즘 잘 지내?
> How have you been doing?
>
> 나: 다음 주가 시험이야.
>
> 그래서 좀 바빠.
> I have an exam next week, so I am busy.

❶ 내일이 학기 시작이다, 좀 바쁘다

❷ 다음 주가 졸업식이다, 좀 바쁘다

❸ 다음 주가 회사 면접이다, 정신이 없다

❹ 다음 달이 결혼식이다, 정신이 없다

❺ 이번 주부터 방학이다, 좀 한가해졌다

❻ 내일부터 휴가이다, 좀 한가해졌다

신상 변화 Changes in personal life

학교에 입학하다
to enter a school

학교를 휴학하다
to take time off school temporarily

유학을 가다
to go abroad for study

학교를 졸업하다
to graduate from a school

회사에 취직하다
to enter a company

회사를 옮기다
to move to another company

회사를 그만두다
to resign from a company

남자/여자 친구가 생기다
to start going out with somebody

결혼하다 to marry

이사하다
to change one's residence

New Vocabulary

학기 시작 starting a semester

졸업식 commencement/ graduation ceremony

회사 면접 job interview

결혼식 wedding ceremony

5 〈보기〉와 같이 연습하고, 친구와 함께 여러분의 계획에 대해 묻고 대답해 보세요.

Ask and answer about your plans with your classmate as in example.

> **보기**
>
> **방학에 뭐 하다 /**
> **아르바이트를 하다**
>
> 가 : 방학에 뭐 할 거야?
> What are you going to do during the vacation?
>
> 나 : 아르바이트를 할 거야.
> I am working part time.

❶ 방학에 어디에 가다 / 고향에 갔다 오다

❷ 이번 휴가에 뭐 하다 / 친구들하고 여행을 하다

❸ 방학에 뭐 하다 / 집에서 책을 읽다

❹ 휴학하면 뭐 하다 / 중국으로 유학을 가다

❺ 시험 끝난 후에 뭐 하다 / 집에서 푹 쉬다

❻ 한국어 공부 끝난 후에 뭐 하다 / 대학원에 가다

> ● 방학 및 휴가 활동 Vacation and holiday activities
>
> 쉬다 to take a rest
>
> 책을 읽다 to read a book
>
> 학원에 다니다
> to go to institutes
>
> 외국어를 배우다
> to learn a foreign language
>
> 컴퓨터를 배우다
> to learn how to use computer
>
> 취직 준비를 하다
> to make an effort to get a job
>
> 한국어능력시험 공부를 하다
> to study for the Test of Proficiency in Korean
>
> 여행을 하다 to go on a trip
>
> 고향에 갔다 오다
> to have been to one's hometown
>
> 아르바이트를 하다
> to work part-time job
>
> 한국 문화를 체험하다
> to experience Korean culture
>
> 봉사 활동을 하다
> to do the community service

---

6 〈보기 1〉이나 〈보기 2〉처럼 이야기해 보세요.

> **보기1**
>
>
>
> **커피 한 잔 하다 /**
> **커피 한 잔 하다**
>
> 가 : 우리 커피 한 잔 하자.
> Long time no see! Let's have a cup of coffee.
>
> 나 : 그래. 같이 커피 한 잔 해.
> Great. Let's have a cup of coffee.

> **보기2**
>
>
>
> **커피 한 잔 하다 /**
> **다음에 하다**
>
> 가 : 우리 커피 한 잔 하자.
> Long time no see! Let's have a cup of coffee.
>
> 나 : 지금은 좀 바빠. 다음에 하자.
> I'm busy now. Maybe next time.

❶ 점심 먹다 / 점심 먹다

❷ 차 마시다 / 차 마시다

❸ 점심 먹다 / 다음에 먹다

❹ 차 마시다 / 다음에 마시다

7 〈보기 1〉이나 〈보기 2〉처럼 이야기해 보세요.

 보기1

잘 지냈다 /
잘 지냈다

가 : 잘 지냈지?
How have you been?

나 : 응, 잘 지냈어.
I have been fine.

 보기2

잘 지냈다 /
좀 아팠다

가 : 잘 지냈지?
How have you been?

나 : 아니, 좀 아팠어.
Not good. I have been sick.

❶ 그동안 별일 없었다 / 별일 없었다

❷ 잘 지내다 / 덕분에 잘 지내다

❸ 요즘도 바쁘다 / 좀 바쁘다

❹ 바쁜 일 다 끝났다 / 아직도 정신이 없다

8 〈보기〉와 같이 이야기해 보세요.

 보기

영진, 방학 /
오래간만에 여행 가다

가 : 영진아, 우리 방학에 뭐 할까?
영진, what are we doing during the vacation?

나 : 글쎄. 오래간만에 여행 갈래?
Well, how about going on a trip?

가 : 그래, 그러자.
Great. Let's go on a trip.

• New Vocabulary

한옥 traditional Korean-style house

❶ 수미, 주말 / 오래간만에 영화 보러 가다

❷ 소영, 이번 휴가 / 봉사 활동을 해 보다

❸ 린다, 이번 휴가 / 한옥 체험을 해 보다

❹ 재석, 방학 / 컴퓨터를 배우러 다니다

9 〈보기〉와 같이 이야기해 보세요.

 보기

약속이 있다,
전화하다 /
연락하다

가 : 약속이 있어서 지금 가 봐야 돼.
내가 다음에 전화할게.
I have an appointment, so I have to go now.
I will call you.

나 : 그래, 꼭 연락해.
Okay, be sure to give me a call.

• New Vocabulary

볼일 something to do
급하다 to be in a hurry

❶ 볼일이 있다, 연락하다 / 연락하다

❷ 급한 일이 있다, 연락하다 / 전화하다

10 〈보기〉와 같이 연습하고, 여러분도 친구와 함께 서로의 안부와 근황에 대해 묻고 대답해 보세요.

Ask and answer how you are doing with your classmate as in example.

보기

> 영진 /
> 그동안 잘 있다 /
> 잘 있다,
> 방학 어떻게 보내다 /
> 졸업 시험 공부하다 /
> 고향에 갔다 오다

가 : 영진아, 오래간만이야.
영진, long time no see!

나 : 그래, 오래간만이야.
그동안 잘 있었지?
Yes, I haven't seen you for a while.
How have you been?

가 : 응, 잘 있었어.
방학 어떻게 보냈어?
I have been great.
How was your vacation?

나 : 졸업 시험 공부했어.
너는 방학 어떻게 보냈어?
I studied for the graduation exam.
How have you been during vacation?

가 : 나는 고향에 갔다 왔어.
I have been to my hometown.

발음 Pronunciation

Sentence intonation 2

> 방학에는 한가해요.
> 한국어를 공부해요.
> 취직 준비를 하고 있어요.

Korean sentences' intonation usually comes in LH-LH pattern. But if a breath group starts with ㅋ/ㅌ/ㅍ/ㅊ, ㄲ/ㄸ/ㅃ/ㅉ, ㅅ/ㅆ and ㅎ, the first syllable's tone becomes high, so the intonation comes in HH-LH pattern, Regardless of how many syllables constitute a breath group, the first two syllables' intonation is HH, the last two syllables' is LH.

▶연습해 보세요.
(1) 사사사사 사사사사.
(2) 사사사사사 사사사사사.
(3) 사사사사사 사사사.
(4) 사사 사사사사사.
(5) 사사사 사사사사.
(6) 사사사사사사 사사사사.

❶ 린다 / 잘 지내다 / 덕분에 잘 지내다, 그동안 뭐 하다 /
대학원 입학시험 공부를 하다 / 얼마 전에 회사에 취직하다

❷ 마이클 / 방학 잘 보내다 / 잘 보내다, 방학 동안 뭐 하다 /
컴퓨터 학원에 다니다 / 아르바이트를 하다

❸ 미라 / 그동안 잘 지내다 / 잘 지내다, 어떻게 지내다 /
별일 없다 / 힘들어서 얼마 전에 휴학하다

❹ 진성 / 그동안 별일 없다 / 별일 없다, 그동안 어떻게 지내다 /
일이 많아서 정신이 없다 / 급한 일은 끝나서 좀 한가해지다

🎧 Listening_듣기

1 다음 대화를 잘 듣고 두 사람이 오래간만에 만났으면 ○, 그렇지 않으면 ×에 표시하세요.

Listen to the dialogue and mark ○ if they saw each other in ages or mark × if not.

1) ○ ×   2) ○ ×   3) ○ ×   4) ○ ×

2 다음 대화를 잘 듣고 아래의 내용이 맞으면 ○, 틀리면 ×에 표시하세요.

Listen to the dialogue and mark the following statements as either ○ or ×.

1) 두 사람은 오랫동안 못 만났어요.   ○ ×

2) 여자는 요즘 아르바이트를 하고 있어요.   ○ ×

3) 남자는 한국에 출장을 왔어요.   ○ ×

4) 두 사람은 같이 커피를 마시러 갈 거예요.   ○ ×

New Vocabulary

웬일이야? what's up?

출장 business trip

똑같다 to be the same

우연히 by chance

회의 meeting

3 친구가 휴대전화에 남긴 음성 메시지입니다. 다음을 잘 듣고 질문에 대답하세요.

Listen to a voice message left on one's cell phone, and answer the following questions.

1) 수미 씨와 링링 씨는 자주 연락했어요?

2) 링링 씨는 이번 휴가에 무엇을 하려고 해요?

New Vocabulary

메시지를 남기다
to leave a message

Speaking_말하기

1 한 달 동안의 여름 방학이 끝나고 오래간만에 친구를 만났어요. 안부를 묻고 여러분의 근황을 이야기해 보세요.

Imagine that you meet a friend after one-month-long summer vacation. Ask your friend how he or she has been and talk about how you have been.

● 여러분은 여름 방학에 보통 무엇을 해요? 다음을 참고해서 여름 방학 동안 여러분이 한 일을 정리해 보세요.

What do you usually do during summer vacation? Write down what you did during summer vacation as in example.

신나게 놀아요!!!	열심히 공부해요!!!	한국을 배워요!!!
☑ 여행	☐ 한국어능력시험 공부	☐ 한국 영화 감상
☐ 취미 생활	☐ 컴퓨터 학원	☐ 한국 문화 체험
☐ 친구를 많이 만나요	☐ 한국어 말하기 연습	☐ 봉사 활동

● 방학 동안 친구는 어떻게 지냈는지 물으려고 해요. 무엇을 어떻게 질문할지 생각해 보세요. 그리고 여러분은 그 질문에 어떻게 대답할지 생각해 보세요.

Imagine that you are going to ask your friend how he or she has been during vacation. Think about what you are going to ask and how you will answer to those questions.

● 친구와 함께 서로의 안부를 묻고 자신의 근황을 이야기해 보세요.

Ask your friend how he or she has been and talk about how you have been.

2 친구들에게 여러분의 근황을 소개해 보세요.

Talk about how you have been to your friends.

● 지난 방학이나 한국에 오기 전에 여러분은 어떻게 지냈어요?

How were you doing during last vacation or before you came to Korea?

● 요즘 여러분은 어떻게 지내요?

How are you doing these days?

● 위에서 생각한 내용을 바탕으로 친구들 앞에서 여러분의 근황을 소개해 보세요.

Based on the answers, talk about how you have been in front of your friends.

📖 Reading_읽기

1 다음은 친구의 안부를 묻고 자신의 근황을 소개하는 이메일입니다. 잘 읽고 내용을 파악해 보세요.

The following is an e-mail that asks how one's friend is doing and tell how one is doing. Read it carefully.

● 먼저 글에 어떤 내용이 있을지 생각해 보세요.

Make a guess at what might be written on the e-mail.

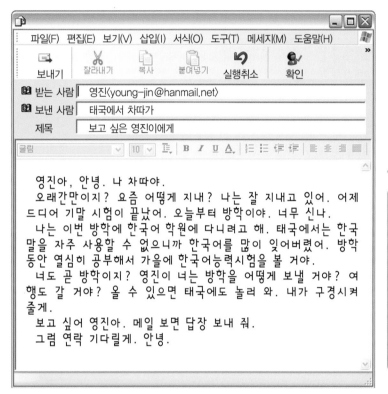

● New Vocabulary

드디어 finally

신나다 to be excited

구경시켜 주다 to show around

● Language Tip

씨 is attached to one's name, showing respect to the person. But if the person is the same age as you or younger than you, you don't have to use 씨. If the name ends with a consonant, you have to use -이.

▶예 : 저기 영진이하고 수미가 와요. 영진이는 학생이고 수미는 회사원이에요.

● 아래의 내용이 맞으면 O, 틀리면 X에 표시하세요.

Based on what you read, mark the following statements as either O or X

(1) 차따 씨는 다음 주부터 기말 시험을 봅니다. ☐O ☐X

(2) 차따 씨는 방학에 한국어 학원을 다니려고 합니다. ☐O ☐X

(3) 영진 씨는 차따 씨를 만나러 태국에 갔다 왔습니다. ☐O ☐X

(4) 영진 씨의 학교는 곧 방학을 합니다. ☐O ☐X

✏ Writing_쓰기

1 여러분은 요즘 어떻게 지내고 있어요? 친구에게 여러분의 근황을 알려 주는 편지를 써 보세요.

How are you doing these days? Write a letter about how you are doing.

- 여러분이 반말로 편지를 쓸 사람을 생각해 보세요.
  Choose a person to whom you will write a letter with a low form of speech.

- 여러분의 근황을 어떻게 이야기할지 생각해 보세요.
  Think about how you are going to talk about how you are doing.

- 위의 활동을 바탕으로 여러분의 안부와 근황을 알려 주는 편지를 써 보세요.
  Based on that, write a letter that shows how you are doing.

자기 평가 ✏   Self-Check

● 안부를 물을 수 있습니까? Are you able to ask how one is doing?	Excellent ●—●—●—● Poor
● 여러분의 근황을 이야기할 수 있습니까? Are you able to talk about how you are doing?	Excellent ●—●—●—● Poor
● 안부를 묻고 근황을 이야기하는 글을 읽고 쓸 수 있습니까? Are you able to read and write a passage about how one is doing?	Excellent ●—●—●—● Poor

♣ 반말(Low forms of speech)

In Korean, language used in informal situations like casual or personal conversation is called low forms of speech (반말 in Korean). There are two kinds of final endings ; -아/어/여요 for respectful (high) speech and -아/어/여 for informal (low) speech. -아/어/여 are used when people speak with younger people (than the speaker), or friends or co-workers. Even though there is an age gap between a speaker and a listener, -아/어/여 can be used if the two are close. But in a formal situation, you have to use a high form of speech to the person who you talk with casual language in daily lives. If 요 is omitted from -아/아/여요, they become low form of speech.

-아/어/여요 ➡ -아/어/여	-았/었/였어요 ➡ -았/었/였어
-지요 ➡ -지	-(으)ㄹ래요 ➡ -(으)ㄹ래
-(으)ㄹ까요 ➡ -(으)ㄹ까	-(으)ㄹ게요 ➡ -(으)ㄹ게

1 -아/어/여

● -아/어/여 is attached to a verb or adjective stem and is the present tense ending used in low forms of speech. Depending on context, -아/어/여 can be used for all four sentence types: statement, question, command, and propositive.

밥 먹어.   I'm eating. (Statement)

밥 먹어?   Are you eating? (Question)

빨리 먹어.   Eat fast. (Command)

같이 먹어.   Let's eat together. (Propositive)

● This takes three forms.

a. If the last vowel in the stem is ㅏ or ㅗ, -아 is used.

b. If the last vowel in the stem is any vowel other than ㅏ or ㅗ, -어 is used.

c. for 하다, the correct form is 하여. However, 해 is generally used instead of 하여.

(1) 가 : 요즘 어떻게 지내?

　　나 : 회사 일이 좀 많아. 그래서 주말에도 시간이 없어.

(2) 가 : 요즘 잘 지내?

　　나 : 응, 덕분에 잘 지내.

(3) 가 : 아직도 기숙사에 살아?

　　나 : 아니, 학교 근처에 있는 하숙집에 살아.

● New Vocabulary

하숙집 boarding house

(4) 가 : 요즘도 친구들 자주 만나?

　　나 : 아니, 바빠서 자주 못 만나.

(5) 가 : 오늘 뭐 하고 싶어?

　　나 : 배고프니까 우리 밥 먹으러 가.

(6) 가 : 시간 없어. 빨리 와.

　　나 : 응, 잠깐만 기다려.

(7) 가 : 언제 고향에 가?

　　나 : _____.

(8) 가 : 오후에 뭐 해?

　　나 : _____.

2 –았/었/였어

- -았/었/였어 are low forms of speech, attached to a verb, an adjective, and 'noun+이다', indicating the past tense. This is a combined form of -았/었/였- and -어. It is used for both statements and questions.

가 : 잘 지냈어? Have you been doing good?

나 : 응, 잘 지냈어. Yes, I have been fine.

- This takes three forms.

  a. If the last vowel in the stem is ㅏ or ㅗ, -았어 is used.

  b. If the last vowel in the stem is any vowel other than ㅏ or ㅗ, -었어 is used.

  c. for 하다, the correct form is 하였어. However, 했어 is generally used instead of 하였어.

(1) 가 : 그동안 어떻게 지냈어?

　　나 : 덕분에 잘 지냈어.

(2) 가 : 방학 동안 뭐 했어?

　　나 : 학원에 컴퓨터 배우러 다녔어.

(3) 가 : 이번 방학에도 고향에 갔다 왔어?

　　나 : 아니, 바빠서 못 갔어.

(4) 가 : 주말에 왜 전화 안 했어?

　　나 : 미안해. 월요일에 시험이 있어서 좀 바빴어.

(5) 가 : 언제부터 한국에 있었어?

　　나 : _____.

(6) 가 : 지난 주말에 뭐 했어?

　　나 : _____.

3 –(이)야

- -(이)야 is a low form of ending, indicating the present tense and is attached to a noun or the stem of 아니다. It is used for both statements and questions.

가 : 저 사람이 수미 씨야? Is she 수미?

나 : 저 사람은 수미 씨가 아니야. 수미 씨의 동생이야. No, she is not 수미. She is her younger sister.

- If -(으)ㄹ 것이다 indicating future plan or schedule comes with -(이)야, it becomes -(으)ㄹ 것이야. However, in daily conversations, -(으)ㄹ 거야 (contracted -(으)ㄹ 것이야) is more frequently used.

가 : 이번 방학에 뭐 할 거야? What are you going to do during this vacation?

나 : 아르바이트를 할 거야. I am going to work part-time.

- This takes two forms.
    a. If the last syllable of the noun or the stem is a vowel, -야 is used.
    b. If the last syllable of the noun is a consonant, -이야 is used.

(1) 가 : 안녕, 린다. 정말 오래간만이야.

　　나 : 그래, 정말 오래간만이야.

(2) 가 : 요즘 어떻게 지내?

　　나 : 다음 주가 졸업 시험이야. 그래서 좀 바빠.

(3) 가 : 이번 방학에 고향에 갔다 올 거야?

　　나 : 응, 고향에 가서 일주일 정도 있을 거야.

(4) 가 : 다른 친구들도 잘 지내?

　　나 : 아마 잘 지낼 거야. 나도 요즘 바빠서 자주 못 만났어.

(5) 가 : 남자 친구 사진이야?

　　나 : 아니야. _____.

(6) 가 : 이번 방학에 뭐 할 거야?

　　나 : 친구들하고 _____.

4 -자

- -자 is a low form of propositive ending. It is attached to a verb stem, indicating 'let's do ~ together'.

우리 오래간만에 만났으니까 같이 차 마시러 가자.
We haven't met for a long time. Let's have a cup of tea.

(1) 가 : 뭐 먹고 싶어?

　　나 : 오늘은 비빔밥을 먹자.

(2) 가 : 저녁에 영화 보러 가자.

　　나 : 오늘은 바빠서 안 돼. 다음에 보러 가자.

(3) 가 : 나는 방학에 제주도로 여행 가고 싶어. 너는 뭐 하고 싶어?

　　나 : 나도 여행 가고 싶어. 그러면 _____.

(4) 가 : 한국 친구가 별로 없어서 한국어를 많이 연습할 수 없어.

　　나 : 그러면 우리 오늘부터 _____.

5 –지, –(으)ㄹ래, –(으)ㄹ까, –(으)ㄹ게

- If 요 is omitted from -지요, -(으)ㄹ래요, -(으)ㄹ까요, -(으)ㄹ게요, they become -지, -(으)ㄹ래, -(으)ㄹ까, -(으)ㄹ게, which are low forms of speech.

  (1) 가 : 오래간만이야. 그동안 잘 지냈지?

  　　나 : 응, 잘 지냈어. 시간 있으면 같이 차 마시러 갈까?

  　　가 : 미안해. 지금은 좀 바빠. 나중에 전화할게.

  (2) 가 : 정말 반가워. 우리 오래간만에 같이 밥 먹을래?

  　　나 : 좋아, 맛있는 거 먹자. 오늘은 내가 살게.

  (3) 가 : 계속 한국에 있었지?

  　　나 : 아니야, 1년 정도 고향에 갔다 왔어.

  (4) 가 : 다른 친구들한테도 연락할까?

  　　나 : 그래, 그러자.

  (5) 가 : 우리 집에 언제 올래?

  　　나 : _____.

  (6) 가 : _____?

  　　나 : 학교 앞에서 만나자.

6 –아/야

- -아/야 is a low form which is attached to a name of a person or an animal, and it is used to call one's name.

  가 : 영진아, 안녕? Hi, 영진?

  나 : 응, 수미야. 오래간만이야. Hi, 수미, Long time no see!

- -아/야 is usually used after the name of a Korean. When you call the name of a foreigner, you can call him or her by the name except 씨.

  안녕, 린다. 요즘 어떻게 지내? Hi, Linda? How are you doing?

- This takes two forms.
  a. If the noun ends in a vowel, -야 is used.
  b. If the noun ends in a consonant, -아 is used.

  (1) 가 : 민수야, 어디 가?

  　　나 : 어, 정인아. 친구 만나러 가.

  (2) 가 : 수철아, 안녕.

  　　나 : 안녕, 선영아.

  (3) 가 : _____, 오늘 바빠?

  　　나 : 아니, 안 바빠.

  (4) 가 : _____, 이번에는 어디로 여행 갈까?

  　　나 : 글쎄, 아직 잘 모르겠어.

제7과 외모·복장
Appearance·Clothes

Goals

You will be able to describe appearance and clothes.

Topic	Appearance and clothes
Function	Describing appearance and clothes, Describing what one wears
Activity	Listening : Listen to dialogs about appearance and clothes, Listen to Missing Child Alert Speaking : Find out your friends' Mr. Right or Miss. Right, Talk about your appearance and what you wear today Reading : Read a Missing Person ad Writing : Write about your appearance and clothes that you like to wear
Vocabulary	Appearance, Expressions related to putting on & taking off
Grammar	-는/(으)ㄴ 편이다, -(으)ㄴ, -처럼, ㄹ irregular conjugation
Pronunciation	Syllable-final consonant ㄻ and ㄼ
Culture	Koreans who attach importance to appearance

제7과 외모 · 복장 Appearance · Clothes

1. 이 사람들에게 오늘 어떤 계획이 있을 것 같아요? 왜 그렇게 생각해요?
   What do these people plan to do today? Why do you think so?

2. 이 사람들은 지금 무엇을 입고 있습니까? 이 사람들은 어떻게 생겼습니까?
   What are they wearing now? What do they look like?

1

수미: 린다 씨는 정말 키가 크네요. 린다 씨의 가족은 모두 키가 커요?

린다: 아니요, 아버지하고 저만 커요. 다른 가족들은 좀 작은 편이에요.

수미: 린다 씨는 아버지를 닮았어요?

린다: 키하고 체격은 아버지를 닮은 것 같아요. 그런데 얼굴은 어머니를 닮아서 눈이 작은 편이에요.

수미: 린다 씨가 눈이 작아요? 그럼 제 눈은 어떻게 말해야 돼요?

New Vocabulary

닮다 to resemble

체격 physique

눈이 작다
to have small eyes

2

투 이: 어머! 마이클 씨. 웬일이에요? 양복을 입고, 넥타이도 매고.

마이클: 오전에 회사 면접을 보고 왔어요. 저한테 양복이 잘 안 어울리죠?

수 미: 아니에요. 영화배우처럼 멋있어요. 그런데 면접은 어땠어요?

마이클: 최선을 다했는데 잘 모르겠어요.

투 이: 잘 될 거예요. 그런데 옷이 불편해서 공원에는 못 가겠네요.

마이클: 아니에요. 넥타이만 풀면 괜찮아요. 오늘 날씨도 좋으니까 우리 공원에 가요.

수 미: 그래요. 양복을 입은 마이클 씨하고 언제 또 사진을 찍을 수 있겠어요?

New Vocabulary

넥타이를 매다
to wear a tie

면접 job interview

최선을 다하다 to do one's best

넥타이를 풀다
to untie a necktie

skinny - 말랐어요

날씬해요

근육이있다 - muscle

저는 눈이 크고 다리가 길지만 별로 안 예뻐요

3

오늘은 기다리고 기다리던 미팅 날이었습니다. 미팅은 내가 한국에서 제일 해 보고 싶은 일이었습니다. 나는 제일 좋아하는 원피스를 입고 미팅 장소에 갔습니다.

내 이상형은 키가 크고 어깨가 넓은 남자입니다. 거기에 그런 사람이 있었습니다. 나는 그 사람에게 첫눈에 반했습니다.

나는 그 사람하고 짝이 되고 싶어서 먼저 말을 걸었습니다. 그런데 그 사람이 너무 아기처럼 이야기를 했습니다. 으악! 이렇게 나의 첫 번째 미팅은 끝이 났습니다.

● New Vocabulary

기다리고 기다리던
to look forward to
to wait and wait

미팅 blind date

이상형 Mr./Miss Right

어깨가 넓다
to have broad shoulders

첫눈에 반하다
to fall in love at first sight

짝 partner

말을 걸다 to talk to

으악 Oh, no.

첫 번째 first

문화 외모를 중시하는 한국인
Koreans who attach importance to appearance

● 여러분 나라 사람들은 잘 가꾼 외모와 격식에 맞게 차려 입은 옷차림을 중요하게 생각하는 편입니까?
In your country, do people regard appearance and how well one is dressed as important?

● 다음은 어디의 사진입니까? 사람들이 이곳을 찾는 이유는 무엇일까요?
Where are they? For what are people coming here?

 Koreans have highly valued etiquette for a long time. For this reason, Korean people were decently dressed even when they went out in the hot summer or to the neighborhood in the past. Therefore, we should see people wear makeups and dress up even when they go to the store right in front of their home in the context of the tradition. Recently, as there are many people who think that appearance has a big impact on not only the private lives but also all parts of our lives including when you try to get jobs or be promoted, an increasing number of people are making efforts to improve their appearance. People exercise regularly and dress themselves up and get their hair done in order to express themselves. Some people even have plastic surgeries.

● 여러분 나라 사람들은 격식에 맞는 옷을 입고 외모를 가꾸기 위해 어떤 노력을 합니까?
In your country, what kind of efforts do the people make in order to improve appearance and dress up in regard to TPO (time, place and occasion)?

1 〈보기〉와 같이 이야기해 보세요.

> 보기
>
> 키가 작다
>
> 가 : 키가 작아요?
> Is he/she short?
>
> 나 : 네, 키가 작은 편이에요.
> Yes, he/she is short.

❶ 키가 크다　　　　　　　　**❷** 어깨가 좁다

❸ 날씬하다　　　　　　　　**❹** 다리가 길다

❺ 얼굴이 네모나다　　　　　**❻** 코가 낮다

2 〈보기〉와 같이 연습하고, 반 친구들의 체격과 외모에 대해 묻고 대답해 보세요.

Ask and answer about classmates' physical features and appearance as in example.

> 보기
>
> 키가 작다,
>
> 조금 뚱뚱하다
>
> 가 : 민수 씨가 어떻게 생겼어요?
> What does 민수 look like?
>
> 나 : 키가 작고 조금 뚱뚱한 편이에요.
> 마이클 is short and is on the chubbier side.

❶ 체격이 크다, 다리가 길다

❷ 얼굴이 잘생기다, 눈이 크다

❸ 체격이 작다, 많이 마르다

❹ 어깨가 넓다, 배가 나오다

❺ 코가 높다, 얼굴이 네모나다

❻ 눈이 작다, 얼굴이 조금 크다

외모 Appearance

몸 body

체격이 크다/작다
to have a large/
small physique/frame

어깨가 넓다/좁다
to have broad/
narrow shoulders

키가 크다/작다
to be tall/short

마르다/날씬하다/뚱뚱하다
to be skinny/slender/fat

다리가 길다/짧다
to have long/short legs

배가 나오다
to have a pot belly

얼굴 face

얼굴이 동그랗다
to have a round face

얼굴이 네모나다
to have a square face

코가 높다/낮다
to have a high/flat nose

눈이 크다/작다
to have big/small eyes

얼굴이 잘생기다/못생기다
to be good-looking/
bad-looking

Language Tip

For 마르다, 배가 나오다 and 얼굴이 잘생기다, 못생기다, present tense form is not used. Instead, past tense form such as 말랐어요, 배가 나왔어요, 잘생겼어요 and 못생겼어요 is used. When they are followed by -(으)ㄴ 편이다, 마른 편이에요, 배가 나온 편이에요, 잘생긴 편이에요 and 못생긴 편이에요 are used.

3 〈보기〉와 같이 이야기해 보세요.

> **보기**
>
> 영진, 키가 크다 /
> 농구 선수
>
> 가: 영진 씨는 키가 커요?
> Is 영진 tall?
>
> 나: 네, 농구 선수처럼 커요.
> Yes. 영진 is as tall as a basketball player.

❶ 린다, 다리가 길다 / 모델

❷ 제프, 얼굴이 잘생기다 / 영화배우

❸ 수미, 얼굴이 동그랗다 / 보름달

❹ 마이클, 마르다 / 젓가락

❺ 장정, 눈이 작다 / 단춧구멍

❻ 철수, 배가 나오다 / 사장님

Language Tip

동그랗다 becomes 동그래요 when it is combined with -아/어/여요 as you see in 동그란 편이에요. 동그랗다 deletes ㅎ when combined with the ending of a word starting with ㄴ.

New Vocabulary

보름달 full moon
젓가락 chopsticks
단춧구멍 buttonhole

4 〈보기〉와 같이 연습하고, 여러분은 누구를 닮았는지, 체격이나 외모의 특징은 어떤지 친구와 묻고 대답해 보세요.

Ask and answer questions such as who you resemble and what your physical features are as in example.

> **보기**
>
> 할머니, 코가 높다
>
> 가: 가족 중에서 누구를 닮았어요?
> Who do you resemble?
>
> 나: 할머니를 닮았어요. 그래서 저도 할머니처럼 코가 높은 편이에요.
> I resemble my grandmother, so I have a long nose like her.

❶ 아버지, 체격이 작다

❷ 어머니, 어깨가 좁다

❸ 할아버지, 얼굴이 길다

❹ 할머니, 많이 마르다

❺ 아버지, 얼굴이 네모나다

❻ 어머니, 눈이 크다

Language Tip

As you see from 아버지를 닮아서 체격이 커요, 어머니를 닮아서 많이 말랐어요, when 닮다 means that you resemble or take after someone, use -을/를 닮다. As you see from 수미하고 미라는 닮았어요, when 닮다 means that you look like someone or you are similar to someone, use -와/과 닮다 or -하고 닮다.

5 사진을 보고 이 사람의 외모의 특징을 세 가지 정도 이
야기해 보세요.
Look at the picture and talk about 3 characteristics of this person's
appearance.

6 〈보기 1〉이나 〈보기 2〉와 같이 연습하고, 여러분의 복장
에 대해 친구와 묻고 대답해 보세요.
Talk about what you wear today with your classmate as in example.

보기1	
입다 / 티셔츠	가 : 뭘 입었어요? What did you wear? 나 : 티셔츠를 입었어요. I wore a T-shirt.

보기2	
입다 / 티셔츠	가 : 뭘 입고 있어요? What are you wearing? 나 : 티셔츠를 입고 있어요. I am wearing a T-shirt.

❶ 입다 / 원피스　　　❷ 입다 / 양복

❸ 입다 / 티셔츠와 청바지　　❹ 입다 / 블라우스와 치마

❺ 신다 / 운동화　　　❻ 신다 / 구두

● New Vocabulary

운동화 sports shoes

구두 shoes

● Language Tip

As you see expressions like 옷을
입고 있어요, 신발을 신고 있어요,
'-고 있다' combined with verbs
related to appearance and clothes
sometimes means the present
progressive form, but usually the
expression means continuation
of a state of wearing a cloth or
shoes.

7 〈보기〉와 같이 이야기해 보세요.

보기

가: 모자를 썼어요?
Does he/she wear a hat?

나: 네, 모자를 썼어요.
Yes, he/she wears a hat.

보기 모자
❶ 목도리
❷ 장갑
❸ 가방
❹ 부츠
❺ 안경
❻ 넥타이
❼ 시계
❽ 가방

▶ 탈착 표현
Expressions related to putting on & taking off

옷을 입다/벗다
to put on/take off clothes

신발을 신다/벗다
to put on/take off shoes

모자를 쓰다/벗다
to put on/take off a hat

안경을 쓰다/벗다
to put on/take off glasses

넥타이를 매다/풀다
to tie/untie a necktie

시계를 차다/풀다
to wear/unfasten a watch

장갑을 끼다/빼다
to put on/take off gloves

목도리를 하다/풀다
to put on/take off a muffler

8 집에 온 후에 어떻게 달라졌어요? 〈보기〉와 같이 이야기해 보세요.

Talk about how he/she looks different after he/she comes home as in example.

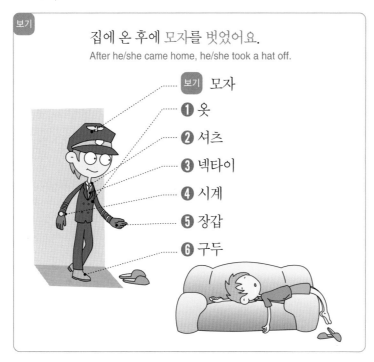

보기

집에 온 후에 모자를 벗었어요.
After he/she came home, he/she took a hat off.

보기 모자
❶ 옷
❷ 셔츠
❸ 넥타이
❹ 시계
❺ 장갑
❻ 구두

▶ New Vocabulary

가방을 메다
to shoulder a bag

가방을 들다
to take a bag

부츠 boots

9 〈보기〉와 같이 이야기해 보세요.

발음 Pronunciation

Syllable-final consonant ㄺ and ㄼ

As in the case of 닭다, 짧다, when a word ends with two consonants (받침), and it is followed by another consonant, one consonant out of the two consonants is deleted and is not pronounced. In the case of ㄺ, ㄹ is deleted. In the case of ㄼ, ㅂ is deleted. (with an exception of 밟다).

닭다
짧다

▶연습해 보세요.
(1) 어깨가 넓어요.
(2) 어깨가 넓습니다.
(3) 나는 어머니를 닮고, 동생은 아버지를 닮았어요.

영진 /
회색 양복을 입다

가: 누가 영진 씨예요?
Who is 영진?

나: 저기 회색 양복을 입은 사람이
영진 씨예요.
영진 is the one who wears a gray suit over there.

① 수미 / 노란색 원피스를 입다
② 장정 / 파란색 바지를 입다
③ 마이클 / 빨간색 넥타이를 매다
④ 석호 / 까만색 안경을 쓰다

10 〈보기〉와 같이 연습하고, 반 친구의 외모와 복장에 대해 묻고 대답해 보세요

Ask and answer about your classmate's appearance and clothes as in example.

마이클 / 키가 크다, 아주 마르다 /
회색 양복, 분홍색 넥타이

가: 마이클 씨를 어떻게 찾아야 돼요?
How can I recognize Michael ?

나: 마이클 씨는 키가 크고 아주 마른 편이에요.
Michael is tall and very skinny.

가: 오늘 뭘 입고 있어요? What does he wear today?

나: 회색 양복을 입고, 분홍색 넥타이를 맨 사람을 찾으면
돼요.
Find a man wearing a gray suit and a pink necktie.

① 소희 / 키가 작다, 약간 뚱뚱하다 /
티셔츠하고 반바지, 노란색 모자
② 사이토 / 키가 크다, 배가 많이 나오다 /
흰색 남방과 청바지, 갈색 안경
③ 미샤 / 얼굴이 조금 네모나다, 어깨가 넓다 /
초록색 블라우스와 까만색 치마, 초록색 구두
④ 초성 / 체격이 작다, 아주 잘생기다 /
빨간색 남방과 까만색 바지, 고려대학교 가방

🎧 **Listening_듣기**

1 기준 씨의 오늘 모습입니다. 다음 대화를 잘 듣고 대화의 내용이 그림과 맞으면 ○,
틀리면 ×에 표시하세요.

Listen to the dialogue about 기준's appearance and choose ○ or ×.

1) ○ ✕
2) ○ ✕
3) ○ ✕
4) ○ ✕

> **New Vocabulary**
>
> 평소
> ordinary times/usually

2 수미 씨와 토머스 씨가 토머스 씨의 가족사진을 보면서 이야기하고 있습니다.
잘 듣고 아래의 내용이 맞으면 ○, 틀리면 ×에 표시하세요.

Listen to the dialogue between 수미 and Thomas about Thomas' family picture and
mark the following statements as either ○ or ×.

1) 토머스 씨 가족은 모두 키가 커요.   ○ ✕

2) 토머스 씨 형제들은 아버지를 많이 닮았어요.   ○ ✕

3) 토머스 씨는 얼굴이 동그란 편이에요.   ○ ✕

> **New Vocabulary**
>
> 형제 brothers
> 얼굴형 face shape
> 살이 찌다 to be chubby

3 다음은 놀이동산에서 방송되는 미아 찾기 안내입니다.
찾는 아이가 누구인지 고르세요.

Listen to a part of Missing Child Alert and choose the missing child being mentioned.

ⓐ   ⓑ   ⓒ

> **New Vocabulary**
>
> 보호하다 to look after
> 미아보호소
> home for missing children

Speaking_말하기

1 우리 반 친구에게 이성 친구를 소개시켜 주려고 합니다. 친구는 어떤 사람을 좋아할까요? 친구의 이상형을 알아보세요.

You are going to introduce a boy/girl friend to your classmate. What kind of person does your classmate like? Let's find out your classmate's Mr. Right or Miss. Right.

● 이상형을 알아내기 위해서는 무엇을, 어떻게 질문해야 할까요?

Write down the information in order for you to find out your classmate's Mr. Right or Miss. Right.

New Vocabulary

액세서리 accessories

● 정리한 내용을 바탕으로 친구에게 질문해서, 친구의 이상형을 알아보세요.

Based on the information, ask your classmate and try to find out his/her Mr. Right or Miss. Right.

● 여러분이 들은 내용을 그림을 그려서 친구에게 보여 주세요. 친구의 이상형하고 닮았는지 같이 이야기해 보세요.

Draw a picture based on the information, and show it to your classmate. Talk with your classmate whether your picture is similar to your classmate's Mr. Right or Miss Right.

● 친구의 이상형하고 닮은 사람을 알고 있어요? 그럼 친구에게 그 사람을 소개시켜 주세요.

Do you know someone who looks like your classmate's Mr. Right or Miss. Right? If you do, introduce him or her to your friend.

2 친구들에게 여러분의 외모와 복장에 대해 이야기해 보세요.

Talk about your appearance and what you wear today in front of your friends.

● 무엇을 중심으로 자신의 외모와 복장을 이야기할지 정리해 보세요.

First of all, think about what you are going to focus when taking about your appearance and clothes.

● 정리한 내용을 중심으로 친구들 앞에서 자신의 외모와 복장에 대해 이야기해 보세요.

Based on it, talk to your friends about your appearance and clothes.

📖 Reading_읽기

1 다음은 사람을 찾는 광고지입니다. 잘 읽고 찾는 사람이 누구인지 고르세요.

Following is a Missing Person ad. Choose who is the missing person.

● 사람을 찾는 광고에는 어떤 내용이 나올지 추측해 보세요.

What kind of descriptions will be used in such an advertisement?

● 다음 광고를 읽고 찾는 사람을 고르세요.

Read the following advertisement and mark the missing person being described.

사람을 찾습니다.

할아버지를 찾고 있습니다.

올해 나이 63세. 키는 175cm 정도. 체격이 크고 얼굴이 네모나고 큰 편입니다. 머리카락이 아주 흰색이라서 멀리서도 금방 알아볼 수 있습니다. 실종 당시 회색 양복을 입고 까만색 모자를 썼습니다. 목에는 이름, 주소, 전화번호가 적힌 목걸이를 하고 있습니다. 지난 5월 3일 오후에 친구를 만나러 간다고 집을 나간 후 돌아오지 않고 있습니다.

귀가 안 좋아서 말을 잘 알아듣지 못합니다.

이런 분을 보호하고 계신 분이나 보신 분은 아래 연락처로 연락해 주십시오. 후사하겠습니다.

연락처 010-123-4567

ⓐ

ⓑ

ⓒ

✏️ Writing_쓰기

1 여러분의 펜팔 친구에게 여러분의 외모와 즐겨 입는 옷에 대해 설명해 보세요.
Talk about your appearance and clothes that you like to wear to your pen pal.

● 여러분의 체격과 얼굴의 특징을 메모해 보세요.
   Write down how big or tall you are and your facial features.

● 여러분이 즐겨 입는 옷의 종류가 무엇인지, 무슨 색깔인지 메모해 보세요.
   Write down what kind of clothes you like to wear and what color they are.

● 위에서 메모한 내용을 바탕으로 여러분의 외모와 즐겨 입는 옷을 소개하는 글을 써 보세요.
   Based on what you wrote, write a text introducing your appearance and clothes that you like to wear.

자기 평가 ✏️   Self-Check

● 외모를 묘사할 수 있습니까?
   Are you able to describe your appearance?   Excellent ●━━●━━●━━● Poor

● 복장을 설명할 수 있습니까?
   Are you able to describe your clothes?   Excellent ●━━●━━●━━● Poor

● 외모와 복장에 관한 글을 읽고 쓸 수 있습니까?
   Are you able to read texts on appearance and clothes and write about them?   Excellent ●━━●━━●━━● Poor

1 –는/(으)ㄴ 편이다

- -는/(으)ㄴ 편이다 is attached to a verb, an adjective and 'noun +이다', indicating that the subject has a tendency to do the action or to be on the ~er side.

  영진 씨는 키가 큰 편이에요.   영진 is on the taller side.

- If you are not sure of how frequently someone does something or you want to put it modestly, -는/(으)ㄴ 편이다 is used.

  수미 씨도 치마를 자주 입는 편이에요. 수미 often wears a skirt, too.

  저는 옷이 좀 많은 편이에요. I have a lot of clothes.

- This takes three forms.

  a. For the verb stem and the adjective stem ending with 있다 / 없다, -는 편이다 is used.

  b. If the adjuctive stem ends in a vowel or ㄹ, -ㄴ 편이다 is used.

  c. If the adjective stem ends in a consonant other than ㄹ, -은 편이다 is used.

  (1) 가 : 종수 씨는 어떻게 생겼어요?

       나 : 키가 크고 어깨가 넓은 편이에요.

  (2) 가 : 린다 씨는 다리가 정말 기네요.

       나 : 어머니를 닮아서 저도 다리가 긴 편이에요.

  (3) 가 : 기준 씨는 잘생겼어요?

       나 : 아니요, 좀 못생긴 편이에요.

  (4) 가 : 양복을 자주 입어요?

       나 : 아니요, 양복보다는 편한 옷을 더 자주 입는 편이에요.

  (5) 가 : 수미 씨가 키가 커요?

       나 : 네, _____ .

  (6) 가 : 다른 가족들도 모두 눈이 커요?

       나 : 아니요, 저만 눈이 커요. 다른 가족들은 모두 _____ .

2 –(으)ㄴ

- -(으)ㄴ is attached to a verb and used to modify a following noun, indicating an action that has happened in the past.

  양복을 입은 사람이 영진 씨예요. The one who put on a suit is 영진.

- This takes two forms.

  a. If the stem ends in a vowel or the ㄹ, -ㄴ is used.

  b. If the stem ends in a consonant other than ㄹ, -은 is used.

(1) 가: 누가 수미 씨예요?

나: 저기 파란색 원피스를 입은 사람이 수미 씨예요.

(2) 가: 빨간색 티셔츠가 아주 잘 어울려요. 새로 산 거예요?

나: 아니요, 고향에서 가지고 온 거예요.

(3) 가: 어제 선물 받은 옷은 왜 안 입고 왔어요?

나: 주말에 친구 결혼식에 입고 가려고요.

(4) 가: 어제 본 영화 어땠어요?

나: 생각보다 재미있었어요.

(5) 가: 누가 영진 씨예요?

나: 저기 파란색 티셔츠하고 _____.

(6) 가: 수미 씨, 안암 식당에 가 봤지요? 어디에 있어요?

나: _____ 식당이 안암 식당이에요.

3 -처럼

● -처럼 is attached to a noun, indicating that the subject is like that noun.

건호 씨는 농구 선수처럼 키가 커요. 건호 is as tall as a basketball player.

(1) 가: 단아 씨가 하얀 옷을 입으니까 천사처럼 예쁘네요.

나: 정말 그러네요.

● New Vocabulary

천사 angel
호랑이 tiger

(2) 가: 진호 씨는 어떻게 생겼어요?

나: 아버지를 닮아서 수영 선수처럼 어깨가 넓어요.

(3) 가: 린다 씨의 한국어 선생님은 어떤 사람이에요?

나: 키도 작고, 말랐어요. 그런데 수업 시간에는 호랑이처럼 무서워요.

(4) 가: 마이클 씨는 한국 사람처럼 한국말을 잘 해요.

나: 맞아요. 나도 빨리 마이클 씨처럼 한국말을 잘 하고 싶어요.

(5) 가: 성빈 씨는 어떻게 생겼어요?

나: _____ 잘생겼어요.

(6) 가: 미라 씨는 누구를 닮았어요?

나: 어머니를 닮았어요. 그래서 _____.

4 ㄹ irregular conjugation

● When the verb or adjective of which the stem ends in ㄹ is followed by ㄴ, ㅂ, ㅅ, or ㄹ, ㄹ is deleted. These verbs and adjectives are called as 'irregular ㄹ verbs and adjectives'.

살다 ➡ 산, 삽니다, 사세요, 살 거예요 / 살고, 살지요?
　　　　(irregular conjugation)　　　　/ (regular conjugation)

길다 ➡ 긴, 깁니다, 기세요, 길 거예요 / 길고, 길지요?
　　　　(irregular conjugation)　　　　/ (regular conjugation)

● The following are the most common irregular ㄹ verbs and adjectives. All the verbs and adjectives of which the stem ends in ㄹ belong to this category.

만들다 살다 놀다 알다 울다 걸다 들다
팔다 졸다 늘다 줄다 길다 달다 가늘다

(1) 가 : 린다 씨가 어떻게 생겼어요?

　　나 : 키가 크고 다리가 긴 편이에요.

(2) 가 : 이 바지가 저한테 조금 긴 것 같아요.

　　나 : 그러면 줄여 드릴게요.

(3) 가 : 수미 씨는 누구를 닮았어요?

　　나 : 어머니를 닮았어요.

　　　　그래서 팔다리가 좀 가는 편이에요.

(4) 가 : 티셔츠가 마음에 드세요?

　　나 : 네, 마음에 들어요. 이걸로 주세요.

(5) 가 : 보통 주말에는 뭘 해요?

　　나 : 학교 친구들하고 _____.

(6) 가 : 선생님이 어떻게 생겼어요?

　　나 : 키가 크고 _____.

New Vocabulary

졸다 to doze off

늘다 to increase

줄다 to decrease

줄이다 to reduce

가늘다 to be thin

MEMO

제8과 교통
Transportation

Goals

You will be able to talk about the best way to use transportation.

Topic	Transportation
Function	Asking transportation, Explaining transportation
Activity	Listening : Listen to a passage explaining transportation, Listen to subway announcements
	Speaking : Talk about transportation to places where you often go, Find out how to get to places where you want to go
	Reading : Read a passage explaining transportation
	Writing : Write a passage explaining experiences that you took the wrong subway or bus
Vocabulary	Expressions related to transportation
Grammar	-기는 하다, -는 게 좋겠다, -는/(으)ㄴ데, -마다
Pronunciation	Tensification of word-initial consonant in English loanwords
Culture	The seats for senior citizens and the disabled

제8과 교통 Transportation

1. 여기는 어디예요? 두 사람은 지금 무슨 이야기를 하고 있을까요?
   Where is this place? What might the two people be talking about?

2. 여러분은 한국의 대중교통을 이용할 수 있어요? 대중교통을 잘 이용하기 위해서 무엇을 알아야 해요?
   Can you use Korea's public transportation? What should you know in order to better use public transportation?

대화 & 이야기 Dialogue & Story

1

마이클: 저기요, 실례합니다. 여기에 교보문고에 가는 버스가 있어요?

행　인: 광화문에 있는 교보문고요?

마이클: 네, 맞아요.

행　인: 273번이 가기는 해요. 그런데 지금은 길이 막히니까 지하철을 타고 가세요. 여기에서 조금만 걸어가면 고려대역이 있어요.

마이클: 그러면 어디에서 내려야 돼요?

행　인: 고려대역에서 6호선을 타고 가다가 청구역에서 5호선으로 갈아타세요. 그리고 광화문역에서 내리면 돼요.

마이클: 시간이 얼마나 걸릴까요?

행　인: 30분 정도 걸릴 거예요.

마이클: 네, 감사합니다.

> **New Vocabulary**
>
> 광화문 *Gwanghwamun* (area)
> 고려대역
> Korea University station
> 청구역 *Cheong-gu* station
> 광화문역
> *Gwanghwamun* station

2

마야: 실례지만, 이번에 오는 지하철을 타면 올림픽공원에 가요?

행인: 아니요, 이건 안 가요. 다음에 오는 마천행 지하철을 타세요.

마야: 그러면 안 갈아타도 되지요?

행인: 네, 한 번에 가요.

마야: 그런데, 마천행 지하철이 몇 분마다 와요?

행인: 지금은 출퇴근 시간이 아니니까 5분 정도 기다리면 될 거예요.

마야: 올림픽공원까지 시간이 얼마나 걸릴까요?

행인: 한 20분쯤 걸릴 거예요.

마야: 감사합니다.

> **New Vocabulary**
>
> 올림픽공원
> Seoul Olympic Park
> 마천행
> bound for *Macheon*
> 한 번에 가다
> go straight without any transfer

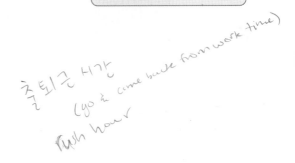

출퇴근 시간
(go & come back from work time)
Rush hour

3

지난주 토요일에 회사 동료의 결혼식에 갔다 왔습니다. 결혼식이 끝나고 친구와 약속이 있어서 명동에 갔습니다. 길이 많이 막힐 것 같아서 택시를 타고 가장 가까운 지하철역으로 갔습니다. 지하철을 탄 후에 노선도를 봤습니다. 그런데 두 번이나 갈아타야 했습니다. '택시를 타고 조금만 더 가면 한 번에 가는 지하철을 탈 수 있었는데…….' 지하철을 타기 전에는 미리 노선도를 확인하는 게 좋겠습니다.

• New Vocabulary

회사 동료 co-worker
노선도 subway linemap
미리 in advance
확인하다 to check

 문화　　**노약자석** The seats for senior citizens and the disabled

● 여러분은 한국의 지하철이나 버스에서 다음과 같은 표시를 본 적이 있어요? 다음의 표시가 무엇을 의미하는지 이야기해 보세요.
Have you seen signs in the below in the Korean subway train or bus? Let's talk about what these signs mean.

There are the seats for senior citizens and the disabled in the Korean subway train and bus. These seats are for the senior citizens, so even if the seats are not occupied, people do not take the seats. In addition, when a senior citizen gets on the train or the bus, people offer their seats to the senior citizen even though they do not occupy the seats for senior citizens and the disabled. It is because Koreans have highly valued respecting not only their own parents but also seniors.

● 여러분이 타고 있는 지하철이나 버스에 노약자가 타면 어떻게 해야 할까요?
What should you do when a senior citizen gets on the subway train or the bus?

1 〈보기〉와 같이 이야기해 보세요.

> 보기
>
> 집, 학교 /
>
> 가: 집에서 학교까지 어떻게 가요?
> How do you get to school from home?
>
> 나: 버스로 가요.
> I take the bus to get to school.

● New Vocabulary

목포 *Mokpo* (city)

● Language Tip

-(으)로 가다 is an expression referring to transportation. Its meaning is the same as that of -을/를 타고 가다. If a noun ends in a vowel or ㄹ, use -로 가다. If a noun ends in a consonant other than ㄹ, use -으로 가다.

❶ 회사, 집 / 　　　❷ 집, 시장 /

❸ 집, 학교 / 　　　❹ 부산, 서울 /

❺ 제주도, 목포 / 　　❻ 대전, 대구 /

2 〈보기 1〉이나 〈보기 2〉와 같이 이야기해 보세요.

> 보기1
>
> 교보문고 / 273번 버스
>
> 가: 여기에 교보문고에 가는 버스가 있어요?
> Is there a bus that will take me to 교보문고?
>
> 나: 네, 273번 버스를 타세요.
> Yes, you should take the bus # 273.

> 보기2
>
> 교보문고 / 지하철
>
> 가: 여기에 교보문고에 가는 버스가 있어요?
> Is there a bus that will take me to 교보문고?
>
> 나: 아니요, 버스는 없으니까 지하철을 타세요.
> No, there is no bus. You have to take the subway.

● New Vocabulary

신촌 *Sinchon* (area)
인천공항 *Incheon* airport
서울대공원 *Seoul Grand Park*

❶ 신촌 / 472번 버스　　　❷ 인천공항 / 601번 버스

❸ 동대문시장 / 144번 버스　❹ 인사동 / 지하철

❺ 서울대공원 / 지하철　　　❻ 명동 / 지하철

3 〈보기〉와 같이 이야기해 보세요.

> **보기**
>
> 명동 /
> 좀 돌아가다
>
> 가 : : 저기요, 실례지만 저 버스 명동에 가요?
> Excuse me, is that bus going to 명동?
>
> 나 : 네, 명동에 가기는 해요.
>
> 그런데 좀 돌아가요.
> Yes, it is going to 명동, but it goes a longway round.

❶ 신촌 / 좀 돌아가다

❷ 압구정동 / 좀 돌아가다

❸ 광화문 / 좀 돌아가다

❹ 신사동 / 내려서 좀 걸어야 되다

❺ 명동 / 내려서 좀 걸어야 되다

❻ 인사동 / 내려서 좀 걸어야 되다

• New Vocabulary

압구정동
Apgujeong-dong(district)

신사동 *Sinsa-dong*(district)

교통 관련 표현
Expressions related to
transportation

복잡하다 to be congested

돌아가다
to go a longway round

한 번에 가다
go straight without any
transfer

앉아서 가다 to get a seat
(in a public transportation)

서서 가다 to stand
(in a public transportation)

4 〈보기 1〉이나 〈보기 2〉와 같이 이야기해 보세요.

> **보기1**
>
> 동대문시장 /
> 세 정거장
>
> 가 : 아저씨, 동대문시장 아직 멀었어요?
> Sir, are we 동대문 market yet?
>
> 나 : 아니요, 세 정거장만 더 가면 돼요.
> No, just three more stops.

> **보기2**
>
> 동대문시장 /
> 이번 정거장
>
> 가 : 아저씨, 동대문시장 아직 멀었어요?
> Sir, are we 동대문 market yet?
>
> 나 : 아니요, 이번 정거장에서 내리면 돼요.
> No, here is your stop.

• New Vocabulary

아직 yet
이번 this
정거장 stop
다음 next

❶ 인사동 / 두 정거장   ❷ 압구정동 / 세 정거장

❸ 명동 / 네 정거장   ❹ 신촌 / 이번 정거장

❺ 광화문 / 다음 정거장   ❻ 종로 / 다음 정거장

5 〈보기〉와 같이 이야기해 보세요.

> 보기
>
>
>
> 인사동,
> 지하철 1호선 /
> 좀 걸어야 되다,
> 3호선
>
> 가: 수미 씨, 인사동에 갈 때 지하철 1호선을 타면 되지요?
> 수미, can I take the subway line 1 to go to 인사동?
>
> 나: 1호선을 타면 좀 걸어야 되니까 3호선을 타는 게 좋겠어요.
> If you take the subway line 1, you have to walk a little bit, so I advise you to take the subway line 3.

❶ 교보문고, 지하철 1호선 / 많이 걸어야 되다, 5호선

❷ 정동극장, 지하철 2호선 / 많이 걸어야 되다, 5호선

❸ 보라매공원, 지하철 7호선 / 좀 돌아가다, 1호선

❹ 강남 교보문고, 144번 버스 / 많이 막히다, 지하철

❺ 고려대 앞, 100번 버스 / 많이 막히다, 지하철

❻ 광화문, 273번 버스 / 오래 기다려야 되다, 지하철

6 〈보기〉와 같이 이야기해 보세요.

> 보기
>
> **이 버스를 타면 인사동에 가다 / 가다, 지금은 막히다, 지하철**
>
> 가: 이 버스를 타면 인사동에 가지요?
> Does this bus go to 인사동?
>
> 나: 가기는 하는데 지금은 막히니까 지하철을 타고 가세요.
> It goes to 인사동, but there is a traffic jam, so you should take the subway.

❶ 이 버스를 타면 광화문에 가다 /

　가다, 많이 돌아가다, 지하철

❷ 여기에 압구정동에 가는 버스가 있다 /

　버스가 있다, 오래 기다려야 되다, 지하철

❸ 교보문고에 갈 때 1호선을 타면 되다 /

　1호선을 타도 되다, 오래 걸어야 되다, 5호선

❹ 동대문시장 쪽에 갈 때 2호선을 타면 되다 /

　2호선을 타도 되다, 많이 돌아가다, 4호선

7 〈보기〉와 같이 이야기해 보세요.

> **보기**
>
> ### 안암역, 고속버스 터미널역 / 지하철 6호선, 약수역, 3호선
>
> 가 : 안암역에서 고속버스 터미널역까지 어떻게 가야 돼요?
> How can I go from 안암 to express bus terminal?
>
> 나 : 지하철 6호선을 타고 약수역까지 가세요.
> 그리고 거기에서 3호선으로 갈아타면 돼요.
> Take the subway line 6, and go to 약수. Then, you should transfer to the line number 3.

• New Vocabulary

약수역 *Yaksu* station
동묘역 *Dongmyo* station
이태원 *Itaewon*(area)
삼각지역 *Samgakji* station
신길역 *Sin-gil* sation
여의도 *Yeo-ido*(area)
충무로 *Chungmu-ro*(street)

❶ 서울역, 고려대 / 지하철 1호선, 동묘앞역, 6호선

❷ 명동, 이태원 / 지하철 4호선, 삼각지역, 6호선

❸ 시청, 김포공항 / 지하철 1호선, 신길역, 5호선

❹ 이태원, 여의도 / 지하철 6호선, 공덕역, 5호선

❺ 여기, 서울역 / 지하철 3호선, 충무로역, 4호선

❻ 여기, 경복궁 / 지하철 6호선, 약수역, 3호선

8 두 사람은 지금 종로3가역에 있습니다. 그림을 보고 〈보기〉와 같이 이야기해 보세요.

Two people are at the 종로3가 station. Look at the picture and talk as in example.

> **보기**
>
>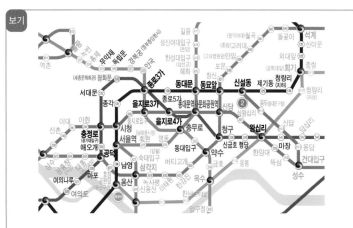
>
> **동대문 / 청량리**
>
> 가 : 동대문은 어느 쪽으로 가야 돼요?
> Which train do I have to take to go to 동대문?
>
> 나 : 청량리 방면으로 가세요.
> You have to take a train bound for 청량리.

• New Vocabulary

청량리 *Cheongnyangni*(area)
방면 bound for
안국 *An-guk*(area)
용산 *Yongsan*(area)
동대문역사문화공원
Dongdaemun History & Culture Park

❶ 경복궁 / 안국   ❷ 용산 / 서울역

❸ 광화문 / 여의도   ❹ 약수 / 충무로

❺ 서울역 / 시청   ❻ 청구 / 동대문역사문화공원역

9 〈보기〉와 같이 이야기해 보세요.

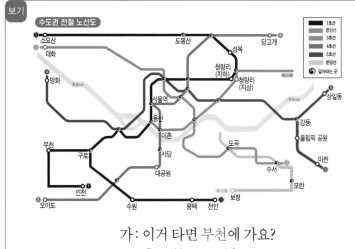

New Vocabulary

부천 *Bucheon*(city)

행 bound for

모란(시장) *Moran*(market)

수서 *Suseo*(area)

보정 *Bojeong*(area)

평택 *Pyungtaek*(city)

천안 *Cheonan*(city)

사당 *Sadang*(area)

오이도(역) *Oido*(station)

이촌(역) *Ichon*(station)

성북(역) *Seongbuk*(station)

도봉산 *Dobongsan*(mountain)

가 : 이거 타면 부천에 가요?
Does this go to 부천?

부천 / 수원, 인천　나 : 아니요, 이건 수원행이에요.

인천행 지하철을 타세요.
No, this is bound for 수원. Take the subway
bound for 인천.

❶ 모란시장 / 수서, 보정　　❷ 평택 / 수원, 천안

❸ 서울대공원 / 사당, 오이도　❹ 올림픽공원 / 상일동, 마천

❺ 이촌 / 청량리, 용산　　　　❻ 성북 / 청량리, 도봉산

10 〈보기〉와 같이 이야기해 보세요.

**수원행 지하철 /
출퇴근 시간이다,
6분**

가 : 아저씨, 수원행 지하철이 몇 분마다
와요?
How often does the subways bound for 수원 run?

나 : 지금은 출퇴근 시간이니까 6분마다
와요.
It is rush hour, now. They run every 6 minutes.

New Vocabulary

출퇴근 시간 rush hour

❶ 사당행 지하철 / 출퇴근 시간이다, 3분

❷ 수서행 지하철 / 출퇴근 시간이 아니다, 6분

❸ 273번 버스 / 출퇴근 시간이다, 5분

❹ 273번 버스 / 출퇴근 시간이 아니다, 10분

❺ 인천행 지하철 / 출퇴근 시간이다, 8분

❻ 인천행 지하철 / 출퇴근 시간이 아니다, 12분

11 〈보기 1〉이나 〈보기 2〉와 같이 이야기해 보세요.

New Vocabulary

도곡역 *Dogok* station

종로3가역 *Jongno 3-ga* station

보기1

압구정동 / 시간이 많이 걸리다, 지하철을 타다 /
3분, 도곡역, 3호선

가 : 실례지만 여기에 압구정동에 가는 버스가 있어요?
　　Excuse me, is there a bus that will take me to 압구정동 from here?

나 : 버스가 있기는 한데 시간이 많이 걸릴 거예요.
　　지하철을 타는 게 좋겠어요.
　　There is a bus, but it will take a long time.
　　So, I advise you to take the subway.

가 : 그러면 어디에서 지하철을 타야 돼요?
　　Then, where do I have to take the subway?

나 : 여기에서 3분쯤 걸어가면 도곡역이 있어요.
　　거기서 3호선을 타면 돼요.
　　There is 도곡 station three minutes away from here. Take the subway
　　line 3 there.

보기2

월드컵 경기장, 공덕역 / 많이 돌아가다, 두 번 갈아타다 /
영등포구청역, 2호선, 합정역, 6호선

가 : 실례지만 월드컵 경기장은 공덕역에서 갈아타면 돼요?
　　Excuse me, can I transfer at 공덕 station to get to World cup stadium?

나 : 공덕역에서 갈아타도 되기는 하는데 많이 돌아갈 거예
　　요. 두 번 갈아타는 게 좋겠어요.
　　You can transfer at 공덕, but you're taking the long route. It's better for
　　you to transfer two times.

가 : 그러면 어디에서 갈아타야 돼요?
　　Then, where do I have to take the subway?

나 : 여기에서 영등포구청역까지 가세요. 거기서 2호선을
　　탄 후 합정역에서 6호선으로 갈아타면 돼요.
　　Take the subway to 영등포구청 station, and transfer to the line 2
　　there, and transfer to the line 6 at 합정.

발음 Pronunciation

Tensification of word-initial
consonant in English loanwords

버스
골프

English words starting with
voiced consonants like /g, d, b,
tɕ/ are written as ㄱ, ㄷ, ㅂ, ㅈ in
Korean, and pronounced as
[ㄱ, ㄷ, ㅂ, ㅈ]. But some words
are pronounced as a fortis like
[ㄲ, ㄸ, ㅃ, ㅉ].

▶연습해 보세요.
(1) 이 게임을 알아요?
(2) 가 : 버스 타고 어디 가요?
　　나 : 은행에 가서 돈을 달러로
　　　　바꾸려고요.
(3) 가 : 취미가 뭐예요?
　　나 : 골프도 좋아하고, 재즈댄
　　　　스도 좋아해요.

❶ 광화문 / 지금은 좀 막히다, 지하철을 타다 /
5분, 청구역, 5호선

❷ 명동 / 오래 기다려야 되다, 지하철을 타다 /
10분, 이촌역, 4호선

❸ 서울역, 신길역 / 많이 돌아가다, 두 번 갈아타다 /
공덕역, 6호선, 삼각지역, 4호선

❹ 고속버스 터미널, 종로3가역 / 시간이 많이 걸리다,
두 번 갈아타다 / 청구역, 5호선, 약수역, 3호선

🎧 Listening_듣기

1 다음은 교통편을 묻는 대화입니다. 잘 듣고 남자가 어떻게 갈지 알맞은 그림을 고르세요.

Listen to the dialogue about transportation and choose the correct picture that shows what the man should take.

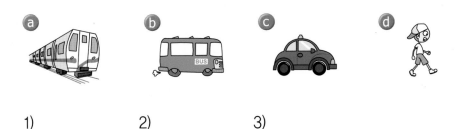

ⓐ   ⓑ   ⓒ   ⓓ

1) _____   2) _____   3) _____

2 다음 대화를 잘 듣고 아래의 내용이 맞으면 ○, 틀리면 ×에 표시하세요.

Listen to the dialogue and mark the following statements as ether ○ or ×.

1) 여자는 오늘 여섯 시에 약속이 있어요.   ○   ×

2) 여자는 버스를 타고 약속 장소에 가려고 했어요.   ○   ×

3) 남자는 강남역까지 빨리 갈 수 있는 방법을   ○   ×
   잘 알고 있어요.

> **New Vocabulary**
>
> 강남역 *Gangnam* station

3 여러분은 5호선 왕십리역에서 올림픽공원역에 가기 위해 지하철을 기다리고 있습니다. 다음 방송을 잘 듣고 여러분이 어떻게 해야 하는지 고르세요.

You are at 왕십리 station waiting for the train to go to Seoul Olympic Park.
Listen to the announcement carefully, and choose what you have to do.

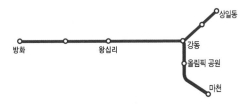

1) ☐ 타요   ☐ 안 타요

2) ☐ 타요   ☐ 안 타요

3) ☐ 내려요   ☐ 안 내려요

4) ☐ 내려요   ☐ 안 내려요

> **New Vocabulary**
>
> 한 걸음 물러서다
> to take a step backward
>
> 종착역 terminal station
>
> 두고 내리다
> to leave something
> (when one gets off)
>
> 살펴보다
> to take a close look at
>
> 이용하다 to use

Speaking_말하기

1 여러분이 가고 싶은 곳에 어떻게 가야하는지 친구에게 물어보세요.
  Ask your friend how you should go to the place you want to visit.

● 아래 장소에는 어떻게 가야 할까요? 친구와 함께 이야기해 보세요
  How can you go to the following places? Talk with your friend.

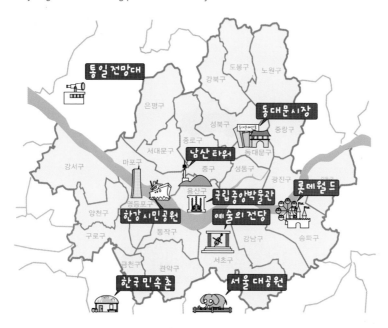

● 여러분은 어디에 가 보고 싶어요? 위의 지도에서 골라도 돼요. 그 곳에 가는 방법을 다른 친구
  들에게 물어보세요.
  Where do you want to go? You might choose from the map. Ask other friends about how you go there.

2 다음 상황에서 여러분이 자주 가는 곳은 어디입니까? 그곳에 어떻게 가요? 친구와
  함께 이야기해 보세요.

  Where do you often go in the following situations?
  How do you get there?

● 다음 상황일 때 여러분은 어디에 가는지 생각해 보세요.
  Think about where you go in the following situations.

  (1) 재미있게 놀고 싶을 때

  (2) 맛있는 음식을 먹고 싶을 때

  (3) 친구와 함께 조용히 이야기하고 싶을 때

● 그곳에 어떻게 가는지, 시간이 얼마나 걸리는지 생각해 보세요.
  Think about how you get there and how much time it will take for you to get there.

● 이제 친구와 함께 여러분이 자주 가는 곳이 어디인지, 왜 가는지, 어떻게 가는지 이야기해 보세요.
  Talk with your friend about where you often go, why you go there and how you get there.

📖 Reading_읽기

1 다음은 결혼식 초대장입니다. 잘 읽고 질문에 답하세요.
The following is a wedding invitation. Read it carefully and answer the questions.

● 결혼식 초대장에는 어떤 내용이 있을지 추측해 보세요.
   Make a guess as to what might be written on a wedding invitation.

● 빠른 속도로 읽으면서 예상한 내용이 있는지 확인해 보세요.
   Read it fast and see if your guess is right or wrong.

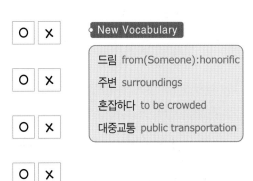

오시는 길
● 지하철 : 4호선 명동역 2번 출구 도보 5분
          3, 4호선 충무로역 2번 출구 도보 10분
● 버 스 : 우리극장 앞 141, 146, 362, 401
          한국백화점 앞 143, 361, 401, 640
＊ 예식장 주변이 혼잡하니 대중교통을 이용해 주시기 바랍니다.

일시 : 2010년 10월 10일 일요일 낮 12시
장소 : 행복예식장 3층(5413-1905)

● 다시 한 번 읽고 아래의 내용이 맞으면 O, 틀리면 X 에 표시 하세요.
   Read it once again, and mark the following statements as either O or X .

(1) 예식장에서는 버스 정류장보다
    지하철역이 더 가까워요.   O X

(2) 362번 버스를 타면 한국백화점
    앞에서 내려야 돼요.   O X

(3) 충무로역에서 내리면 명동역에서보다
    더 많이 걸어야 돼요.   O X

(4) 401번 버스를 타면 우리극장 앞에서
    내리는 게 좋아요.   O X

● New Vocabulary

드림 from(Someone):honorific
주변 surroundings
혼잡하다 to be crowded
대중교통 public transportation

✏️ **Writing_쓰기**

1 지하철이나 버스를 잘못 이용해서 고생한 경험을 써 보세요.
Write about your experience that you took the wrong subway or bus.

● 여러분은 지하철이나 버스를 잘못 탄 경험이 있어요? 어떤 잘못을 했어요? 어떻게 해야 했어요? 여러분의 경험을 간단하게 메모해 보세요. 다음에서 필요한 어휘가 있으면 사용해도 됩니다.
Have you ever taken the wrong subway or bus? What did you do wrong? What was the correct way? Take a memo of your experience. You may use the expressions in the box below.

잘못 타다 to take the wrong subway or bus
잘못 내리다 to get off at the wrong stop
막차 시간을 모르다 not to know when the last train is
버스를/지하철을 놓치다 miss the bus or subway
내릴 곳을 지나치다 miss my stop
종점까지 가다 take the subway or bus to the last stop

● 여러분이 쓴 내용을 친구들 앞에서 발표해 보세요. 가장 고생했을 것 같은 친구는 누구예요?
Make a speech with the memo that you wrote in front of your friends. Who is the person who seemed to have the biggest trouble?

자기 평가 ✏️   **Self-Check**

● 교통편을 이용하는 방법에 대해 묻고 답할 수 있습니까?
Are you able to ask and answer how to use transportation?

Excellent ●━━━●━━━●━━━● Poor

● 대중교통을 이용한 경험에 대해 묻고 답할 수 있습니까?
Are you able to ask and answer about the experience using public transportation?

Excellent ●━━━●━━━●━━━● Poor

● 교통편을 설명하는 글을 읽고 쓸 수 있습니까?
Are you able to write a passage explaining transportation?

Excellent ●━━━●━━━●━━━● Poor

1 -기는 하다

- -기는 하다 is attached to a verb, an adjective, and 'noun+이다', indicating that what was mentioned before is right, but there is another situation that you have to consider. Generally, either -기는 하다 or -기는 -다 is used.

인사동에 가는 버스가 있기는 해요. 그런데 지금은 좀 막힐 거예요.
There is a bus going to 인사동, but there may be a traffic jam now.

인사동에 가는 버스가 있기는 있어요. 그런데 지금은 좀 막힐 거예요.
There is a bus going to 인사동, but there may be a traffic jam now.

- For past tense, -기는 했다 or -기는 -았/었/였다 is used.

(1) 가: 저 버스가 명동에 가지요?
   나: 네, 명동에 가기는 해요. 그런데 많이 돌아갈 거예요.

(2) 가: 오늘 모임에 올 거지요?
   나: 네, 가기는 할 거예요. 그런데 약속이 있어서 늦게까지 있을 수는 없을 것 같아요.

(3) 가: 어제 책 안 샀어요?
   나: 사기는 샀어요. 그런데 잘못 사서 다시 바꿔야 돼요.

(4) 가: 내일부터 휴가지요?
   나: 휴가이기는 휴가예요. 그런데 일이 많아서 집에서 계속 일해야 돼요.

(5) 가: 혹시 빵이나 과자 있어요?
   나: 점심을 안 먹었어요?
   가: 아까 _____ 그런데 너무 배가 고파서요.

(6) 가: 한국 영화를 좋아하지요?
   나: 네, _____.

2 -는 게 좋겠다

- -는 게 좋겠다 is attached to a verb stem, indicating that 'doing the action is better'. It indicates a speaker's hope or will, but if it refers to another person's behavior, it indicates a speaker's advice or suggestion for the listener.

너무 늦었으니까 저는 이제 가는 게 좋겠어요.   It is too late, I'd better go now.

수미 씨, 2호선은 너무 돌아가니까 3호선을 타는 게 좋겠어요.
수미, the line 2 is taking the long route, so I advise you to take the line 3.

(1) 가: 여기에 명동에 가는 버스는 없어요?
   나: 버스도 있기는 하지만 많이 막히니까 지하철을 타고 가는 게 좋겠어요.

(2) 가: 벌써 3시네요. 시간이 없으니까 택시를 타는 게 좋겠어요.
   나: 네, 그래요.

(3) 가 : 배가 아프고, 소화가 잘 안 돼요.

　　나 : 그러면 오늘은 밥보다는 죽을 먹는 게 좋겠어요.

(4) 가 : 이번 여름에 어디에 놀러 갈까요?

　　나 : 사람들이 바다에 가고 싶어하니까 바다에 가는 게 좋겠어요.

(5) 가 : 지하철을 탈까요, 버스를 탈까요?

　　나 : 지금은 출퇴근 시간이니까 ＿＿＿＿＿＿＿＿＿＿＿＿＿＿＿＿.

(6) 가 : 다리가 너무 아파서 이제 더 이상은 못 걸을 것 같아요.

　　나 : ＿＿＿＿＿＿＿＿＿＿＿＿＿＿＿＿＿＿＿＿.

3 –는/(은)ㄴ데

- –는/(으)ㄴ데 is attached to a verb, an adjective, and 'noun +이다', indicating opposition. –는/(으)ㄴ데 is followed by a result, a situation or a fact which is opposed to what was mentioned before.

  20분을 기다렸는데 아직 버스가 안 와요. I've waited for the bus for 20 minutes, but it didn't arrive yet.

- This takes three forms.

  a. For the verb stem and the adjective stem ending with 있다 / 없다, -는데 is used.

  b. If the stem ends in a vowel or ㄹ, -ㄴ데 is used.

  c. If the stem ends in a consonant other than ㄹ, -은데 is used.

(1) 가 : 아저씨, 이 버스가 남대문 시장에 가요?

　　나 : 가는데 많이 돌아가요.

(2) 가 : 왜 이렇게 늦었어요?

　　나 : 택시를 탔는데 길이 너무 막혔어요. 미안해요.

(3) 가 : 어제 수미 씨한테 이야기했어요?

　　나 : 여러 번 전화했는데 계속 안 받아서 이야기 못 했어요.

(4) 가 : 저 식당 어때요?

　　나 : 맛은 있는데 가격이 너무 비싸요.

(5) 가 : 어제 왜 안 왔어요?

　　나 : ＿＿＿＿＿＿＿＿＿＿＿＿＿＿＿＿.

(6) 가 : 한국 생활은 어때요?

　　나 : ＿＿＿＿＿＿＿＿＿＿＿＿＿＿＿＿.

4 –마다

● -마다 is attached to a noun indicating the time, and it means that the action mentioned after -마다 happens repeatedly at a certain period of time.

주말마다 영화를 봐요. I go to a movie every weekend.

(1) 가 : 버스가 자주 와요?

　　나 : 네, 5분마다 와요.

(2) 가 : 매일 운동하세요?

　　나 : 네, 아침마다 운동해요.

(3) 가 : 여행을 좋아해요?

　　나 : 네, 아주 좋아해요. 그래서 방학 때마다 여행을 가요.

(4) 가 : 주말에는 보통 뭐 해요?

　　나 : 저는 등산을 좋아해서 토요일마다 산에 가요.

(5) 가 : 열차가 몇 분마다 와요?

　　나 : ＿＿＿＿＿＿＿＿＿＿＿＿＿＿＿＿＿＿＿＿＿.

(6) 가 : 언제 신문을 읽어요?

　　나 : ＿＿＿＿＿＿＿＿＿＿＿＿＿＿＿＿＿＿＿＿＿.

제9과 기분 · 감정
Feelings · Emotions

Goals

You will be able to ask and answer questions about feelings and emotions and respond to others' feelings and emotions.

Topic	Feelings and emotions
Function	Talking about feelings and emotions, Giving congratulations or encouragement to others' feelings and emotions
Activity	Listening : Listen to a conversation about feelings and emotions
	Speaking : Talk about feelings and emotions
	Reading : Read about feelings and emotions
	Writing : Write about your feelings and emotions
Vocabulary	Feelings and emotions, Expressing one's emotions
Grammar	ㅡ irregular conjugation, -(으)면서, -겠-, -지 않다, -(으)ㄹ까 봐
Pronunciation	Two kinds of intonation of wh-question
Culture	Koreans and Italians

제9과 기분 · 감정 Feelings · Emotions

1. 여기는 어디입니까? 두 사람은 지금 무엇을 하고 있을까요?

   Where is this place? What might the two people be doing now?

2. 친한 친구와 헤어져 본 적이 있어요? 그 때의 기분이 어땠어요? 헤어질 때 친구와 무슨
   이야기를 했어요?

   Have you said goodbye to a close friend of yours? What did it feel like? What did you say to your
   friend at that time?

1

수미 : 린다 씨, 오늘 무슨 좋은 일 있어요? 아까부터 계속 웃고 있네요.

린다 : 제가 그랬어요? 사실은 저 오늘 학교에서 장학금을 받았어요.

수미 : 어머! 정말 좋겠어요. 축하해요. 한 턱 낼 거죠?

린다 : 당연하죠. 이게 다 수미 씨가 도와준 덕분인데요.

수미 : 아니에요. 린다 씨가 열심히 했으니까 받았죠.

린다 : 장학금을 받으니까 진짜 기분이 좋아요.

수미 : 장학금도 받았으니까 이젠 공부 안 해도 되겠네요.

린다 : 네?

수미 : 농담이에요, 농담.

● New Vocabulary

장학금을 받다
to win a scholarship

축하하다 to congratulate

한 턱 내다 to treat

당연하다 to be sure

농담 joke

2

아시프 : 영진아, 그동안 고마웠어.

　　　　영진이 네 덕분에 한국 생활을 즐겁게 할 수 있었어.

영　진 : 아니야. 너 같은 좋은 친구를 만나서 내가 더 즐거웠어.

아시프 : 한국에 오래 있고 싶었는데 이렇게 빨리 돌아가야 돼서 너무
　　　　섭섭해.

영　진 : 한국에는 또 올 수 있을 거야.

아시프 : 영진이 너도 올 수 있으면 우리 고향에 꼭 놀러 와.

영　진 : 그럴게. 그리고 이건 그동안 찍은 사진을 담은 시디야.

아시프 : 정말 고마워.

영　진 : 그래. 그런데 늦겠다.

아시프 : 그러네. 그럼 나 이제 들어갈게. 잘 있어.

영　진 : 도착하면 연락해. 안녕.

● New Vocabulary

섭섭하다 to feel sorry

슬퍼하다 to be sad

담다 to include

시디 CD

바로 as soon as possible

3

　오늘은 한국어능력시험 결과가 나오는 날이었습니다. 어젯밤에는 너무 긴장이 되어서 잠도 오지 않았습니다. 시험에 떨어질까 봐 걱정을 많이 했는데, 결과는 합격이었습니다. 나는 너무 기뻐서 소리를 질렀습니다. 그리고 선생님과 친구들에게 전화를 했습니다.

　이번에 시험에서 합격한 것은 다 선생님과 친구들 덕분입니다. 처음에 제가 한국어를 잘 못해서 무척 힘들어하고 있을 때 저를 격려해 주고 도와주었기 때문입니다.

> **New Vocabulary**
>
> 결과가 나오다
> (the result) to be announced/published
>
> 긴장이 되다 to be nervous
>
> 시험에 떨어지다
> to fail in an examination
>
> 합격하다
> to pass an examination
>
> 소리를 지르다 to yell
>
> 힘들어하다
> to have difficulty in
>
> 격려하다 to encourage

 **한국인과 이탈리아인** Koreans and Italians

● 여러분은 한국과 이탈리아의 공통점이 무엇이라고 생각해요? 한국과 이탈리아 하면 떠오르는 것을 이야기해 보세요.
　What do you think the common feature that Korea and Italia share? Talk about things that come into your mind when you think about Korea and Italia.

  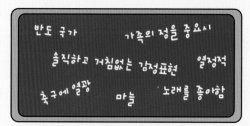

 Both Korea and Italia are peninsular countries, value families highly and enjoy eating garlics. Because of such similarities, Koreans and Italians share many things in common. First of all, Koreans and Italians love singing. They are crazy about soccer, so it is hard to see people on the street when there is a soccer match. In addition, both peoples are very candid expressing emotions.

● 여러분 나라 사람들은 감정 표현을 잘하는 편입니까? 왜 그런 성향을 갖게 되었다고 생각해요?
　In your country, do the people express emotions frankly? What do you think made them have such a characteristic?

1 이 사람은 지금 어떨까요? 그림을 보고 이야기해 보세요.

Look at the picture and talk about what made the person have the following facial expression.

보기				
기쁘다	슬프다	바쁘다	배가 고프다	아프다

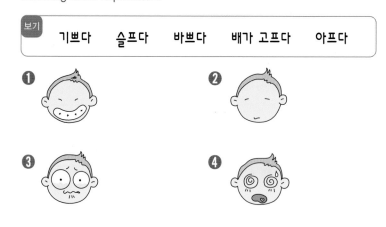

> ● 기분과 감정1
> Feelings and emotions1
>
> 기분이 좋다 to feel good
>
> 기분이 나쁘다
> to feel unpleasant
>
> 행복하다 to be happy
>
> 즐겁다 to be pleasant / happy
>
> 기쁘다 to be glad / delightful
>
> 슬프다 to be sad
>
> 외롭다 to be lonely
>
> 섭섭하다 to feel sorry
>
> 부끄럽다 to be shy
>
> 창피하다 to be shameful
>
> 무섭다 to be afraid
>
> 화가 나다 to be angry
>
> 짜증이 나다 to be frustrated
>
> 속상하다 to feel depressed

2 〈보기〉와 같이 연습하고, 친구와 함께 오늘 기분에 대해 묻고 대답해 보세요.

Ask and answer how you feel today with your classmate as in example.

> ● New Vocabulary
>
> 다치다 to be hurt / injured
>
> 거짓말을 하다 to tell a lie

보기	
좋다 / 드디어 시험이 끝나다, 기분이 좋다	가 : 무슨 좋은 일 있어요? Do you have any good news? 나 : 드디어 시험이 끝났어요. 그래서 기분이 좋아요. Examination is finally over. So I am happy.

❶ 좋다 / 장학금을 받다, 너무 기쁘다

❷ 좋다 / 고향 친구를 만나다, 아주 즐겁다

❸ 좋다 / 어머니가 한국에 오시다, 행복하다

❹ 안 좋다 / 친구가 좀 다치다, 많이 슬프다

❺ 안 좋다 / 한국어능력시험에 떨어지다, 속상하다

❻ 안 좋다 / 친구가 심한 거짓말을 하다, 화가 나다

3 〈보기〉와 같이 연습하고, 여러분은 언제 이런 기분인지 친구와 함께 묻고 대답해 보세요.

Ask and answer with your classmate about when you have the following feelings as in example.

> **보기**
>
> 긴장되다 /
> 시험을 보다,
> 사람들 앞에서 이야기하다
>
> 가 : 언제 긴장돼요?
> When do you feel nervous?
>
> 나 : 시험을 볼 때나 사람들 앞에서 이야기할 때 긴장돼요.
> When I take an examination or talk in front of people, I feel nervous.

❶ 고민되다 / 성적이 나쁘다, 중요한 결정을 하다

❷ 짜증나다 / 친구를 오래 기다리다, 일이 잘 안 되다

❸ 속상하다 / 시험을 못 보다, 하고 싶은 일을 못 하다

❹ 무섭다 / 밤에 혼자 있다, 이상한 사람이 옆을 지나가다

❺ 창피하다 / 사람들이 나를 보다, 사람들 앞에서 실수하다

❻ 섭섭하다 / 좋아하는 사람과 헤어지다, 사람들이 나를 오해하다

기분과 감정2
Feelings and emotions 2

긴장되다 to be nervous
떨리다 to be nervous
걱정되다 to be worried
고민되다 to be troubled

New Vocabulary

성적
the result of an examination
중요하다 to be important
결정을 하다
to make a decision
일이 잘 되다 to be successful
이상하다 to be strange
지나가다 to pass/go by
실수하다 to make a mistake
헤어지다 to say goodbye to
오해하다 to misunderstand

---

4 〈보기〉와 같이 연습하고, 여러분은 이럴 때 어떻게 하는지 친구와 함께 묻고 대답해 보세요.

Ask and answer with your classmate about what you do when you have the following feelings as in example.

> **보기**
>
> 기분이 좋다 /
> 노래를 부르다,
> 춤을 추다
>
> 가 : 기분이 좋을 때 어떻게 해요?
> What do you do when you feel good?
>
> 나 : 저는 노래를 부르면서 춤을 춰요.
> I sing and dance.

❶ 즐겁다 / 음악을 듣다, 춤을 추다

❷ 기쁘다 / 박수를 치다, 소리를 지르다

❸ 속상하다 / 음악을 듣다, 청소를 하다

❹ 외롭다 / 울다, 어머니한테 전화를 하다

❺ 기분이 나쁘다 / 과자를 먹다, 수다를 떨다

❻ 화가 나다 / 화가 난 이유를 생각하다, 일기를 쓰다

감정 표출
Expressing one's emotions

웃다 to laugh
울다 to cry
한숨을 쉬다 to sigh
짜증을 내다
to be annoyed /frustrated
화를 내다 to get angry
소리를 지르다 to yell
박수를 치다
to clap hands /applaud
참다
to repress (one's anger, laughter, tears, etc)
노래를 부르다 to sing a song
춤을 추다 to dance
수다를 떨다 to have a chat
잠을 자다 to sleep
음식을 먹다 to eat

5 〈보기〉와 같이 이야기해 보세요.

좋다, 웃고 있다 /
학교에서 장학금을 받다 /
좋다

가: 무슨 좋은 일 있어요?
아까부터 계속 웃고 있네요.
Do you have any good news? You
have been smiling all the while.

나: 오늘 학교에서 장학금을 받았
어요.
I won a scholarship today.

가: 정말 좋겠어요.
Good for you.

New Vocabulary

용돈을 받다
to receive allowance

잃어버리다 to lose

지갑 wallet/purse

고백을 받다
to receive a confession
(of love)

혼나다 to be scolded

고장 내다 to break up

친하다 to be close

❶ 즐겁다, 웃기만 하다 / 용돈을 많이 받다 / 기분이 좋다

❷ 기쁘다, 웃기만 하다 / 잃어버린 지갑을 다시 찾다 / 기쁘다

❸ 좋다, 웃기만 하다 / 좋아하는 사람한테 고백을 받다 / 행복하다

❹ 나쁘다, 한숨만 쉬다 / 부모님한테 많이 혼나다 / 속상하다

❺ 안 좋다, 한숨만 쉬다 / 친구가 컴퓨터를 고장 내다 / 화가 났다

❻ 슬프다, 울기만 하다 / 친한 친구가 고향에 돌아가다 / 섭섭하다

6 〈보기〉와 같이 이야기해 보세요.

가족이 옆에 없다,
외롭다 /
요즘 정신없이 바쁘다

가: 가족이 옆에 없어서 많이 외롭
겠어요.
You must be lonely since you live
separated from your family.

나: 요즘 정신없이 바쁘니까 별로
외롭지 않아요.
I am too busy to be lonely.

New Vocabulary

잘못을 하다
to do something wrong

발표 presentation

❶ 시험에 떨어지다, 속상하다 / 다음에도 기회가 있다

❷ 가방을 잃어버리다, 속상하다 / 중요한 물건은 없었다

❸ 혼자서 일을 다 해야 되다, 화나다 / 좋아하는 일이다

❹ 부모님한테 많이 혼나다, 속상하다 / 제가 잘못을 했다

❺ 제일 먼저 발표를 해야 되다, 떨리다 / 열심히 준비했다

❻ 아까 사람들이 계속 웃다, 부끄러웠다 / 제가 실수했다

7 〈보기〉와 같이 연습하고, 친구와 함께 요즘 여러분의 걱정과 고민에 대해 함께 이야기해 보세요.
Talk with your classmate about your worries as in examlpe.

보기

안색, 걱정 /
이번 시험에 떨어지다

가: 안색이 안 좋아요.

무슨 걱정 있어요?
You don't look so good. What's wrong?

나: 이번 시험에 떨어질까 봐

걱정돼요.
I am worried that I might fail in the examination.

● New Vocabulary

안색이 좋다 to look good
실력이 늘다 to improve

❶ 얼굴, 고민 / 졸업을 못 하다

❷ 얼굴, 고민 / 3급에 못 올라가다

❸ 안색, 걱정 / 발표에서 실수하다

❹ 안색, 걱정 / 한국어 실력이 늘지 않다

8 〈보기〉와 같이 이야기해 보세요.

보기

시험에 떨어지다,
걱정되다 /
열심히 했다,
시험에 붙다,
걱정하다

가: 무슨 걱정 있어요? 얼굴이 안 좋아요.
What's wrong? You don't look good.

나: 시험에 떨어질까 봐 너무 걱정돼요.
I am worried that I might fail in the examination.

가: 열심히 했으니까 시험에 붙을 거예요.

걱정하지 마세요.
You studied hard, so you will pass the examination. Don't worry.

● New Vocabulary

풀다 to solve

❶ 대학교에 못 들어가다, 걱정되다 /

준비를 잘하고 있다, 꼭 합격하다, 걱정하다

❷ 내일 시험에 모르는 것만 나오다, 걱정되다 /

열심히 공부했다, 다 잘 풀다, 걱정하다

❸ 내일 면접에서 실수하다, 긴장되다 /

준비를 많이 했다, 잘 할 수 있다, 긴장하다

❹ 아르바이트를 못 구하다, 걱정이다 /

열심히 찾고 있다, 구할 수 있다, 걱정하다

9 〈보기〉와 같이 이야기해 보세요.

> 보기
>
> 가 : 무슨 좋은 일 있어요?
> Do you have any good news?
>
> 나 : 저 오늘 장학금을 받았어요.
> I won a scholarship today.
>
> 가 : 정말 좋겠어요. 축하해요.
> Good for you. Congratulations.
>
> 오늘 장학금을 받다 /
> 좋다
>
> 나 : 고마워요. 모두 영진 씨 덕분이에요.
> Thank you. I owe it all to you.
>
> 가 : 아니에요. 별로 도와준 것도 없는데
> 요.
> No, not at all.

❶ 발표에서 좋은 점수를 받다 / 기쁘다

❷ 대학원에 합격하다 / 기쁘다

❸ 한국 회사에 취직하다 / 좋다

❹ 오늘 승진을 하다 / 기분이 좋다

10 〈보기〉와 같이 이야기해 보세요.

> 보기
>
> 할머니가 좀 편찮으시다 / 걱정되다 /
> 할머니 건강이 더 나빠지시다 / 곧 건강해지시다
>
> 가 : 요즘 얼굴이 안 좋아요. 무슨 걱정 있어요?
> You don't look so good. What's wrong?
>
> 나 : 할머니가 좀 편찮으세요.
> My grandmother is sick these days.
>
> 가 : 그래요? 정말 걱정되겠어요.
> Really? You must be worried.
>
> 나 : 할머니 건강이 더 나빠지실까 봐 걱정이에요.
> I am worried that her condition might become worse.
>
> 가 : 너무 걱정하지 마세요. 곧 건강해지실 거예요.
> Don't worry. She will be all right soon.
>
> 나 : 고마워요, 수미 씨.
> Thank you, 수미.

❶ 대학교 입학시험을 잘 못 봤다 / 속상하다 /

학교에 떨어지다 / 열심히 했으니까 합격할 수 있다

❷ 요즘 여자 친구하고 연락이 안 되다 /

고민되다 / 여자 친구와 헤어지다 / 곧 연락이 되다

New Vocabulary

점수 score/point

승진을 하다 to get promotion

발음 Pronunciation

Two kinds of intonation of wh-question

> (무슨) (걱정 있어요?)
> (무슨 걱정 있어요?)

If an interrogative sentence is a wh-question containing an interrogative, pronounce an interrogative and the subsequent word at once, and end the sentence with the fall-rise tone. But if an interrogative sentence is a yes-no question containing an interrogative, stop between an interrogative and the rest of the sentence, and pronounce the second last syllable with the falling tone and pronounce the final syllable with the dramatic rising tone.

▶연습해 보세요.

(1) 가 : 어디 가요?
　　나 : 네. 갈 데가 있어요.
　　가 : 어디 가요?
　　나 : 가게에 가요.

(2) 가 : 무슨 좋은 일 있어요?
　　나 : 네, 기분 좋은 일이 있어
　　　　요.
　　가 : 무슨 좋은 일이에요?
　　나 : 오늘 데이트가 있어요.

🎧 Listening_듣기

1 다음 대화를 잘 듣고 남자의 기분으로 알맞은 것을 고르세요.
Listen to the dialogue and choose what he would feel.

ⓐ 슬프다   ⓑ 외롭다   ⓒ 섭섭하다

ⓓ 창피하다   ⓔ 행복하다   ⓕ 짜증이 나다

1) _____   2) _____   3) _____   4) _____

> **New Vocabulary**
>
> 넘어지다 to tumble down
> 도망가다 to run away
> 깜빡하다 to forget

2 다음 대화를 잘 듣고 아래의 내용이 맞으면 ○, 틀리면 ×에 표시하세요.
Listen to the dialogue and mark the following statements as either O or X.

1) 여자는 한국어능력시험을 보려고 해요.   O   X

2) 남자는 한국어능력시험 1급에 떨어졌어요.   O   X

3) 여자는 남자의 이야기를 듣고 기분이 좋아졌어요.   O   X

> **New Vocabulary**
>
> 문제를 풀다
> to solve a problem
> 틀리다
> to get the wrong answer
> 실력 ability
> 실망하다 to be disappointed

3 다음을 잘 듣고 질문에 대답하세요.
Listen to the passage and answer the following questions.

1) 남자의 기분은 어떻습니까?

2) 남자는 지금 누구에게, 무슨 이야기를 하고 있습니까?

> **New Vocabulary**
>
> 추억 memory
> 잊다 to forget

🎤 Speaking_말하기

1 여러분은 언제 가장 기쁘고 슬펐습니까? 친구와 함께 이야기해 보세요.
When was your happiest or saddest moment? Talk about it with your friend.

● 언제, 무슨 일 때문에 다음과 같은 기분이었습니까? 그때 여러분은 어떻게 했습니까? 여러분의 경험을 정리해 보세요.
What made you feel the following emotion? What did you do? Think about how you handled such emotions.

(1) 가장 기뻤을 때

(2) 가장 슬펐을 때

(3) 가장 속상했을 때

● 친구에게 기분과 감정에 대해 질문하려고 합니다. 어떻게 질문하면 좋을지 생각해 보세요.
Think about how you are going to ask your friend how he or she feels.

● 친구와 함께 이야기해 보세요.
Talk with your friend.

2 다음 상황이라면 어떤 기분일까요? 어떻게 표현해야 할까요? 친구에게 축하나 격려를 하려면 무슨 말을 해야 할까요? A와 B가 되어 이야기해 보세요.
How would you feel in the following situation? Talk about it, playing a part A or B.

1)	A	학교에서 장학금을 받아서 기뻐요.
	B	친구의 이야기를 듣고 축하해 주세요.
2)	A	대학교에 합격해서 행복해요.
	B	친구의 이야기를 듣고 축하해 주세요.
3)	A	다음 주에 있을 한국어능력시험에 떨어질까 봐 걱정돼요.
	B	친구의 이야기를 듣고 격려해 주세요.
4)	A	다음 주의 회사 면접에서 실수할까 봐 걱정돼요.
	B	친구의 이야기를 듣고 격려해 주세요.

📖 Reading_읽기

1 다음을 읽고 질문에 답하세요.
Read the following passage and answer the questions.

● 다음은 이메일입니다. 제목을 보고 어떤 내용의 이메일일지 추측해 보세요.
The following is an email. Make a guess what this email is about from a title.

● 빠른 속도로 읽으면서 여러분의 추측이 맞는지 확인해 보세요.
Read it quickly and see if your guess is right or not.

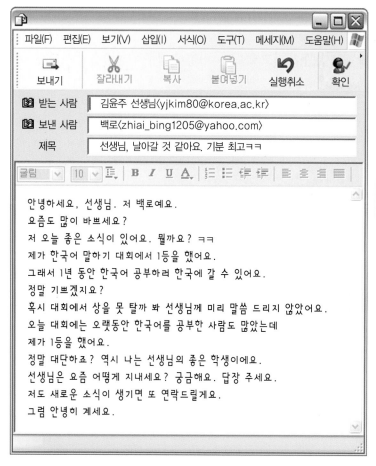

New Vocabulary

소식 news
대회 contest
1등을 하다 to be at the top
상을 타다 to receive an award
대단하다 to be great
역시 after all/really
궁금하다 to wonder
생기다 to happen

● 다시 한 번 읽고 아래의 내용이 맞으면 O, 틀리면 × 에 표시하세요.
Read it once again. Mark the following statements as either O or ×.

(1) 백로 씨는 선생님이 도와줘서 1등을 할 수 있었어요.   O   ×

(2) 백로 씨는 새로운 소식이 생겨서 선생님께 편지를 보냈어요.   O   ×

(3) 한국어 말하기 대회에서 1등을 하면 한국에서 공부할 수 있어요.   O   ×

✏️ Writing_쓰기

1 여러분의 기분과 감정 그리고 감정 표현 방법에 대한 글을 써 보세요.

Write a passage about your emotions and feelings and how to express your feelings.

● 여러분은 언제 다음의 감정을 느낍니까? 그러면 여러분은 어떻게 합니까? 아래 표에 표시하면서 정리해 보세요.

When do you have the following feelings? What do you do at those times? Check it in the table.

언제, 무슨 일이 있을 때 그래요?		표현해요, 표현하지 않아요?	
🌸 기쁘고 행복해요.		😄	😐
☁️ 슬프고 힘들어요.		😢	😐
⚡ 무섭고 걱정돼요.		😧	😐
💢 화나고 속상해요.		😠	😐

● 😐 이 두 개 이상이면 여러분은 감정을 잘 표현하지 않는 편이에요. 😐 이 몇 개였어요?

If you have more than two 😐 s, that means that you are not expressing your feelings enough. How many 😐 s do you have?

● 여러분은 자신이 감정을 표현하는 방법이 마음에 들어요, 마음에 들지 않아요? 왜요? 여러분의 감정 표현 방식에 대해 정리해 보세요.

Do you like or dislike the way how you express your feelings? Why? Write about the way how you express your feelings.

● 정리한 내용을 바탕으로 언제 이런 감정을 느끼는지, 그럴 때 어떻게 감정을 표현하는지, 자신의 감정 표현 방법에 대해 어떻게 생각하는지 써 보세요.

Based on it, write about when you have a certain feeling, and how you express your feelings and what you think of your ways of expressing your emotions.

자기 평가 ✏️   **Self-Check**

● 기분이나 감정을 묻고 답할 수 있습니까? Are you able to ask and answer feelings and emotions?	Excellent ●——●——● Poor
● 다른 사람의 기분과 감정에 축하나 격려를 할 수 있습니까? Are you able to give congratulations or encouragement to others' feelings and emotions?	Excellent ●——●——● Poor
● 기분이나 감정에 대한 글을 읽고 쓸 수 있습니까? Are you able to write about feelings and emotions?	Excellent ●——●——● Poor

1 — irregular conjugation

- When the verb or adjective stem ends with a vowel ㅡ, ㅡ is not omitted if it is followed by a consonant, but if by -아/어- or -았/었- , ㅡ is omitted. If a vowel in front of ㅡ is ㅏ or ㅗ, -아-, or -았- is attached to the stem, in other cases, -어-, or -었- is used. These verbs and adjectives are called 'irregular ㅡ verbs and adjectives'.

> 나쁘다 ➡ 나빠요, 나빠서, 나빴어요 / 나쁘고, 나쁘면, 나쁘지요?
>   (irregular conjugation)   / (regular conjugation)
>
> 기쁘다 ➡ 기뻐요, 기뻐서, 기뻤어요 / 기쁘고, 기쁘면, 기쁘지요?
>   (irregular conjugation)   / (regular conjugation)

- The following are the most common irregular 'ㅡ' verbs and adjectives.

> 나쁘다, 기쁘다, 슬프다, 아프다, 바쁘다, 예쁘다, 배가 고프다, 크다, 쓰다

(1) 가: 무슨 좋은 일 있어요?
    나: 고향에서 친구가 놀러 와서 너무 기뻐요.

(2) 가: 왜 울어요? 무슨 일 있어요?
    나: 저 영화가 너무 슬퍼서 그래요.

(3) 가: 어제 왜 전화 안 했어요?
    나: 미안해요. 어제 너무 바빴어요.

(4) 가: 합격 축하해요. 기분이 어때요?
    나: 대학교에 합격한 것은 너무 기쁘지만 조금 걱정도 돼요.

(5) 가: 어제 왜 학교에 안 왔어요?
    나: 배가 _____.

(6) 가: 무슨 안 좋은 일 있어요?
    나: _____.

2 -(으)면서

- -(으)면서 is attached to a verb stem, indicating that more than two actions or states are happening at the same time.

> 나는 음악을 들으면서 공부를 해요. I listen to music while studying. I study while I listen to music.

● This takes two forms.

   a. If the stem ends in a vowel or the ㄹ, -면서 is used.

   b. If the stem ends in a consonant other than ㄹ, -으면서 is used.

(1) 가: 기분이 좋을 때 어떻게 해요?

    나: 노래를 하면서 춤을 춰요.

(2) 가: 철수 씨는 언제 신문을 읽어요?

    나: 아침을 먹으면서 신문을 읽어요.

(3) 가: 어떻게 한국어를 공부했어요?

    나: 저는 좋아하는 한국 영화를 보면서 공부했어요.

(4) 가: 커피숍에 가서 이야기를 할까요?

    나: 날씨가 좋으니까 걸어가면서 이야기를 해요.

(5) 가: 기분이 나쁠 때 어떻게 해요?

    나: _____.

(6) 가: 사전을 보면서 공부해요?

    나: _____.

3 -겠-

● -겠- is attached to a verb, an adjective, or 'noun+이다', indicating a guess or presumption about the future situation or state based on the information that the speaker has now.

와, 맛있겠어요. (See the food being served just now) Wow, it looks delicious.

가: 저, 다음 달에 결혼해요. I am going to get married next month.

나: 정말 좋겠어요. 축하해요. Good for you. Congratulations.

(1) 가: 저 어제 명동에서 영화배우 배용준 씨를 봤어요.

    나: 정말이요? 너무 좋았겠어요.

(2) 가: 비가 계속 오네요.

    나: 내일은 더 춥겠어요.

(3) 가: 오늘 수미 씨하고 '여름 이야기' 보러 갈 거예요. 같이 갈래요?

    나: 재미있겠어요. 그런데 저는 약속이 있어서 못 가요.

(4) 가: 시험에 아는 문제가 거의 없었어요. 열심히 공부했는데…….

    나: 정말 속상했겠어요.

(5) 가: 어제 친구를 한 시간 동안 기다렸어요.

    나: _____.

(6) 가: 이번 휴가 때 뭐 할 거예요?

    나: 친구하고 같이 제주도로 여행 갈 거예요.

    가: _____.

4 -지 않다

- -지 않다 is attached to a verb or adjective stem, changing the predicate sentence or interrogative sentence into negative sentence as negative word 안 does. -지 않다 and 안 are used to make a negative statement or show that you do not want to do a certain thing.

가 : 부모님한테 용돈 받아요? Do you receive allowance from your parents?

나 : 아니요, 받지 않아요. 저는 제가 아르바이트를 하는 게 더 좋아요.
　　　　　　　No. I do not. I prefer working part-time.

- -지 않다 can be attached to all the verbs or adjectives while 안 cannot be used in front of a compound word or a derivative word like 'noun+하다'.

> 공부해요.　　　　　　　배고파요.
> 공부하지 않아요.　　　　배고프지 않아요.
> 공부 안 해요.　　　　　　배 안 고파요.
> 안 공부해요.(×)　　　　안 배고파요.(×)

(1) 가 : '여름 이야기' 많이 슬퍼요?

　　나 : 아니요, 별로 슬프지 않아요. 그냥 재미있어요.

(2) 가 : 다리 아프지 않아요?

　　나 : 네, 정말 아파요. 산꼭대기까지 올라갈 수 없을 것 같아요.

(3) 가 : 수미 씨, 어제 전화했어요?

　　나 : 아니요, 저는 전화하지 않았는데요.

(4) 가 : 콘서트에 사람이 별로 없어서 많이 속상했겠어요.

　　나 : 별로 속상하지 않았어요. 어제 시작했으니까 점점 사람이 많아지겠죠.

(5) 가 : 이번 방학에 고향에 갈 거예요?

　　나 : 아니요, _____.

(6) 가 : 교실이 너무 덥지 않아요?

　　나 : _____.

> New Vocabulary
>
> 점점 gradually

5 -(으)ㄹ까 봐

- -(으)ㄹ까 봐 is attached to a verb, an adjective, or 'noun+이다', indicating that the speaker is worried that a certain thing might happen. Because of the meaning, it is often used as -(으)ㄹ까 봐 걱정되다/고민되다 or -(으)ㄹ까 봐 (걱정돼서) ~ 하다.

한국어 시험에 떨어질까 봐 걱정돼요. I am worried that I might fail in the Korean examination.

발표에서 실수할까 봐 잠도 못 잤어요.
I was worried that I might make a mistake at the presentation, so I could not get a sleep.

● This takes two forms.

    a. If the stem ends in a vowel or ㄹ, -ㄹ까 봐 is used.

    b. If the stem ends in a consonant other than ㄹ, -을까 봐 is used.

(1) 가: 무슨 안 좋은 일 있어요?

    나: 어머니께서 내가 거짓말한 것을 아실까 봐
        너무 걱정돼요.

(2) 가: 선물이 마음에 들지 않을까 봐 걱정했어요.

    나: 아주 마음에 들어요. 정말 고마워요.

(3) 가: 일찍 왔네요.

    나: 늦을까 봐 택시를 타고 온 거예요.

(4) 가: 빨리 들어오세요. 이제 곧 시작해요.

    나: 다행이에요. 저는 벌써 시작했을까 봐 걱정했어요.

(5) 가: 무슨 고민 있어요?

    나: _____ 고민이에요.

(6) 가: 왜 자꾸 시계를 봐요?

    나: _____.

New Vocabulary

다행이다
to be good/to be fortunate

자꾸 repeatedly

제10과 여행
Travel

Goals

You will be able to have a conversation about the place where you have traveled and you will be able to talk about your experience.

Topic	Travel
Function	Asking travel information, Explaining your travel experience
Activity	Listening : Listen to a conversation asking travel information, Listen to a conversation about experience
	Speaking : Get travel information, Explain how the trip was
	Reading : Understand the travel guide
	Writing : Write about travel experience
Vocabulary	Destination, Descriptions of travel, Words explaining the state
Grammar	−거나, −(으)ㄴ 적이 있다/없다, −아/어/여 있다, −밖에 안/못/없다
Pronunciation	ㅃ and ㅍ
Culture	Places to travel in Korea

제10과 **여행** Travel

1. 이 사람들은 사진을 보면서 무슨 이야기를 하고 있을까요?
   What might these people be talking about looking at the picture?

2. 여러분은 최근에 어디에 다녀왔어요? 그 곳의 풍경과 느낌을 어떻게 표현하겠어요?
   Where have you been recently? How would you describe the scenary and how you felt there?

1

치엔: 다음 달에 여행을 가고 싶은데, 어디에 가면 좋을까요?

수미: 어떤 곳에 가고 싶어요?

치엔: 자연이 아름다운 곳에 가서 좀 쉬고 싶어요.

수미: 그럼 제주도에 가거나 설악산에 가는 것이 어때요?

치엔: 설악산은 전에 가 본 적이 있어요.

　　 제주도는 꼭 가 보고 싶었는데 아직 못 가 봤어요.

수미: 그럼 제주도에 가세요.

치엔: 돈이 얼마나 들까요?

수미: 할인 항공권을 이용하고 싼 호텔에 묵으면 많이 들지 않을 거예요.

　　 그런데 비행기와 숙소 예약을 빨리 해야 해요.

> **New Vocabulary**
>
> 자연 nature
> 돈이 들다 to cost
> 할인 discount
> 항공권 airline ticket
> 묵다 to lodge
> 숙소 lodgings
> 예약 reservation

인상적이다 Impressive

2

수미: 치엔 씨, 제주도 여행 어땠어요?

치엔: 너무너무 좋았어요.

수미: 뭐가 그렇게 좋았어요?

치엔: 바다도 아름다웠고, 노란 유채꽃도 아주 인상적이었어요.

수미: 풍경이 서울과 많이 다르지요?

치엔: 네, 돌도 까만색이고 야자수도 많이 있어서 다른 나라에 온 것

　　 같았어요. 날씨도 좋아서 정말 환상적이었어요.

수미: 아주 즐거운 여행이었겠네요.

치엔: 네. 저는 이번에 제주도에 푹 빠졌어요.

　　 다음에 꼭 다시 가고 싶어요.

> **New Vocabulary**
>
> 유채꽃 rape flower
> 인상적이다 to be impressive
> 풍경 scenery
> 돌 stone
> 야자수 palm tree
> 환상적이다 to be fantastic
> 빠지다 to be in love with

3

저는 지난 연휴에 친구들과 제주도에 여행을 갔습니다. 제주도는 남쪽에 있는 섬이라서 서울보다 날씨가 따뜻했습니다. 3월인데 노란 유채꽃이 예쁘게 피어 있었습니다.

저는 이번에 제주 민속촌과 유명한 관광지 몇 곳을 구경했습니다. 그리고 승마장에 가서 말도 타 보았습니다. 아주 재미있었습니다.

제주도에는 볼 것이 많습니다. 이번에는 2박 3일밖에 여행을 못 했지만 다음에는 길게 여행을 할 생각입니다.

● New Vocabulary

연휴	holidays in a row
남쪽	south
섬	island
피다	to bloom
유명하다	to be famous
관광지	tourist spot
승마장	horse-riding place
말	horse
볼 것	things to see
길게	longer

문화 **한국의 여행지** Places to travel in Korea

● 여러분은 다음 도시가 어디에 있는지, 어떤 특징이 있는지 알고 있어요? 다음 도시들이 아래 지도에서 어디에 있는지 확인해 보고, 각 도시에 대해 아는 것이 있으면 이야기해 보세요.
Do you know what the following cities are like and where each city is? Think about where each place on the below map is and talk about what you know about each city.

서울, 부여, 전주, 제주, 부산, 경주, 속초

● 다음은 각 도시에 대한 설명입니다. 다음 도시들이 어떤 특징이 있는지 확인해 보세요.
The following is the explanation about the cities mentioned above. See what characteristics the following cities have.

a. 서울 : the capital of the Republic of Korea, the biggest and the most populous city
b. 부여 : the capital of Baekje dynasty, you can enjoy the simple beauty of the ancient kingdom from castles on a hill and the remains
c. 전주 : a city famous for Hanok(a Korean style house) Village and boiled rice with assorted mixtures
d. 제주 : a city in the Jeju Island, the Southern part of Korea
e. 부산 : the second largest city in Korea. Busan International Film Festival opens every year.
f. 경주 : the capital of Shilla dynasty, a city famous for cultural heritages like Bulguksa Temple and Seokguram Grotto and the gigantic royal tombs
g. 속초 : a city in the East Sea. There is mountain Seorak near the city.

● 이 도시들이 어디에 있는지, 어떤 특징이 있는지 알았습니까? 이 도시에 대해 더 알고 있는 것이 있으면 이야기해 보세요.
Do you know where these cities are and what those are like? Talk about the cities further if you know more about them.

1 〈보기〉와 같이 연습하고, 친구와 여행지에 대해 묻고 대답해 보세요.

Ask and answer about where you have traveled with your classmate as in example.

보기	
주말 / 제주도, 설악산	가 : 주말에 여행을 가고 싶은데, 어디에 가면 좋을까요? I'd like to go on a trip this weekend, where would it be good? 나 : 제주도에 가거나 설악산에 가는 것이 어때요? What about 제주도 or 설악산?

❶ 방학 / 경주, 부여　　　❷ 방학 / 지리산, 태백산

❸ 이번 휴가 / 광주, 부산　❹ 이번 휴가 / 온천, 놀이동산

❺ 주말 / 바닷가, 섬　　　　❻ 일요일 / 가까운 바다, 산

2 〈보기 1〉이나 〈보기 2〉와 같이 연습하고, 친구와 여행 경험에 대해 묻고 대답해 보세요.

Talk about your travel experience with your classmate as in example.

보기1	
제주도 / 있다	가 : 제주도에 가 봤어요? Have you been to 제주도? 나 : 네, 전에 제주도에 가 본 적이 있어요. Yes, I've been to 제주도 before.

보기2	
제주도 / 없다	가 : 제주도에 가 봤어요? Have you been to 제주도? 나 : 아니요, 제주도에 가 본 적이 없어요. No, I've never been to 제주도.

❶ 설악산 / 있다　　　　❷ 경주 / 있다

❸ 하코네 온천 / 없다　❹ 이과수 폭포 / 없다

❺ 놀이동산 / 있다　　　❻ 절 / 없다

여행지 Destination

바닷가　seashore

섬　island

호수　lake

폭포　waterfall

온천　hot spring

절　temple

놀이동산　amusement park

발음 Pronunciation

ㅃ and ㅍ

뽀뽀　폭포

When you pronounce ㅃ and ㅍ, give strength to your vocal cords and make sure you produce a following vowel as a high tone. When you pronounce ㅃ, make sure that air is not coming out by narrowing the vocal cords. When you pronounce ㅍ, make sure that a lot of air is coming out by widening the vocal cords. You can tell the difference by putting a tissue in front of your mouth.

빠　파

▶연습해 보세요.

(1) 폭포를 빨리 보고 싶어요.

(2) 저는 프라하에 푹 빠졌어요.

(3) 파리는 밤 풍경이 예뻤어요.

(4) 올해는 벚꽃이 빨리 피었어요.

3 〈보기〉와 같이 이야기해 보세요.

> **보기**
>
> 여행비 /
> 패키지 상품을 이용하다
>
> 가: 여행비가 얼마나 들까요?
> How much would it cost?
>
> 나: 패키지 상품을 이용하면 많이
> 들지 않을 거예요.
> Package tour will save you a lot of money.

● New Vocabulary

여행비 travelling expenses

패키지 상품을 이용하다
to use package tour

교통비
transportation expenses

식비 food expenses

음식을 하다 to cook

항공료 airfare

입장료 admission fee

할인을 받다 to get a discount

숙박비 lodging expenses

아끼다 to spare (expense)

❶ 교통비 / 배를 타고 가다

❷ 식비 / 음식을 해서 먹다

❸ 항공료 / 할인 항공권을 이용하다

❹ 입장료 / 학생 할인을 받다

❺ 숙박비 / 싼 호텔을 이용하다

❻ 여행비 / 아껴서 쓰다

4 〈보기〉와 같이 이야기해 보세요.

> **보기**
>
> **설악산, 제주도 / 할인 항공권을 이용하다**
>
> 가: 여행을 가고 싶은데 어디에 가면 좋을까요?
> I'd like to go on a trip on weekends, where would it be good?
>
> 나: 설악산에 가거나 제주도에 가는 게 어때요?
> What about 설악산 or 제주도?
>
> 가: 설악산은 전에 가 본 적이 있어요.
> I've been to 설악산.
>
> 나: 그럼 제주도에 가 보세요.
> Then try to go to 제주도.
>
> 가: 제주도에 꼭 가 보고 싶었어요.
>
> 그런데 제주도에 가는 데 돈이 얼마나 들까요?
> I always wanted to go to 제주도. How much would it cost?
>
> 나: 할인 항공권을 이용하면 많이 들지 않을 거예요.
> If you use discount airline ticket, it will save you a lot of money.

● New Vocabulary

부여 *Buyeo*(city)

태백산 *Taebaeksan*(mountain)

민박을 하다
to take lodgings at a private house

열차 train

강화도 *Ganghwado*(island)

이천 *Icheon*(city)

시외버스 cross-country bus

❶ 경주, 부여 / 여행비를 아껴서 쓰다

❷ 지리산, 태백산 / 민박을 하다

❸ 광주, 부산 / 열차 요금을 할인받다

❹ 강화도, 이천 / 시외버스를 타고 가다

5 〈보기〉와 같이 이야기해 보세요.

> **보기**
>
> 가 : 이번 여행 어땠어요?
> How was your trip?
>
> **환상적이다**
>
> 나 : 환상적이었어요.
> It was fantastic.

❶ 인상적이다   ❷ 감동적이다

❸ 끝내 주다   ❹ 그저 그렇다

❺ 생각보다 별로이다   ❻ 조금 실망스럽다

여행감상
Descriptions of Travel

인상적이다 to be impressive

환상적이다 to be fantastic

끝내 주다 to be awesome

그저 그렇다 to be so and so

별로이다
to be not particularly good

감동적이다 to be touching

실망스럽다 to be disappointing

6 〈보기〉와 같이 연습하고, 친구와 여행지에 대해 묻고 대답해 보세요.

Talk about the place where you have been with your classmate as in example.

> **보기**
>
> 가 : 제주도 어땠어요?
> How was 제주도?
>
> **제주도 /**
> **야자수가 많다,**
> **이국적이다**
>
> 나 : 야자수가 많아서 이국적이었어요.
> 제주도 was very exotic since there were many palm trees.

❶ 프라하 / 오래된 건물이 많다, 인상적이다

❷ 케냐 / 초원에 동물들이 있다, 신기하다

❸ 파리 / 공원이 많다, 인상적이다

❹ 큐슈 / 바닷가에 온천이 있다, 특이하다

❺ 브라질 / 사람들이 친절하다, 감동적이다

❻ 만리장성 / 규모가 아주 크다, 인상적이다

Language Tip

끝내 주다 (awesome) is an oral expression used between very close people in very informal situations.

New Vocabulary

이국적이다 to be exotic

오래되다 to be old

초원 plain

동물 animal

신기하다 to be miraculous

특이하다 to be unique

친절하다 to be kind

만리장성 the Great Wall

규모 size

7 〈보기〉와 같이 연습하고, 교실 안의 모습을 묘사해 보세요.

Practice as in example and then try to describe state of things in your classroom.

상태 설명 관련 어휘 Words explaining the state
열리다 to be open
닫히다 to be closed
놓이다 to be placed
꽃이 피다 to bloom
걸리다 to be hanged
떨어지다 to fall
붙다 to be attached
쌓이다 to be piled up

보기 **문, 열리다**	문이 열려 있어요. The door is open.

❶ 문, 닫히다   ❷ 야자수, 서다

❸ 할머니, 의자에 앉다   ❹ 가방, 의자 위에 놓이다

❺ 우산, 의자에 걸리다   ❻ 손수건, 바닥에 떨어지다

New Vocabulary

손수건 handkerchief
바닥 floor

---

8 〈보기〉와 같이 이야기해 보세요.

보기 **승마장,** **말을 타다**	가 : 제주도에 여행 가서 뭐 했어요? What did you do in 제주도? 나 : 승마장에 가서 말을 탔어요. I went to a riding club and rode a horse/horseback.

New Vocabulary

해수욕장 beach
도자기 pottery
회 raw fish

❶ 바다, 배를 타다   ❷ 해수욕장, 수영을 하다

❸ 박물관, 도자기를 만들다   ❹ 근처 섬, 낚시를 하다

❺ 바닷가, 회를 먹다   ❻ 민속촌, 옛날 집을 구경하다

---

9 〈보기〉와 같이 이야기해 보세요.

보기 **얼마나,** **여행하다 /** **2박 3일**	가 : 얼마나 여행했어요? How long did you go on a trip? 나 : 이박 삼일밖에 여행 못 했어요. For only three days and two nights.

New Vocabulary

2박 3일 3 days and 2 nights

❶ 얼마나, 여행하다 / 1박 2일   ❷ 며칠, 여행하다 / 3박 4일

❸ 몇 명, 가다 / 2명   ❹ 여러 번, 가 보다 / 한 번

❺ 어디어디, 가다 / 경주   ❻ 여기저기, 구경하다 / 부산 시내

10 그림을 보고 〈보기〉와 같이 이야기해 보세요.

New Vocabulary

한 바퀴 돌다 make a tour of
놀이기구 adventure rides
가장행렬 fancy dress parade

보기

제주도

가: 제주도 여행 어땠어요?
How was your trip to 제주도?

나: 아주 환상적이었어요.
It was fantastic.

가: 저는 아직 제주도에 가 본 적이 없는데, 제주도

어때요?
I've never been to 제주도 yet. What was 제주도 like?

나: 경치가 좋고 바다가 아주 아름다워요.
The scenary and the sea were very beautiful.

가: 그래요? 제주도에 가서 뭐 했어요?
Really? What did you do in 제주도?

나: 민속촌을 구경하고, 배를 타고 섬 근처를 한 바퀴

돌았어요. 싱싱한 회도 많이 먹었고요.
I went to the Folk village and rode a boat and made a
tour of the island. I had a lot of fresh raw fish.

가: 좋았겠어요. 저도 꼭 가 보고 싶어요.
It sounds fantastic. I really want to go there for sure.

❶

설악산

❷

에버랜드

🎧 Listening_듣기

1 다음 대화를 잘 듣고 여자가 가 본 곳이 모두 들어 있는 것을 고르세요.

Listen to the dialogue and choose the correct place or places where the woman has been.

1) □ 경주   □ 경주와 부여

2) □ 설악산   □ 설악산과 부산

3) □ 전주   □ 전주와 광주

2 다음 대화를 잘 듣고 아래의 내용이 맞으면 ○, 틀리면 ×에 표시하세요.

Listen to the dialogue and mark the following statements as either ○ or ×.

1) 두 사람은 베이징에 간 적이 있습니다.   ○ ×

2) 두 사람은 만리장성에 간 적이 있습니다.   ○ ×

3) 남자는 이번 휴가에 베이징에 갔습니다.   ○ ×

4) 여자는 베이징을 오래 여행했습니다.   ○ ×

New Vocabulary

자금성
Forbidden City

이화원
Summer Palace and Imperial Garden in Beijing

천안문 광장
The Tiananmen Square

3 다음을 잘 듣고 질문에 대답하세요.

Listen to the passage and answer the following questions.

1) 이 사람은 뭘 타고 춘천에 갔습니까?

2) 춘천은 왜 외국인에게 유명합니까?

3) 이 사람은 춘천에서 무엇을 했습니까?

New Vocabulary

춘천 *Chuncheon*(city)

주위 near

드라마를 찍다
to shoot a drama

관광객 tourist

마치다 to finish

닭갈비 chicken rib

1 여행을 가고 싶습니다. 세 사람이 한 조가 되어 어디로 가서 뭘 하면 좋을지 묻고 대답해 보세요.

Imagine you want to go on a trip. Make a team of three and ask and answer where you are going and what you'd like to do there.

● 먼저 필요한 정보가 무엇인지 생각해 보세요.

Fist, think about the information you need.

알고 싶은 것	내용
어디?	경주
뭘 타고?	버스

● 필요한 정보를 얻기 위해서 어떻게 질문해야 할지 준비하세요.

In order to get the necessary information, what do you need to ask?

● 친구들에게 필요한 정보를 묻고, 친구들이 묻는 말에 대답해 주세요.

Practice asking and giving the necessary information with your friends.

2 가장 인상적이었던 여행이나 최근의 여행 경험을 친구들과 이야기해 보세요.

Talk about your favorite trip or your recent travel experience with your friends.

● 어떤 여행 경험을 친구들에게 소개하면 좋을지 결정하고, 그 여행 경험을 정리해 보세요.

Decide what you are going to share with your friends and think about it.

여행지, 여행 목적, 풍경......

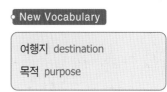

New Vocabulary

여행지 destination
목적 purpose

● 친구의 여행 경험에 대해 어떤 내용을 물을지 생각해 보세요.

Think about what you are going to ask about your friend's travel experience.

● 어떻게 질문하면 좋을지 생각해 보세요.

Think about how you are going to ask about it.

여행하는 것 좋아해요? (제주도)에 가 봤어요? (제주도) 어때요?

● 친구와 여행 경험에 대해 이야기해 보세요.

Talk about your travel experience with your friend.

📖 **Reading**_읽기

1 다음 광고문을 읽고 질문에 답하세요.
Read the following advertisement and answer the questions.

● 제목을 보고 어떤 내용이 들어 있을지 추측해 보세요.
　　Make a guess of what would be included in the ad from the title.

● 빠른 속도로 읽으면서 예상한 내용이 있는지 확인해 보세요.
　　Read it quickly and see if your guess is right or not.

봄을 만나러 가요!

❀ 여 행 지 : 진해 벚꽃 마을
❀ 금　　액 : 17만 원(숙박비, 식비, 교통비 포함)
❀ 여행 기간 : 1박 2일
　　　　　　　 (2월 20일~3월 10일 매일 출발)
❀ 출 발 지 : 서울역 앞 광장
❀ 출발 시간 : 오전 8시

새봄 여행사　　문의: 02-771-1234

● 다시 한 번 읽고 아래의 내용이 맞으면 O, 틀리면 X 에 표시하세요.
　　Read it once again and mark the following statements as either O or X.

(1) 진해 벚꽃 마을에 가는 여행 상품입니다.　　　　O　X

(2) 17만 원을 내면 밥도 줍니다.　　　　　　　　　O　X

(3) 2월 20일부터 2일에 한 번 출발합니다.　　　　　O　X

(4) 2월 24일에 출발하면 2월 25일에 돌아옵니다.　　O　X

New Vocabulary
진해 *Jinhae*(city)
벚꽃 cherry blossoms
마을 village
금액 cost
포함 inclusion
광장 square

✎ Writing_쓰기

1 여러분의 여행 경험을 글로 써 보세요.
Write about your travel experience.

● 가장 인상적이었던 여행 경험은 어떤 것입니까? 그 여행을 떠올려보고, 친구들에게 어떤 내용을 소개하면 좋을지 생각해 보세요.
Think about your favorite trip and how you are going to share the story with your friends.

● 포함시키고 싶은 내용에 관한 정보를 간단히 메모해 보세요.
Take a note of what you'd like to include as in example.

경치 : 넓은 호수, 폭포

● 메모한 내용을 바탕으로 여행 경험을 설명하는 글을 써 보세요.
Write a passage about your travel experience based on the note you wrote.

● 위에서 쓴 내용을 바탕으로 자신의 여행 경험을 설명해 보세요. 발표를 시작하기 전에 어떤 말로 발표를 시작하고 마칠지 먼저 생각해 보세요.
Talk about your travel experience. Before you start, think of how you start and end your presentation.

자기 평가 ✎   Self-Check

● 여행 경험과 느낌을 묻고 답할 수 있습니까? Are you able to ask and answer about your travel experience and your impressions?	Excellent ●──●──●──● Poor
● 여행에 대한 정보를 묻고 답할 수 있습니까? Are you able to ask and answer about the travel information?	Excellent ●──●──●──● Poor
● 여행 안내문이나 여행 경험에 대한 글을 읽고 쓸 수 있습니까? Are you able to read and write a tour guide or a passage about one's travel experience?	Excellent ●──●──●──● Poor

1 –거나

● -거나 is attached to a verb, an adjective or 'noun +이다' , indicating choosing either one of the two.

제주도에 가거나 설악산에 가세요. Go to 제주도 or 설악산.

(1) 가 : 수미 씨는 어디로 여행 가는 것을 좋아해요?

나 : 저는 경치가 좋거나 음식이 맛있는 곳에 가는 걸 좋아해요.

(2) 가 : 경치가 좋은 곳에 가서 푹 쉬고 싶어요.

나 : 그러면 제주도에 가거나 설악산에 가세요.

(3) 가 : 일요일에 보통 뭐 하세요?

나 : 영화를 보거나 운동을 해요.

(4) 가 : 민수 씨가 없네요. 어디 갔어요?

나 : 잠깐 전화하러 나갔거나 화장실에 갔을 거예요.

(5) 가 : 한국을 여행하고 싶은데 어디에 가면 좋을까요?

나 : _____.

(6) 가 : 시간이 있을 때 보통 뭘 해요?

나 : _____.

2 –(으)ㄴ 적이 있다/없다

● -(으)ㄴ 적이 있다/없다 is attached to a verb stem, indicating that a person has or has not tried doing that action. -(으)ㄴ 적이 있다/없다 is usually attached to -아/어/여 보다 and becomes -아/어/여 본 적이 있다/없다.

설악산에 간 적이 있어요. I have been to 설악산.

설악산에 가 본 적이 있어요. I have been to 설악산.

● This takes two forms.

a. If the stem ends in a vowel or ㄹ, -ㄴ 적이 있다/없다 is used.

b. If the stem ends in a consonant other than ㄹ, -은 적이 있다/없다 is used.

(1) 가 : 부산에 가 봤어요?

나 : 네, 전에 한 번 가 본 적이 있어요.

(2) 가 : 해외여행을 해 본 적이 있어요?

나 : 아니요, 저는 아직 해외여행을 해 본 적이 없어요.

(3) 가 : 김치가 매운데 잘 드시네요.

나 : 중국에서도 몇 번 먹은 적이 있어요.

(4) 가 : 이것 제가 만든 연이에요. 잘 만들었지요?

나 : 와! 잘 만들었네요. 저도 전에 연을 만든 적이 있어요.

> **● New Vocabulary**
>
> 해외여행 overseas trip
>
> 연 kite

(5) 가: 수미 씨는 혼자 여행해 봤어요?

　　나: 네, _____.

(6) 저는 _____. 그래서 꼭 해 보고 싶어요.

3 -아/어/여 있다

- -아/어/여 있다 is attached to a verb stem, indicating that the state continues after an action is completed.

　저는 앉아 있고, 친구는 서 있어요. I am sitting and my friend is standing.

- -아/어/여 있다 cannot be used in a sentence with an object. It is usually used with 앉다, 서다, 가다, 오다, 피다, 들다, 붙다, 떨어지다 or a passive verb like 열리다, 닫히다, 놓이다, 쌓이다, 걸리다, 깨지다, 켜지다, 꺼지다.

(1) 가: 제주도 정말 좋지요?

　　나: 네, 유채꽃이 활짝 피어 있어서 더 아름다웠어요.

(2) 가: 박물관 구경 잘 했어요?

　　나: 아니요, 문이 닫혀 있어서 못 들어갔어요.

(3) 가: 가방 안에 뭐가 들어 있어요?

　　나: 책하고 사전이 들어 있어요.

(4) 가: 진호 씨 퇴근했어요?

　　나: 컴퓨터가 켜져 있네요. 아직 퇴근하지 않은 것 같아요.

(5) 가: 저녁 늦게 여행지에 도착했는데 밥을 어떻게 했어요?

　　나: _____ 식당이 많아서 문제가 없었어요.

(6) 가: 누가 선영 씨예요?

　　나: 저쪽에 _____ 사람이 선영 씨예요.

4 -밖에 안/못/없다

- -밖에 안/못/없다 is attached to a noun indicating a number or quantity, and it means 'few' or 'little'.

(1) 가: 구경을 많이 하고 왔어요?

　　나: 아니요, 비가 와서 조금밖에 못 했어요.

(2) 가: 여러 명이 여행을 갔어요?

　　나: 아니요, 세 명밖에 안 갔어요.

(3) 가: 형제가 많아요?

　　나: 아니요, 저밖에 없어요.

(4) 가: 졸려요? 어제 몇 시간 잤어요?

　　나: _____.

(5) 가: 서울에도 좋은 곳이 많은데, 구경 좀 했어요?

　　나: 아니요, _____.

제11과 부탁
Asking a favor

Goals
You will be able to ask one a favor, accept or refuse a request

Topic	Asking a favor
Function	Asking one a favor, Accepting a request, Refusing a request
Activity	Listening : Listen to a conversation about asking a favor
	Speaking : Ask a favor, Talk about a favor
	Reading : Read an email asking a favor
	Writing : Write an email asking a favor
Vocabulary	Request and refusal, Kinds of request
Grammar	-는/(으)ㄴ데, -아/어/여 주다, -기는요, -(이)든지
Pronunciation	Intonation of -기는요
Culture	Other uses of family terms in Korean

제11과 부탁 Asking a favor

1. 여기는 어디입니까? 두 사람은 지금 무엇을 하고 있을까요?

   Where is this place? What are the two people doing right now?

2. 여러분은 한국 사람에게 부탁해 본 적이 있어요? 부탁을 할 때는 어떻게 이야기해요?

   Have you asked a Korean a favor? What do you say when you ask a person a favor?

1

무　　호: 이 대리님, 부탁 드릴 게 있는데 지금 시간 좀 있으세요?

이 대리: 네, 괜찮아요. 무슨 부탁이에요?

무　　호: 컴퓨터가 켜지지 않는데 좀 봐 주시겠어요?

이 대리: 그래요? 내가 좀 볼게요.

〈잠시 후〉

이 대리: 열이 너무 많이 나서 문제가 생긴 것 같아요. 금방 고칠 수
　　　　 있을 것 같으니까 조금만 기다려요.

무　　호: 감사합니다. 대리님도 바쁘신데 이런 부탁을 드려서 죄송
　　　　 해요.

이 대리: 별로 어려운 일도 아닌데요. 금방 고쳐 줄게요. 그리고
　　　　 어려운 일이 있으면 부담 갖지 말고 언제든지 이야기해요.

무　　호: 고맙습니다, 대리님.

● New Vocabulary

대리 assistant manager

부탁 favor

문제가 생기다
to have a problem

부담을 갖다
to feel pressured to

2

유키: 철수야, 나 부탁이 있는데…….

철수: 뭔데?

유키: 다른 게 아니라 이번 주 토요일에 이사를 해야 하는데 좀 도와
　　　 줄 수 있어?

철수: 이번 주 토요일?

유키: 응. 혼자 할 수 있을 것 같았는데 생각보다 짐이 많아서.

철수: 어떡하지? 토요일에는 중요한 일이 있어서 도저히 시간이 안
　　　 되겠는데. 꼭 토요일에 해야 돼?

유키: 응. 토요일밖에 시간이 안 돼.

철수: 도와주지 못해서 미안해.

유키: 미안하기는. 신경쓰지 마.

철수: 대신 내가 이사 끝나고 짐 정리할 때는 꼭 도와줄게.

유키: 그래, 고마워.

● New Vocabulary

다른 게 아니라
to be nothing but

짐 luggage/baggage

어떡하다
to do somehow (contracted
form of '어떻게 하다')

도저히 (not) at all

신경쓰다 to pay attention to

대신 instead

정리하다 to arrange

3

린다 언니, 저 영미예요.

낮에 몇 번 전화했는데 연락이 안 돼서 이렇게 메일을 보내요.

언니, 지난번에 제가 부탁한 책, 내일 학교에서 받을 수 있을까요?

이번 주말부터는 읽어야 될 것 같아서요.

내일 꼭 좀 갖다 주세요.

그럼 부탁 드릴게요. 내일 학교에서 뵈어요.

안녕히 계세요.

영미 드림

New Vocabulary

갖다 주다 to bring

뵙다 to see
(the person older than the speaker)

Language Tip

뵙다 is a polite form meaning 'to see older people'. 뵙다 has more polite meaning than 뵈다 and is only combined with endings that start with consonants as in 뵙겠습니다 and 뵙고 싶습니다, 뵈다 is combined with endings that start with vowels as in 뵈어요 and 뵈러 갑니다.

 **가족 호칭어의 다른 쓰임** Other uses of family terms in Korean

● 아래 그림의 사람들은 어떤 관계일까요? '언니' 는 어떤 의미일까요?
   What do you think that people in the below picture are related to each other? What can be the meaning of '언니' here?

Koreans call people words used to call family members in order to express intimacy. In formal settings like at work, Koreans call people with OO 씨 or 부장님, 언니, 오빠, 누나, 형. When Koreans call people who are older than themselves and who you do not know well, they call them 아저씨, 아주머니, the two words are used to call relatives. Sometimes, Koreans call the owners of stores more intimate words like 언니, 이모 in order to get better service in the store or the restaurant. But when you visit your friend's and meet parents of your friend, 아저씨, 아주머니 is an inappropriate words for them. It is because Koreans think of their friend's parents as their own parents, so they call them 아버지, 어머니.

● 우리 반 친구들을 한국 사람처럼 불러 보세요.
   Call your classmates as Koreans do.

1 〈보기〉와 같이 이야기해 보세요.

> 보기
>
> **부탁이 있다,**
>
> **시간이 있다**
>
> 가: 부탁이 있는데 혹시 시간이 있어요?
> I have a favor to ask. Do you have time?
>
> 나: 네. 그런데 무슨 부탁이에요?
> Yes, what do you want me to do?

❶ 부탁이 있다, 시간이 괜찮다

❷ 부탁이 있다, 들어줄 수 있다

❸ 부탁이 있다, 도와줄 수 있다

❹ 부탁이 하나 있다, 시간 좀 있다

❺ 부탁할 게 있다, 시간 좀 있다

❻ 부탁 드릴 게 있다, 들어줄 수 있다

부탁과 거절 Request & refusal

부탁하다 to ask a favor

부탁 드리다 to ask a favor
(of a person who is older)

부탁이 있다
to have a favor to ask

부탁을 받다
to be asked a favor

부탁을 들어주다
to accept a request

부탁을 거절하다
to refuse a request

부탁을 거절당하다
to be rejected

도와주다 to help

도움을 주다 to give help

도움을 받다 to get help

---

2 〈보기〉와 같이 연습하고, 여러분도 친구에게 부탁해 보세요.
Ask your classmate a favor as in example.

> 보기
>
> **지난번에 말한**
>
> **책을 빌리다**
>
> 가: 무슨 부탁이에요?
> What can I do for you?
>
> 나: 지난번에 말한 책을 좀 빌려 주세요.
> Can you lend me a book that I mentioned before?

❶ 이 책을 반납하다

❷ 이 책상을 같이 옮기다

❸ 우체국에서 소포를 찾아오다

❹ 내일 발표 준비를 돕다

❺ 이걸 쉬운 말로 설명하다

❻ 이걸 한국어로 번역하다

부탁 내용 Kinds of request

빌리다 to borrow

고치다 to repair

옮기다
to move things from one place
to another

반납하다 to return

물건을 전하다
to deliver something to
someone

소포를 찾아오다
to bring/take back a package

가르치다 to teach

설명하다 to explain

번역하다 to translate

자료를 찾다
to search for materials

발표 준비를 돕다
to help preparing for a
presentation

3 〈보기〉와 같이 연습하고, 여러분도 친구에게 부탁을 해 보세요.

Ask your classmate a favor as in example.

>
>
> 가게에서 김밥
>
> 가: 수미 씨, 지금 뭐 사러 가는데 필요한 것 없어요?
> 수미, I am going to a store to buy something. Do you need anything?
>
> 나: 그럼 가게에서 김밥 좀 사다 줄래요?
> Can you buy me a 김밥 at the store?

New Vocabulary

필요하다 to need

사다 주다
to buy and give something for someone

먹을 것 something to eat

❶ 가게에서 빵   ❷ 가게에서 음료수

❸ 슈퍼에서 먹을 것   ❹ 우체국에서 우표

❺ 약국에서 감기약   ❻ 문방구에서 공책

4 〈보기〉와 같이 연습하고, 여러분도 친구나 동료에게 부탁해 보세요.

Ask your classmate or co-worker a favor as in example.

>
>
> 무겁다,
> 이 가방을 옆방까지
> 같이 옮기다
>
> 가: 무슨 부탁이에요?
> What can I do for you?
>
> 나: 무거워서 그러는데 이 가방을 옆방까지 같이 옮겨 주시겠어요?
> The bag is too heavy, so can you help me to carry this bag to the next room?

New Vocabulary

옆방 next room

Language Tip

When you ask a favor, you have to be careful of which type of sentence you are going to use according to the relationship between a speaker and a listener, or how hard your favor is. If a listener is older and his or her status is higher than a speaker and the favor is harder, the sentence tends to be the more complicated and to have a form of interrogative. The following are the examples;

▶예: • 수미 씨, 이것 좀 해 줘요.
• 수미 언니, 이것 좀 해 주실래요?
• 대리님, 죄송하지만 이것 좀 해 주시겠어요?
• 사장님, 바쁘신데 죄송합니다. 혹시 이것 좀 해 주실 수 있으세요?

❶ 바쁘다, 도서관에 가서 자료를 좀 찾아오다

❷ 바쁘다, 도서관에 가서 이 책을 반납하다

❸ 급한 일이 있다, 수미한테 이것 좀 전하다

❹ 급한 일이 있다, 선생님께 이 책을 좀 전하다

❺ 몸이 좀 안 좋다, 우체국에서 소포를 좀 찾아오다

❻ 몸이 좀 안 좋다, 우체국에서 이 편지를 좀 보내다

5 〈보기〉와 같이 이야기해 보세요.

가: 수미 언니, 시간 있으면 발표문을 읽어
봐 주세요.
수미, if you have time, can you read my speech script?

수미 언니,
발표문을 읽어 보다

나: 그래, 지금 읽어 봐 줄게.
All right, I'll read it now.

❶ 수미 누나, 이것 좀 다시 설명하다

❷ 수미 언니, 이것 좀 다시 가르치다

❸ 영진이 형, 컴퓨터 좀 보다

❹ 영진이 오빠, 발표 준비 좀 돕다

❺ 선배, 자료 좀 같이 찾다

❻ 선배, 번역하는 것을 좀 돕다

6 〈보기〉와 같이 이야기해 보세요.

이거 한국어로 번역 좀 하다 / 내일 해도 되다 / 언제

가: 죄송한데 이거 한국어로 번역 좀 해 줄 수 있으세요?
I am sorry, but can you translate this into Korean?

나: 그럼요. 그런데 내일 해도 돼요?
Sure, but can I do it tomorrow?

가: 언제든지 괜찮아요.
Whenever you're O.K.

❶ 선생님께 이것 좀 전하다 / 내일 드려도 되다 / 언제

❷ 휴대전화 사는 것을 돕다 / 언제 가면 되다 / 언제

❸ 한국어 책을 좀 빌리다 / 어떤 책을 읽고 싶다 / 무엇

❹ 한국 노래 시디 좀 빌리다 / 무슨 노래를 듣고 싶다 / 뭐

❺ 한국인 친구 좀 소개하다 / 어떤 사람이 좋다 / 어떤 사람

❻ 서울 시내 좀 구경시키다 / 어디에 가고 싶다 / 어디

7 〈보기〉와 같이 이야기해 보세요.

보기

보고서를 고치다,
오래 걸리다 /
생각보다 빨리 하다

가: 보고서를 고쳐 줘서 고마워요.
오래 걸렸죠?
Thank you for correcting mistakes in my report. It took you a long time, didn't it?

나: 오래 걸리기는요.
생각보다 빨리 했어요.
No, I finished it earlier than I thought.

New Vocabulary

자세히 in detail
귀찮다 to be bothersome
도움이 되다 to be helpful

❶ 자료를 번역하다, 힘들다 / 금방 끝나다

❷ 발표 준비를 돕다, 힘들다 / 나도 재미있다

❸ 책을 같이 옮기다, 무겁다 / 나는 조금밖에 안 들다

❹ 우체국에서 소포를 찾아오다, 무겁다 / 전혀 무겁지 않다

❺ 자세히 설명하다, 귀찮다 / 나도 배운 것이 많다

❻ 자료를 찾다, 귀찮다 / 나한테도 도움이 되다

8 〈보기〉와 같이 이야기해 보세요.

보기

자료 좀 번역하다 /
지금 시간이 안 되다

가: 혹시 시간 있으면 이 자료 좀
번역해 주실래요?
If you have time, can you translate this material?

나: 지금 시간이 안 되는데 어떡
하죠? 미안해요.
I am sorry, but I don't have.enough time to do that now.

❶ 이것 좀 읽어 보다 / 지금 약속이 있다

❷ 제 발표 연습 좀 듣다 / 지금은 시간이 없다

❸ 이 컴퓨터 좀 고치다 / 컴퓨터는 못 고치다

❹ 도서관에서 자료 좀 찾다 / 오늘은 좀 바쁘다

❺ 책을 학교까지 같이 옮기다 / 팔이 아파서 못 들다

❻ 이걸 선생님께 전하다 / 지금 집에 가야 되다

9 〈보기〉와 같이 이야기해 보세요.

New Vocabulary

기간 term/period

보기

가: 다음 주에 발표가 있는데 좀 도와

줄 수 있으세요?

I have a presentation next week. Can
you help me preparing for it?

나: 저도 도와주고 싶은데 일이 많

아서 좀 어렵겠는데요. 미안해요.

I'd like to, but I have a lot of work to do.
I'm sorry, but I can't do it.

가: 미안하기는요. 바쁘신데 부탁을

한 제가 미안하죠.

어떻게든지 해 볼게요.

That is all right. I am sorry that I asked you
too much. I will manage to do it myself.

다음 주에 발표가 있다 /
일이 많다, 좀 어렵다

발음 Pronunciation

Intonation of -기는요

가: 고마워요.
나: 고맙기는요.

When you read a sentence
ending with -기는(요), end the
sentence by lowering the
intonation for a while and
raising it for a while.

▶연습해 보세요.

(1) 가: 한국말 잘하시네요.
　　나: 잘하기는요.
(2) 가: 오늘 참 예뻐요.
　　나: 예쁘기는요.
(3) 가: 한국어 어렵지요?
　　나: 어렵기는요.

❶ 이 문장이 이해가 안 되다 /

지금 나가야 되다, 좀 어렵다

❷ 다음 주에 발표를 해야 하다 /

지금 너무 바쁘다, 좀 어렵다

❸ 이번 주에 한국어 시험을 보다 /

숙제가 좀 많다, 좀 힘들다

❹ 이걸 한국말로 번역해야 되다 /

보고서를 써야 되다, 좀 힘들다

❺ 컴퓨터로 숙제를 해야 되다 /

지금 시험 기간이다, 도와 드릴 수 없다

❻ 책을 모두 학교로 옮겨야 되다 /

오늘은 약속이 있다, 도와 드릴 수 없다

10 〈보기 1〉이나 〈보기 2〉와 같이 이야기해 보세요.

 보기1

**토요일에 이사를 하다, 짐 좀 옮기다 /
옮겨 주다 / 바쁜 일이 있다**

가 : 토요일에 이사를 해야 하는데 짐 좀 옮겨 줄 수 있어요?
I have to move into a new house on Saturday. Can you help me moving the stuff?

나 : 그럼요, 옮겨 줄 수 있지요. Sure, I can help you.

가 : 바쁜 일이 있을까 봐 걱정했는데 정말 고마워요.
I was worried that you might have other things to do.
Thank you very much.

나 : 고맙기는요. 별것도 아닌데요. You are welcome.

가 : 나중에 제가 맛있는 것 살게요. I will buy you a nice dinner later.

보기2

**토요일에 이사를 하다, 짐 좀 옮기다 /
그날 발표가 있다, 좀 어렵다 / 바쁘다**

가 : 토요일에 이사를 해야 하는데 짐 좀 옮겨 줄 수 있어요?
I have to move into a new house on Saturday. Can you help me moving the stuff?

나 : 미안하지만 그날 발표가 있어서 좀 어렵겠는데요.
I am sorry, but I have a presentation that day, so I can't.

가 : 바쁘면 어쩔 수 없죠, 뭐. 이런 부탁해서 미안해요.
If you are busy, it can't be helped. I am sorry that I asked you too much.

나 : 미안하기는요. 도와주지 못해서 제가 더 미안하죠.
Don't say that. I am sorry that I cannot help you.

가 : 아니에요, 어떻게든지 해 볼게요. 신경쓰지 마세요.
No, I will handle it myself. Dont' worry too much.

❶ 이걸 한국말로 번역하다, 이 부분 좀 가르치다 /
도와주다 / 다른 일이 있다

❷ 모레 한국말로 발표를 하다, 발표 연습 좀 듣다 /
들어 주다 / 시간이 안 되다

❸ 금요일까지 보고서를 쓰다, 자료 좀 같이 찾다 /
요즘 일이 많다, 안 되다 / 시간이 없다

❹ 내일까지 숙제를 하다, 책 좀 빌리다 /
나도 지금 보고 있다, 곤란하다 / 지금 봐야 되다

Listening_듣기

1 다음 대화를 잘 듣고 부탁을 들어주면 ○, 들어주지 않으면 ×에 표시하세요.

Listen to the dialogue and check ○ if the request is accepted and check × if it is refused.

1) ○ ×   2) ○ ×   3) ○ ×

• New Vocabulary

메모 memo
새로 newly

2 다음 대화를 잘 듣고 질문에 대답하세요.

Listen to the dialogue and answer the following questions.

1) 여자는 왜 남자에게 전화했습니까?
   Why did the woman call the man?

   ❶ 컴퓨터 수리를 부탁하려고

   ❷ 컴퓨터 문제에 대해 물어보려고

   ❸ AS센터의 전화번호를 물어보려고

2) 전화를 끊은 후에 여자는 어떻게 해야 합니까? 순서대로 써 보세요.

   After hanging up the phone, what does she have to do? Write them down in order.

   ❶ _____

   ❷ _____

   ❸ _____

• New Vocabulary

갑자기 suddenly
한글 프로그램
Hangeul Programs
끄다 to turn off
켜다 to turn on
바이러스 체크
computer virus detection
AS센터
after-sales service center

3 다음을 잘 듣고 링링 씨가 해야 할 일을 고르세요.

Listen to the passage and choose what 링링 has to do.

❶ 선생님께 미키 씨의 보고서를 내요.

❷ 세탁소에 가서 미키 씨의 옷을 찾아요.

❸ 메시지를 들은 후에 미키 씨한테 전화해요.

• New Vocabulary

세탁소 laundry
세탁비 laundry cost
서랍 drawer
메시지 message

🎤 Speaking_말하기

1 다음 부탁을 해 보세요. 부탁을 받은 사람은 승낙이나 거절을 해 보세요.
Ask someone a favor as following. If you are asked a favor, accept or refuse it.

● 친구에게 부탁할 때와 선생님께 부탁할 때 사용하는 표현은 어떻게 다를까요?
How different are the expressions between when you ask your friend a favor and when you ask your teacher a favor?

● 친구에게 그리고 선생님께 다음의 부탁을 하려고 합니다. 어떻게 부탁해야 할지 생각해 보세요.
You're going to ask your friend and your teacher the following favor. Think about how you are going to ask such favors.

  (1) 약국에서 감기약을 사다 주는 것

  (2) 물건을 집까지 옮겨 주는 것

  (3) 발표문의 한국어를 고쳐 주는 것

  (4) 컴퓨터의 '한글' 사용법을 알려 주는 것

● 위의 부탁을 들어주려고 하면 어떻게 말해야 할지, 들어주지 않으려고 하면 어떻게 말해야 할지 생각해 보세요.
Think about what you are going to say, if you are going to accept a favor, and if you are going to refuse it.

● 여러분은 친한 친구 사이입니다. A와 B가 되어 이야기해 보세요.
Take the role of close friends, A and B. Then have a conversation as following.

(1)	A	몸이 너무 안 좋아요. 감기인 것 같아요. 친구한테 감기약 사다 주는 것을 부탁하세요.
	B	친구의 부탁을 들어주세요.
(2)	A	오늘 너무 선물을 많이 받아서 혼자서 들고 갈 수 없을 것 같아요. 친구한테 집까지 옮기는 것을 부탁하세요.
	B	친구의 부탁을 거절하세요.

● 여러분은 선생님과 학생 사이입니다. A와 B가 되어 이야기해 보세요.
Take the role of a student and a teacher, A and B. Then have a conversation as following.

(1)	A	다음 주에 발표가 있는데 발표문의 한국어가 조금 이상한 것 같아요. 선생님께 발표문 고치는 것을 부탁하세요.
	B	학생의 부탁을 들어주세요.
(2)	A	컴퓨터로 한국어 숙제를 해야 되는데 '한글' 프로그램을 사용할 수 없어요. 선생님께 '한글' 사용법 설명을 부탁하세요.
	B	학생의 부탁을 거절하세요.

2 친구와 함께 부탁하는 습관에 대해 이야기해 보세요.

Talk about your habit of asking a favor.

● 여러분은 부탁을 자주 하는 편이에요, 하지 않는 편이에요?

Do you ask a favor frequently or not?

● 친구들은 부탁에 대해 어떻게 생각하는지 이야기해 보세요.

Talk with your friends about how they think about askign a favor.

(1) 부탁을 자주 하는 편이에요? 보통 누구에게, 어떤 부탁을 해요? 그러면 사람들은 부탁을 잘 들어줘요?

(2) 부탁을 잘 하지 않는 편이에요? 왜 부탁을 잘 하지 않아요? 그러면 혼자 할 수 없는 일은 어떻게 해요?

(3) 다른 사람에게 부탁을 받으면 잘 들어주는 편이에요, 잘 들어주지 않는 편이에요? 왜 부탁을 잘 (안) 들어줘요?

● 부탁을 들어주기 힘들 때 여러분은 어떻게 거절해요? 부탁한 사람이 기분 나쁘지 않게 거절하려면 어떻게 하는 게 좋을까요?

If you cannot help a person, how can you refuse the request? How are you going to refuse it, not hurting the other person's feeling?

📖 Reading_읽기

1 다음은 부탁의 이메일입니다. 잘 읽고 질문에 답하세요.
The following is an email asking a favor. Read it carefully and answer the following questions.

● 부탁을 하는 메일에는 어떤 내용이 있을까요?
What is going to be included in an email asking a favor?

New Vocabulary

하숙비 board charge
주인아주머니 landlady

● 여러분의 추측한 내용이 맞는지 다음을 빨리 읽어 보세요.
Read the following quickly and see if you are right or not.

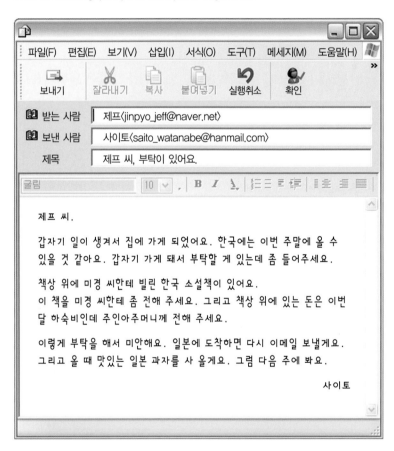

● 다시 한 번 읽으면서 제프 씨가 해야 할 일을 고르세요.
Read it once again and choose what Jeff has to do.

❶ 미경 씨한테 책을 빌려 오는 것

❷ 주인아주머니께 하숙비를 내는 것

❸ 일본 과자를 사다 주는 것

● 부탁을 하는 메일에는 어떤 내용이 있는지 정리해 보세요.
Sum up what kind of information was included in an e-mail asking a favor.

✏️ Writing_쓰기

1 갑자기 일이 생겨서 일주일 정도 고향에 갔다 와야 합니다. 같은 방 친구에게 부탁하는 메일을 써 보세요.

You have to go home for a week. Write an email to your friend asking a favor.

● 어떻게 메일을 시작할지 생각해 보세요.
  Think about how you are going to start an email.

● 부탁할 일을 정리해 보세요.
  Think about what you are going to ask your friend.

● 어떻게 메일을 끝낼지 생각해 보세요.
  Think about how to end an email.

● 위에서 생각한 것을 바탕으로 친구에게 부탁의 메일을 써 보세요.
  Based on these, write an email to your friend asking a favor.

자기 평가 ✏️   Self-Check

● 부탁을 할 수 있습니까? Are you able to ask a favor?	Excellent ●━━●━━●━━● Poor
● 부탁을 들어주거나 거절할 수 있습니까? Are you able to accept or refuse a request?	Excellent ●━━●━━●━━● Poor
● 부탁의 글을 읽고 쓸 수 있습니까? Are you able to read and write a passage asking a favor?	Excellent ●━━●━━●━━● Poor

1 –는/(으)ㄴ데

- -는/(으)ㄴ데 is attached to a verb, the adjective, or 'noun+이다', indicating the circumstances or situations for a suggestion, an order or a question.

  가 : 부탁이 있는데 지금 시간 있어요? I have a favor to ask. Do you have time?

  나 : 네. 그런데 무슨 부탁이에요? Yes, what can I do for you?

- This takes three forms.

  a. For the verb stem and the adjective stem ending with 있다/없다, -는데 is used.

  b. If the adjective stem ends in a vowel or ㄹ, -ㄴ데 is used.

  c. If the adjective stem ends in a consonant other than ㄹ, -은데 is used.

  (1) 가 : 다음 주에 발표가 있는데 좀 도와줄 수 있어요?

      나 : 오늘은 좀 바쁜데 내일 도와주면 안 돼요?

      가 : 내일도 괜찮아요. 고마워요.

  (2) 가 : 저 부탁이 있는데 들어주실 수 있으세요?

      나 : 뭔데요?

  (3) 가 : 언니, 커피 드실래요?

      나 : 커피는 방금 마셨는데, 다른 거 없어?

  (4) 가 : 내일부터 시험인데 공부 안 해도 돼요?

      나 : 이제 할 거예요.

  (5) 가 : _____ 같이 산에 갈래요?

      나 : 좋아요. 어느 산으로 갈까요?

  (6) 가 : _____ 뭐 필요한 것 없어요?

      나 : 그러면 우유 한 개 사다 주세요.

2 –아/어/여 주다

- -아/어/여 주다 is attached to a verb stem, and it is used to ask the listener to do something for the benefit of the speaker or someone else (someone other than listener).

  책 좀 빌려 줄래요? Can you lend me the book?

- This takes three forms.

  a. If the last vowel in the stem is ㅏ or ㅗ, -아 주다 is used.

  b. If the last vowel in the stem is any vowel other than ㅏ or ㅗ, -어 주다 is used.

  c. For 하다, the correct form is 하여 주다. However, 해 주다 is generally used instead of 하여 주다.

  (1) 가 : 주말에 이사하는데 시간 있으면 짐 좀 옮겨줄 수 있어요?

  나 : 그럼요, 도와 드릴게요.

  (2) 가 : 화장실 좀 갔다 올게요. 잠깐만 여기에서 기다려 주시겠어요?

  나 : 네, 얼른 갔다 오세요.

  (3) 가 : 선생님, 안 보이는데 좀 크게 써 주세요.

  나 : 이제 보여요?

  (4) 가 : 린다 씨의 가방이 무거운 것 같은데 좀 들어 주세요.

  나 : 그럴게요.

  (5) 가 : 시간이 있으면 _____ .

  나 : 미안해요. 오늘은 좀 바쁜데요.

  (6) 가 : 제 휴대전화가 고장 났는데 _____ .

  나 : 네, 쓰세요.

3 −기는요

- −기는요 is attached to a verb stem or adjective stem, indicating that the speaker does not agree to what the other person has said. It is used for both courteous refusal for appreciation and the negative response showing disagreement.

가 : 바쁜데 도와줘서 정말 고마워요.   Thank you for helping me despite your busy schedule.

나 : 고맙기는요. 별것도 아닌데요.   Don't mention it. It's no big deal.

  (1) 가 : 바쁘신데 부탁을 들어줘서 정말 고마워요.

  나 : 바쁘기는요. 요즘 매일 집에만 있는데요, 뭐.

  (2) 가 : 이렇게 와 주서서 고마워요.

  나 : 고맙기는요. 덕분에 제가 더 즐거웠어요.

  (3) 가 : 숙제가 너무 어렵지 않아요?

  나 : 어렵기는요. 너무 쉬워서 한 시간도 안 걸렸어요.

  (4) 가 : 어제 본 영화 재미있었어요?

  나 : 재미있기는요. 너무 재미없어서 중간에 잠이 들었어요.

  (5) 가 : 옷이 정말 예쁘네요. 아주 비쌀 것 같아요.

  나 : _____ .

  (6) 가 : 한국 생활이 힘들지요?

  나 : _____ .

> ● New Vocabulary
>
> 중간에 in between

4 –(이)든지

● –(이)든지 is attached to an interrogative(무엇, 어디, 언제, 누구, 어떻게), indicating all of something that do not exclude one thing.

가: 선생님, 하고 싶은 말이 있는데 언제 시간이 괜찮으세요?

Sir, I have a question. When are you free to talk?

나: 언제든지 괜찮아요. I am available whenever needed.

● This takes two forms.

    a. If the last syllable in the interrogative ends in a vowel or the consonant ㄹ, -든 지 is used.

    b. If the last syllable in the interrogative ends in a consonant other than ㄹ, -든지 is used.

(1) 가: 뭘 먹어야 돼요?

    나: 음식은 많이 있으니까 먹고 싶은 건 무엇이든지 드세요.

(2) 가: 지난번에 부탁하신 번역을 아직 다 못 했는데, 내일 드려도 돼요?

    나: 네. 언제든지 괜찮아요.

(3) 가: 이번 방학에 어디 갈까요?

    나: 저는 어디든지 좋으니까 수미 씨가 가고 싶은 곳으로 가요.

(4) 가: 한국 노래 중에서 제일 유명한 노래가 뭐예요?

    나: 아리랑이에요. 아리랑은 한국 사람이면 누구든지 부를 수 있어요.

(5) 가: 어떤 음식을 좋아해요?

    나: _____.

(6) 가: 언제 전화할까요?

    나: _____.

MEMO

제12과 한국 생활
Living in Korea

Goals

You will be able to talk about living in Korea and your plan and resolutions.

Topic	Living in Korea
Function	Talking about living in Korea, Talking about plan and resolutions
Activity	Listening : Listen to a conversation about living in Korea
	Speaking : Interview about living in Korea, Introduce your life in Korea
	Reading : Read a passage about living in Korea
	Writing : Write a passage introducing your life in Korea
Vocabulary	Expressions showing that time has passed, Lodging
Grammar	-(으)ㄴ지, -(으)려고, -게 되다, -기로 하다
Pronunciation	ㅚ, ㅙ, ㅞ
Culture	Useful information for foreigners

제12과 한국 생활 Living in Korea

1. 사람들이 지금 무엇을 하고 있어요? 어디에 있어요?

   What are the people doing now? Where are they?

2. 한국에서만 경험할 수 있는 일에는 무엇이 있을까요?

   What are the things that you can experience only in Korea?

1

영미: 투이 씨는 한국에 온 지 얼마나 되었어요?

투이: 사 개월쯤 되었어요.

영미: 그런데 한국말을 잘 하네요. 한국에 오기 전에도 한국어를 공부
했어요?

투이: 아니요, 한국에서 처음 배웠어요.

영미: 그런데 투이 씨는 왜 한국어를 공부해요?

투이: 우리 고향에 한국 회사가 많이 있는데, 나중에 거기에 취직
하려고 한국어를 공부해요.

영미: 아! 그래요? 그러면 학교 기숙사에서 살아요?

투이: 아니요, 학교 앞에 있는 고시원에 살고 있어요.

영미: 한국 생활은 어때요?

투이: 여러 나라 친구들도 사귈 수 있고 재미있는 일도 많아서 좋아요.

> **New Vocabulary**
>
> 사 개월 four months
> 고시원
> small studio for students

2

마이클: 여기 김치찌개 주세요.

수　미: 김치찌개가 그렇게 좋아요? 요즘 매일 김치찌개만 먹네요.
김치찌개를 먹는 것을 보면 마이클 씨는 꼭 한국사람 같아요.

마이클: 전 김치찌개가 제일 맛있어요. 요즘은 김치찌개가 없으면
밥을 못 먹겠어요.

수　미: 한국 음식을 좋아해서 다행이에요. 그런데 처음부터 한국
음식을 좋아했어요?

마이클: 아니요, 처음에는 매운 음식을 잘 못 먹어서 좀 고생했어요.
그런데 이제는 매운 음식을 제일 좋아하게 되었어요.

수　미: 다른 것은 어때요? 한국 생활이 힘들지 않아요?

마이클: 별로 힘들지는 않아요. 그렇지만 한국어 공부가 잘 안 되거나
몸이 아플 때는 고향 생각이 조금 나요.

수　미: 그러면 어떻게 해요?

마이클: 가족이나 친구들한테 전화해요.

> **New Vocabulary**
>
> 고생하다 to have a hard time

3

한국에 온 지 이제 육 개월이 되었습니다. 처음에는 한국말도 못 하고 아는 사람도 없어서 무척 힘들었습니다. 고향에 돌아가고 싶었습니다.

한국어를 잘 하게 되면 일찍 고향에 돌아갈 수 있을 것 같았습니다. 그래서 나는 열심히 공부하기로 했습니다. 노력한 덕분에 한국어 실력도 늘고 한국 생활도 익숙해졌습니다. 그리고 한국어로 이야기할 수 있게 되면서 한국 친구도 많이 생겼습니다. 한국 친구들하고 공부도 하고, 놀러도 다니면서 한국 생활은 점점 즐거워졌습니다. 지금은 한국에서 사는 것이 아주 행복합니다.

◦ New Vocabulary

노력하다 to make an effort
익숙해지다 to get used to
친구가 생기다 to make a friend
즐거워지다
to become pleasant

 문화   **외국인을 위한 유익한 정보** Useful information for foreigners

● 여러분은 한국에서 위급한 상황이 발생한다면 어떻게 하겠습니까? 그리고 비자와 관련해서 궁금한 점이 생기면 어떻게 하겠습니까?
What are you going to do when you face emergencies in Korea? What if you have questions about visa?

● Help me 119, 하이 코리아라는 것을 들어 본 적이 있습니까?
Have you heard Help me 119, Hi Korea?

● Help me 119: Help me 119 system provides foreigners facing emergencies in Korea with a high quality safety and welfare services. When a foreigner calls 119, he or she will be connected to both a fire officer working in 119 control room and an interpretation volunteer at the same time. The service is provided in 16 languages including English, Japanese, German and Chinese.

● Hi Korea: High Korea, an electronic government for foreigners are designed not only to provide foreigners services related with visa and immigration but also to improve conveniencies in the everyday lives such as the housing, transportation, medical services, culture and tourism.
(http://www.hikorea.go.kr)

● 여러분이 알고 있는 유용한 정보가 있으면 친구들에게 이야기해 주세요.
If you have other useful information, talk about it to your friends.

1 〈보기〉와 같이 연습하고, 여러분의 한국 생활에 대해 친구
와 함께 묻고 대답해 보세요.
Talk about your life in Korea with your classmate as in example.

> 보기
>
> **한국에 오다 /**
> **사 개월**
>
> 가: 한국에 온 지 얼마나 되었어요?
> How long have you been in Korea?
>
> 나: 한국에 온 지 사 개월이 되었어요.
> It's been four months since I came to Korea.

시간 경과 표현
Expressions showing
that time has passed

(시간이) **되다** (time) to pass

(시간이) **흐르다** (time) to pass

(시간이) **지나다** (time) to pass

❶ 한국에 오다 / 일 년

❷ 한국에 오다 / 오 개월

❸ 한국에서 살다 / 한 달

❹ 한국에서 살다 / 네 달

❺ 한국어를 공부하다 / 육 개월

❻ 한국어를 공부하다 / 이 년

2 〈보기〉처럼 연습하고, 여러분은 왜 한국어를 배우는지,
왜 한국에 왔는지 친구와 함께 묻고 대답해 보세요.
Talk about why you learn Korean and why you came to Korea with
your classmate as in example.

> 보기
>
>
>
> **한국어를 공부하다 /**
> **한국 회사에 취직하다**
>
> 가: 왜 한국어를 공부해요?
> Why are you learning Korean?
>
> 나: 한국 회사에 취직하려고 한국어를
> 공부해요.
> I am studying Korean in order to enter a
> Korean company.

New Vocabulary

전통 문화 traditional culture

연예인 entertainer

❶ 한국어를 공부하다 / 한국어 선생님이 되다

❷ 한국어를 공부하다 / 한국 대학원에 입학하다

❸ 한국어를 공부하다 / 한국 친구와 이야기하다

❹ 한국에 왔다 / 한국에서 한국어를 공부하다

❺ 한국에 왔다 / 한국의 전통 문화를 배우다

❻ 한국에 왔다 / 좋아하는 한국 연예인을 만나다

3 〈보기〉와 같이 연습하고, 친구와 함께 사는 곳을 묻고 대답해 보세요.

Ask and answer where you live with your classmate as in example.

**학교 기숙사 /
학교 앞 고시원**

가: 지금 학교 기숙사에서 살아요?
　　Do you live in a school dormitory now?

나: 아니요, 학교 앞 고시원에서 살고
　　있어요.
　　No, I am living in a small studio for students.

● 사는 곳 Lodging

기숙사 dormitory

하숙집 boardinghouse

고시원
small studio for students

원룸 studio

한국 친구 집
Korean friend's house

❶ 학교 기숙사 / 하숙집

❷ 하숙집 / 학교 기숙사

❸ 학교 기숙사 / 학교 앞 원룸

❹ 하숙집 / 한국 친구 집

❺ 학교 근처 / 한국 친구 집

❻ 학교 근처 / 친한 친구 집 근처

4 〈보기〉와 같이 연습하고, 한국 생활의 힘든 점에 대해 친구와 함께 묻고 대답해 보세요.

Ask and answer about the difficulties in living in Korea with your classmate as in example.

**음식이 너무 맵다,
힘들다**

가: 한국 생활은 어때요?
　　How is your life in Korea?

나: 다른 건 괜찮은 편인데 음식이 너무
　　매워서 조금 힘들어요.
　　Everything is okay except that the food is too
　　hot. That makes living in korea a little bit
　　difficult.

● New Vocabulary

물가 prices

❶ 한국어가 너무 어렵다, 힘들다

❷ 사람들이 내 말을 못 알아듣다, 힘들다

❸ 한국말이 잘 들리지 않다, 힘들다

❹ 아는 사람이 별로 없다, 외롭다

❺ 가족들하고 같이 살지 않다, 외롭다

❻ 물가가 너무 비싸다, 힘들다

5 〈보기〉와 같이 연습하고, 여러분이 싫은 것에 대해 친구와 함께 묻고 대답해 보세요.

Ask and answer about what you hate with your classmate as in example.

보기

가: 한국 생활은 어때요?
How is your life in Korea?

나: 시험을 자주 보는 것 말고는 다 좋아요.
Everything is great aside from taking an exam often.

가: 그건 정말 싫겠네요.
Taking an exam often sounds awful.

나: 맞아요. 그래서 시험이 없어졌으면 좋겠어요.
Right. I wish there would be no exam.

시험을 자주 보다 /
싫다 /
시험이 없어지다

❶ 한국말을 잘 못하다 / 답답하다 / 빨리 한국어 실력이 늘다

❷ 수업을 너무 일찍 시작하다 / 힘들다 / 한 10시쯤 시작하다

❸ 겨울이 너무 춥다 / 힘들다 / 겨울이 조금만 따뜻하다

❹ 한국의 물가가 너무 비싸다 / 힘들다 / 물가가 좀 내리다

6 〈보기〉와 같이 연습하고, 여러분은 한국에 와서 무엇이 달라졌는지 친구와 함께 묻고 대답해 보세요.

Ask and answer about how you have changed since you came to Korea with your classmate as in example.

보기

가: 한국 생활이 힘들지 않아요?
Isn't it tough to live in Korea?

나: 처음에는 한국 음식을 잘 못 먹어서 힘들었는데 지금은 매운 음식도 잘 먹게 되었어요.
At first, I had difficulties in eating Korean food, but now I got used to eating even hot food.

한국 음식을 잘 못 먹다,
매운 음식도 잘 먹다

❶ 한국어를 하나도 못 하다, 한국 사람하고도 이야기할 수 있다

❷ 한국어가 전혀 들리지 않다, 한국 노래도 조금 이해하다

❸ 제 한국어 발음이 나쁘다, 어려운 발음도 잘 할 수 있다

❹ 아는 사람이 한 명도 없다, 여러 나라의 친구를 사귀다

❺ 혼자서 사는 것이 외롭다, 혼자 있는 시간을 즐기다

❻ 길을 몰라서 집에만 있다, 지하철을 타면 어디든지 갈 수 있다

7 〈보기〉와 같이 연습하고, 한국 생활의 좋은 점에 대해 친구와 함께 묻고 대답해 보세요.

Ask and answer about what you like about living in Korea with your classmate as in example.

New Vocabulary

경험을 하다 to experience

날마다 every day

보기

여러 나라의 친구를 사귀다, 즐겁다

가: 한국 생활이 힘들지 않아요?
Isn't it hard to live in Korea?

나: 하나도 힘들지 않아요.
여러 나라의 친구를 사귈 수 있어서 즐거워요.
Not at all. I enjoy living in Korea because I can make friends from many different countries.

❶ 한국어를 매일 사용하다, 즐겁다

❷ 새로운 경험을 하다, 즐겁다

❸ 한국의 전통 문화를 배우다, 좋다

❹ 한국 음식을 날마다 먹다, 좋다

❺ 한국 드라마를 많이 보다, 행복하다

❻ 다시 학생이 되다, 행복하다

8 〈보기〉와 같이 연습하고, 여러분의 계획에 대해 친구와 함께 묻고 대답해 보세요.

Talk about your plan with your classmate as in example.

New Vocabulary

남다 to remain

정확하다 to be correct

보기

한국어 선생님이 되다, 더 열심히 공부하다

가: 남은 한국 생활을 어떻게 보내고 싶어요?
How do you want to spend your remaining time in Korea?

나: 저는 한국어 선생님이 되고 싶어요. 그래서 앞으로는 더 열심히 공부하기로 했어요.
I want to become a Korean teacher, so I decided to study harder.

❶ 한국어능력시험에 합격하다, 주말에도 공부를 하다

❷ 말하기 연습을 많이 하다, 한국 친구를 많이 사귀다

❸ 정확한 발음으로 이야기하다, 발음 연습을 많이 하다

❹ 한국에서 아르바이트를 해 보다, 열심히 일을 구하다

9 〈보기〉와 같이 이야기해 보세요.

New Vocabulary

실력을 늘리다 to improve
치다 to type
동아리에 가입하다
to join a club

보기

가: 한국에 있는 동안 무엇을 해 보고 싶어요?
What do you want to do while you live in Korea?

한국어 실력을 더 늘리다,
매일 친구들하고 공부하다

나: 한국어 실력을 더 늘리고 싶어요. 그래서 매일 친구들하고 공부하기로 했어요.
I want to improve my Korean, so I decided to study Korean with my friends every day.

❶ 한국어 말하기 실력을 늘리다,
친구들하고 한국말로만 이야기하다

❷ 컴퓨터로 한국어를 치다,
친구한테 컴퓨터로 한국어 치는 방법을 배우다

❸ 한국 문화를 체험하다,
친구들하고 한국 문화 동아리에 가입하다

❹ 한국 요리를 배우다,
주말마다 하숙집 아주머니한테 요리를 배우다

❺ 좋은 추억을 많이 만들다,
친구들하고 한국 여행을 자주 하다

❻ 건강하게 한국 생활을 마치다,
우리 반 친구들하고 매일 운동을 하다

10 〈보기〉와 같이 이야기해 보세요.

> **보기**
>
> **육 개월 /**
> **한국어 선생님이 되다 /**
> **음식이 맵다,**
> **무엇이든지 잘 먹다**
>
> 가: 한국에 온 지 얼마나 되었어요?
> How long have you been in Korea?
>
> 나: 이제 육 개월이 되었어요.
> It has been six months.
>
> 가: 왜 한국어를 공부해요?
> Why do you study Korean?
>
> 나: 한국어 선생님이 되려고 한국어
> 공부를 시작했어요.
> I started to study Korean in order to
> become a Korean teacher.
>
> 가: 한국 생활은 어때요?
> How is your life in Korea?
>
> 나: 처음에는 음식이 매워서 힘들었
> 는데 이제는 무엇이든지 잘 먹게
> 되었어요.
> At first, the food was too hot for me,
> but now I can eat almost everything.

❶ 두 달 / 한국 친구와 이야기하다 /
길을 모르다, 어디든지 갈 수 있다

❷ 일 년 / 한국 대학교에 입학하다 /
말을 못 하다, 하고 싶은 말은 다 할 수 있다

❸ 네 달 / 한국 회사에 취직하다 /
아는 사람이 없다, 친구도 많이 사귀다

❹ 다섯 달 / 한국에서 영화 공부를 하다 /
제 발음이 나쁘다, 정확한 발음으로 말할 수 있다.

🎧 Listening_듣기

1 다음 대화를 잘 듣고 남자의 한국 생활이 즐겁고 재미있으면 O, 그렇지 않으면 ×에 표시하세요.

Listen to the dialogue, and check ○ if the man enjoys living in Korea, and check × if not.

1) O ×   2) O ×   3) O ×

> **New Vocabulary**
>
> 향수병 homesickness

2 다음 대화를 잘 듣고 아래의 내용이 맞으면 O, 틀리면 ×에 표시하세요.

Listen to the dialogue and mark the following statements as either ○ or ×.

1) 남자는 한국에 온 지 삼 년 정도 되었어요.   O ×

2) 여자는 한국의 음식 문화에 관심이 많아요.   O ×

3) 남자는 지금 책을 쓰고 있어요.   O ×

4) 두 사람은 앞으로 같이 공부하기로 했어요.   O ×

> **New Vocabulary**
>
> 서투르다 to be clumsy
>
> 아주머니 (old) lady
>
> 힘내다 to cheer up

3 다음을 잘 듣고 질문에 대답하세요.

Listen to the passsage and answer the following questions.

- 다음은 듣고 싶은 노래를 방송해 주는 라디오 프로그램의 일 부입니다. 어떤 내용이 있을지 예상해 보세요.

  The following is a part of a radio program putting songs on the air. Make a guess about what will be included.

- 여러분이 예상한 내용이 있는지 들으면서 확인해 보세요.

  Listen to the passage and see if your guess is right or not.

- 다시 한번 듣고 다음 질문에 대답하세요.

  Listen again and answer the following questions.

  (1) 장정 씨는 왜 노래를 신청했습니까?

  (2) 장정 씨가 신청한 노래의 제목은 무엇입니까?

  (3) 장정 씨는 한국에 온 지 얼마나 되었습니까?

  (4) 장정 씨는 친구들에게 어떤 도움을 받았습니까?

- 다시 들으면서 장정 씨가 쓰지 않고 진행자가 이야기한 부분 이 어디인지 확인해 보세요.

  Listen again and check which is the part that the DJ talked rather than 장정 wrote.

> **New Vocabulary**
>
> 안암동 *Anam-dong*(district)
>
> 유학생 international student
>
> 방송 broadcasting
>
> 청춘 youth
>
> 마음이 따뜻하다
> to be heart-warming
>
> 응원하다 to support
>
> 신청하다 to ask for

Speaking_말하기

1 친구는 한국 생활을 어떻게 하고 있을까요? 친구의 한국 생활을 인터뷰해 보세요.
How is your friend's life in Korea? Interview your friend about his / her life in Korea.

● 친구에게 물어보고 싶은 내용을 정리해 보세요. 그리고 어떻게 질문할지 생각해 보세요.
Think about what you want to ask your friend and how you are going to ask them.

▶ 언제 한국에
▶ 왜 한국에
▶ 한국 생활은
▶ 앞으로 한국에서
▶
▶

● 정리한 내용을 바탕으로 친구의 한국 생활에 대해 인터뷰해 보세요.
Based on it, interview your friend about his / her life in Korea.

2 친구들 앞에서 여러분의 한국 생활에 대해서 이야기해 보세요.
Talk about your life in Korea in front of your friends.

● 무엇을 어떻게 이야기할지 생각해 보세요.
Think about what you are going to talk about.

● 생각한 내용을 바탕으로 한국 생활에 대해서 발표해 보세요.
Based on your thoughts, talk about your life in Korea.

● 친구들의 발표를 듣고 우리 반 친구들이 힘들어하는 일은 무엇인지, 즐거워하는 일은 무엇인지 이야기해 보세요.
Listen to your friends' presentation and talk about what they struggle with and what they enjoy.

📖 Reading_읽기

1 다음은 어느 유학생이 쓴 한국 생활에 대한 글입니다. 잘 읽고 질문에 답하세요.

The following is a passage on living in Korea written by an international student. Read it carefully and answer the questions.

● 한국 생활을 소개하는 글에는 어떤 내용이 있을까요?

What would be included in a passage introducing a life in Korea?

● 여러분이 예상한 내용이 있는지 확인하면서 읽어 보세요. 읽은 후에는 무슨 내용이, 어떤 순서로 있었는지 정리해 보세요.

Read it, seeing if your guess is right or not. After reading it, think about what was included and in what order in the passage.

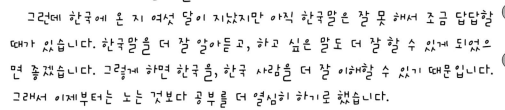

저는 한국 사람이 좋아서 한국에 왔습니다. 저는 3년 전에 혼자서 남미로 여행을 간 적이 있었는데 그때 한국 사람을 한 명 만났습니다. 같은 동양 사람인 우리는 금방 친구가 되었고 3주 동안 함께 여행을 했습니다. 이 친구 때문에 저는 한국에 관심을 갖게 되었습니다.

남미 여행에서 돌아온 후 저는 한국에 가기로 결심을 하고 열심히 돈을 모았습니다. 2년 동안 한국만 생각하면서 열심히 일을 했습니다. 그렇게 해서 떨리는 마음으로 드디어 한국행 비행기를 탈 수 있게 되었습니다.

한국에서의 생활은 모든 것이 신기하고 재미있었습니다. 한국 사람들을 만나는 것, 한국 음식을 먹는 것, 한국 문화를 배우는 것, 모든 것이 새롭고 즐거웠습니다.

그런데 한국에 온 지 여섯 달이 지났지만 아직 한국말은 잘 못 해서 조금 답답할 때가 있습니다. 한국말을 더 잘 알아듣고, 하고 싶은 말도 더 잘 할 수 있게 되었으면 좋겠습니다. 그렇게 하면 한국을, 한국 사람을 더 잘 이해할 수 있기 때문입니다. 그래서 이제부터는 노는 것보다 공부를 더 열심히 하기로 했습니다.

● 아래의 내용이 맞으면 ○, 틀리면 × 에 표시하세요.

Mark the following statements as either ○ or × .

(1) 한국에 온 지 육 개월이 되었습니다. ○ ×

(2) 한국 친구가 없어서 많이 외롭습니다. ○ ×

(3) 한국을 여행하려고 한국에 왔습니다. ○ ×

(4) 지금 일을 하면서 공부하기 때문에 힘듭니다. ○ ×

(5) 앞으로는 지금보다 공부를 더 열심히 할 것입니다. ○ ×

New Vocabulary

남미 South America

동양 the Orient

관심을 갖다
to have an interest in

돈을 모으다 to save money

✏️ Writing_쓰기

1 여러분의 한국 생활을 소개하는 글을 써 보세요.
Write a passage introducing your life in Korea.

● 한국에 온 계기와 앞으로의 계획 중 무엇을 중심으로 여러분의 한국 생활을 소개할 것인지 정한 후 간단하게 메모하세요.
Take a note about what you are talking about your life in Korea, between why you came to Korea and what you will do in Korea.

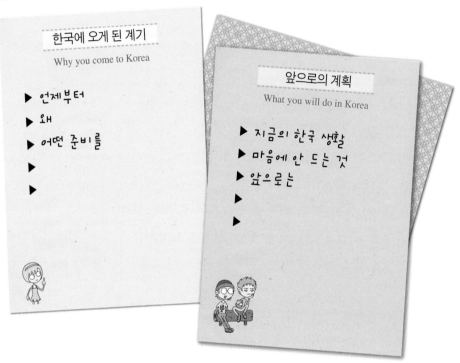

● 위에서 만든 개요를 바탕으로 여러분의 한국 생활을 소개하는 글을 써 보세요.
Based on the outline, write a passage introducing your life in Korea.

● 글을 완성한 후 친구와 바꿔 읽어 본 후 필요한 부분은 고쳐 써 보세요.
After you finish writing, exchange it with your friend's, and correct mistakes, if any.

● 친구들 앞에서 여러분의 글을 발표해 보세요.
Make a presentation of your passage in front of your friends.

자기 평가 ✏️   Self-Check

● 한국 생활에 대해 묻고 답할 수 있습니까? Are you able to ask and answer about your life in Korea?	Excellent ●━━●━━●━━● Poor
● 한국어를 공부하는 목적을 묻고 답할 수 있습니까? Are you able to ask and answer why you study Korean?	Excellent ●━━●━━●━━● Poor
● 한국 생활에 대한 글을 읽고 쓸 수 있습니까? Are you able to write a passage on a life in Korea?	Excellent ●━━●━━●━━● Poor

1 –(으)ㄴ 지

- –(으)ㄴ 지 is attached to a verb stem, indicating how much time has passed after something is done. –(으)ㄴ 지 is followed by only (시간이) 되다, 지나다, 흐르다, 넘다.

  가 : 한국에 온 지 얼마나 되었어요? How long have you been in Korea?

  나 : 사 개월이 되었어요. It has been four months.

- This takes two forms.

  a. If the verb stem ends in a vowel or ㄹ, -ㄴ 지 is used.

  b. If the verb stem ends in a consonant other than ㄹ, -은 지 is used.

  (1) 가 : 언제부터 한국에 살았어요?

     나 : 한국에서 산 지 이제 두 달 되었어요.

  (2) 가 : 한국어를 공부한 지 오래 되었어요?

     나 : 아니요, 아직 다섯 달밖에 안 되었어요.

  (3) 가 : 우리 저녁 먹으러 안 갈래요?

     나 : 벌써요? 점심을 먹은 지 아직 네 시간밖에 안 지났어요.

  (4) 가 : 영진 씨, 요즘 수미 씨는 잘 지내요?

     나 : 아마 잘 지낼 거예요. 못 만난 지 한 달쯤 됐어요.

  (5) 가 : 한국에 온 지 얼마나 되었어요?

     나 : _____.

  (6) 가 : 부모님한테 자주 연락해요?

     나 : 아니요, _____.

2 –(으)려고

- –(으)려고 is attached to a verb stem, indicating that a speaker has an intention or a purpose to do something.

  가 : 왜 한국어를 공부해요? Why do you study Korean?

  나 : 한국 회사에 취직하려고 한국어를 공부해요. I study Korean in order to enter a Korean firm.

- This takes two forms.

  a. If the verb stem ends in a vowel or ㄹ, -려고 is used.

  b. If the verb stem ends in a consonant other than ㄹ, -으려고 is used.

  (1) 가 : 지금 뭐 하고 있어요?

     나 : 여자 친구한테 선물하려고 뭐 좀 만들고 있어요.

(2) 가 : 아까 왜 전화 안 받았어요?

나 : 책을 찾으려고 도서관에 갔어요. 그래서 전화 못 받았어요.

(3) 가 : 이거 영진 씨 양복이에요?

나 : 네, 다음 주 졸업식 때 입으려고 샀어요.

(4) 가 : 어디 갔다 와요?

나 : 저녁에 불고기를 만들려고 고기 좀 사 왔어요.

(5) 가 : 왜 한국어를 공부해요?

나 : _____.

(6) 가 : 지금 어디 가요?

나 : _____.

3 -게 되다

● -게 되다 is attached to a verb stem, indicating that a certain condition or other person's behavior leads to a certain situation.

가 : 한국어 공부는 어때요? How is your studying Korean?

나 : 처음에는 한국말로 인사도 못 했는데 이제는 한국말을 잘 하게 되었어요.

At first, I could not say hello in Korean, but now I can speak in Korean well.

(1) 가 : 한국 음식을 잘 먹네요.

나 : 처음에는 잘 못 먹었는데 이제는 김치도 잘 먹게 되었어요.

(2) 가 : 발음이 아주 좋아진 것 같은데 어떻게 공부했어요?

나 : 영화를 보면서 따라하니까 어려운 발음도 잘 하게 되었어요.

(3) 가 : 집에 일이 생겨서 고향에 돌아가게 되었어요.

나 : 이렇게 갑자기 가게 돼서 너무 섭섭해요. 나중에 꼭 다시 오세요.

(4) 가 : 요즘도 링링 씨하고 자주 연락해요?

나 : 서로 바쁘니까 요즘은 전화도 잘 안 하게 돼요. 가끔 이메일을 보내요.

(5) 가 : 한국 음식을 좋아해요?

나 : _____.

(6) 가 : 한국말을 아주 잘 하네요.

나 : _____.

● New Vocabulary

따라하다 to follow

4 **-기로 하다**

- -기로 하다 is attached to a verb stem, indicating that the speaker's plan, determination, decision or promise to do something.

한국어능력시험에 합격하고 싶어요. 앞으로는 더 열심히 공부하기로 했어요.

I want to pass the Test of Proficiency in Korean, so I decided to study Korean harder.

(1) 가 : 다음 달에 고향에 돌아가지요?

　　나 : 처음에는 그러려고 했는데 한 학기 더 공부하기로 했어요.

(2) 가 : 방학에 뭐 할 거예요?

　　나 : 친구들하고 한국 여기저기를 여행하기로 했어요.

(3) 가 : 한국에 와서 너무 살이 쪘어요. 그래서 다음 주부터 운동하기로 했어요.

　　나 : 나도 운동 좀 하려고 했는데 우리 같이 할까요?

(4) 가 : 한국말을 잘 하고 싶어요. 그래서 이제부터 한국말로만 이야기하기로 했어요.

　　나 : 좋은 생각이에요. 그렇게 하면 한국어 실력이 빨리 늘 거예요.

(5) 가 : ＿＿＿＿＿＿＿＿＿＿＿＿＿＿＿.

　　나 : 정말이에요? 꼭 그렇게 하세요.

(6) 가 : 한국에 있는 동안 뭘 하고 싶어요?

　　나 : ＿＿＿＿＿＿＿＿＿＿＿＿＿＿＿.

● New Vocabulary

| 학기 | semester |
| 여기저기 | here and there |

제13과 도시
City

Goals

You will be able to talk about a city and your hometown.

Topic	City
Function	Talking about a city, Explaining the characteristics of a city
Activity	Listening : Listen to a conversation describing a city
	Speaking : Have a conversation about a city, Explain one's hometown
	Reading : Read a passage about a city
	Writing : Write a passage about one's hometown
Vocabulary	Direction, City, Characteristics of a city
Grammar	–다 style (sentence ending form in written language)
Pronunciation	Syllable-final sounds [ㅂ, ㄷ, ㄱ]
Culture	Seoul

제13과 도시 City

1. 여기는 어디일까요? 이곳을 어떻게 설명하겠어요?
   Where are these places? How would you describe them?

2. 여러분의 고향은 어디입니까? 그곳은 어떤 특징을 가지고 있어요?
   Where is your hometown? What is unique about your hometown?

1

경　호: 하루코 씨는 한국에 오기 전에 어디에 살았어요?

하루코: 저는 나고야에 살았어요.

경　호: 나고야는 어디에 있어요?

하루코: 도쿄에서 서쪽으로 260킬로미터쯤 떨어져 있어요. 여러 가
　　　　지 시설이 잘 되어 있어서 아주 살기 좋아요.

경　호: 나고야는 환경 도시로 유명하지요?

하루코: 네. 그런데 그걸 어떻게 아세요? 나고야는 환경 도시로 유명
　　　　하지만 산업 도시로도 유명해요.

경　호: 기업이 많아요?

하루코: 네, 기업이 많은 편이에요. 아주 유명한 대기업도 있고요.
　　　　그래서 다른 지방에서 일하러 오는 사람들이 많아요.

● New Vocabulary

서쪽 the west

떨어져 있다 to be away

환경 도시 environmental city

산업 도시 industrial city

기업 company

대기업 big firm

지방 region

2

린다: 어휴! 사람이 너무 많아서 걷기도 힘들다. 수진아, 서울의 인구
　　　가 얼마나 되는지 알아?

수진: 글쎄, 천만 명이 넘는 것 같은데 정확한 수는 나도 잘 모르겠어.

린다: 뭐, 천만 명? 정말 많다.

수진: 출퇴근 시간에는 정말 정신이 없지? 그렇지만 난 사람들이 바
　　　쁘게 움직이는 걸 보면 힘이 나서 좋아.

린다: 그래? 나는 그동안 작은 도시에서만 살아서 이런 대도시에는
　　　적응하기가 좀 힘들어.

수진: 그래도 넌 서울을 좋아하잖아.

린다: 그럼. 난 서울에 고궁이 많은 것이 참 좋아. 현대와 과거를 함
　　　께 느낄 수 있으니까. 그리고 서울에 아름다운 산이 많이 있는
　　　것도 좋고.

● New Vocabulary

인구 population

넘다 to be over

움직이다 to move (around)

힘이 나다 to gain energy

대도시 big city

적응하다 to adapt

현대 modern times

과거 past

3

내 고향은 영국의 에딘버러다. 런던에서 북쪽으로 230킬로미터 떨어져 있다.

에딘버러는 스코틀랜드의 주도이고, 인구는 45만 명 정도 된다. 아름다운 성과 건축물이 많이 있어서 일 년 내내 관광객이 많이 찾아온다. 에딘버러는 도시 전체가 박물관 같다.

에딘버러는 조용하고 깨끗하다. 시내에는 관광객을 위한 호텔이나 가게들이 많다. 그리고 사람들이 아주 친절하기 때문에 여행하기 좋은 곳이다.

New Vocabulary

북쪽 the north
주도 the state capital
성 castle
건축물 building/architecture
일 년 내내 all the year round
찾아오다 to visit
전체 the whole

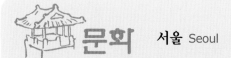 **문화** 서울 Seoul

- 여러분은 서울에 대해서 뭘 알고 계세요? 서울이 언제부터 수도였는지 아세요? 다음 퀴즈를 풀면서 여러분이 서울에 대해 얼마나 알고 있는지 이야기해 보세요.
  What do you know about 서울? Do you know since when 서울 has been a capital of Korea? Talk about how much you know about 서울 while solving the following quiz.

  ❶ 서울은 1948년에 한반도의 수도가 되었다. 서울 became a capital of the Korean Peninsula in 1948.
  ❷ 서울의 면적은 대한민국 전체의 10%가 넘는다. The size of 서울 accounts for more than 10% of the Republic of Korea.
  ❸ 서울의 인구는 10,000,000명을 넘는다. 서울's population is over 10,000,000.
  ❹ 서울의 지하철은 1974년에 처음 개통되었다. 서울's subway service started in 1974.
  ❺ 서울은 1988년 올림픽의 개최 도시이다. 서울 is the host city of the 1988 Olympic Games.

- 서울에 대한 설명을 읽고 위의 퀴즈의 답을 확인해 보세요.
  Read the following explanation about 서울 and see if you get the correct answers.

  서울 became a capital city of the Korean Peninsula with the founding of the 조선 Dynasty. Since then, 서울 has been the center of politics, economy and culture of Korea for the last 600 years. As of Dec. 31st, 2007, the size of 서울 is 605.33km², accounting for about 6% of the total land of Korea and 서울 has a population of 10,422,000.
  서울's subway service started in 1974. 서울 now has one of the best transportation system ranging from airports to high speed railways to expressways to port facilities, which makes 서울 an attractive market and the hub of logistics.
  서울 also has a variety of cultural facilities like museums, libraries, parks and sports facilities. 잠실 Olympic Main Stadium is where the 1988 서울 Olympic Games was held and the 상암 World Cup Stadium is where the 2002 Korea Japan world cup was held.
  서울 Metropolitan City holds Hi! Seoul Festival, one of the most representative festivals for citizens every May, showing the dynamic image of 서울 to the world.

- 서울에 대해 아는 것이 있으면 친구와 함께 이야기해 보세요.
  If there are other things that you know about 서울, talk about them with your friends.

1 〈보기〉와 같이 이야기해 보세요.

> **보기**
>
> 인천 /
> 서울, 서쪽, 30km
>
> 가: 인천이 어디에 있어요?
> Where is 인천 located?
>
> 나: 서울에서 서쪽으로 30킬로미터쯤
> 떨어져 있어요.
> It is in the west, 30 km away from 서울.

❶ 수원 / 서울, 남쪽, 40km

❷ 경주 / 대구, 동쪽, 60km

❸ 개성 / 서울, 북쪽, 35km

❹ 대구 / 부산, 서북쪽, 100km

❺ 집 / 회사, 서쪽, 5km

❻ 약국 / 병원, 오른쪽, 30m

방향 Direction

동쪽	the east
서쪽	the west
남쪽	the south
북쪽	the north
동남쪽	the southeast
동북쪽	the northeast
서남쪽	the southwest
서북쪽	the northwest

New Vocabulary

개성 *Gaesung*(city)

Language Tip

동남쪽, 서북쪽 can be used as 남동쪽 or 북서쪽.

2 〈보기〉와 같이 연습하고, 친구와 고향이 어떤 곳인지 묻고 대답해 보세요.

Ask and answer about your hometown as in example.

> **보기**
>
> 깨끗하고 조용하다,
> 살기 좋다
>
> 가: 마이클 씨 고향은 어떤 곳이에요?
> What is your hometown like?
>
> 나: 깨끗하고 조용해서 살기 좋은 곳이
> 에요.
> It is a great place to live in since it is clean
> and quiet.

❶ 서울 근처에 있다, 살기 좋다

❷ 학교가 많다, 아이들을 교육시키기 좋다

❸ 큰 병원이나 극장이 없다, 살기 불편하다

❹ 사람이 별로 없다, 아주 조용하다

❺ 경치가 좋다, 사람들이 많이 찾아오다

❻ 바닷가에 있다, 해수욕장이 유명하다

New Vocabulary

아이 child

교육시키다 to educate

3 〈보기〉와 같이 연습하고, 친구와 고향이 어떤 곳인지 묻고
대답해 보세요.
Ask and answer about your hometown as in example

보기

조용하고 공기가 맑다,
시골

가: 왕단 씨 고향은 어떤 곳이에요?
What is your hometown like, 왕단?

나: 조용하고 공기가 맑은 시골이에요.
My hometown is a quiet country which has
fresh air.

❶ 서울과 비슷하다, 대도시

❷ 경치가 아주 아름답다, 시골

❸ 관광지로 유명하다, 곳

❹ 교육 도시로 유명하다, 곳

❺ 공장이 많고 복잡하다, 소도시

❻ 도시에서 멀리 떨어지다, 시골

도시 City	
도시	city
시골	country
수도	capital
대도시	big city
소도시	small city
교육 도시	education(al) city
산업 도시	industrial city
관광지	tourist destination
환경 도시	environmental city

4 〈보기〉와 같이 이야기해 보세요.

보기

서울, 남쪽, 70km /
도시가 작고 아름답다,
교통이 편리하다

가: 민수 씨 고향은 어디에 있어요?
Where is your hometown?

나: 서울에서 남쪽으로 70킬로미터
쯤 떨어져 있어요.
It is in the south, 70km away from 서울.

가: 어떤 곳이에요?
What is it like?

나: 도시가 작고 아름다운 곳이에요.
교통이 편리해서 살기 좋아요.
The city is small and beautiful.
Transportation system is very convenient,
so it is good to live in.

❶ 서울, 동쪽, 60km /
인구가 많고 복잡하다, 여러 가지 시설이 잘 되어 있다

❷ 부산, 서쪽, 15km / 도시가 작고 조용하다, 대도시 근처에 있다

❸ 대전, 남쪽, 30km /
역사가 오래되고 유적지가 많다, 사람들이 친절하다

❹ 광주, 북쪽, 20km / 인심이 좋고 음식이 맛있다, 공기가 맑다

도시의 특성 Characteristics of a city
인구가 많다 to be populous
복잡하다 to be crowded
교통이 편리하다/불편하다 transportation to be convenient / inconvenient
조용하다 to be quiet
시끄럽다 to be noisy
경치가 좋다 to have a great landscape
공기가 맑다 to have fresh air
인심이 좋다 to be generous
(교육 도시)로 유명하다 to be famous for (an educational city)
살기 편하다/불편하다 to be good/bad for living in

New Vocabulary
역사가 오래되다 to have a long history
유적지 historic site
공장 factory

5 〈보기〉와 같이 이야기해 보세요.

보기

에딘버러, 오래된 성,
아름다운 건축물 /
박물관

가 : 에딘버러에는 오래된 성과 아름
다운 건축물이 많아요.
Edinburgh has many old castles and
beatiful buildings.

나 : 맞아요. 그래서 에딘버러는 도시
전체가 박물관 같아요.
That is why the whole city looks like a
museum.

❶ 경주, 오래된 집, 유적지 / 박물관

❷ 푸껫, 아름다운 해수욕장, 좋은 호텔 / 리조트

❸ 파리, 멋진 여자, 멋진 남자 / 패션쇼장

❹ 취리히, 아름다운 호수, 오래된 건물 / 그림

6 〈보기 1〉이나 〈보기 2〉와 같이 이야기해 보세요.

보기1

한국의 수도 /
서울

가 : 한국의 수도가 어디인지 알아요?
Do you know where the capital of Korea is?

나 : 서울 아니에요?
Isn't it 서울?

가 : 맞아요.
Yes, it is.

보기2

한국의 수도 /
부산 / 서울

가 : 한국의 수도가 어디인지 알아요?
Do you know where the capital of Korea is?

나 : 부산 아니에요?
Isn't it 부산?

가 : 틀렸어요. 서울이에요.
That is wrong. It is 서울.

❶ 중국의 수도 / 베이징

❷ 호주의 수도 / 시드니 / 캔버라

❸ 미국의 수도 / 뉴욕 / 워싱턴

❹ 스코틀랜드의 주도 / 에딘버러

❺ 서울의 인구 / 천만 명 정도

❻ 바티칸의 인구 / 만 명 정도 / 천 명 정도

7 〈보기〉와 같이 문장을 만들어 보세요.

Make a sentence as in example.

> **보기1**
>
> 서울은 인구가 천만 명이 넘습니다.
> 서울 has a population of over 10 milion.
>
> ➡ 서울은 인구가 천만 명이 넘는다.

> **보기2**
>
> 서울은 인구가 많습니다.
> 서울 has a large population.
>
> ➡ 서울은 인구가 많다.

> **보기3**
>
> 서울은 한국의 수도입니다.
> 서울 is a capital of Korea.
>
> ➡ 서울은 한국의 수도이다.

New Vocabulary

정치 politics

경제 economy

중심지 center/hub

두 번째로 the second

발전하다 to grow/develop

❶ 한국 사람은 열심히 일합니다.

❷ 제주도에는 외국인 관광객이 많이 찾아옵니다.

❸ 서울에는 천만 명 이상이 삽니다.

❹ 한국에서는 가게가 일찍 문을 닫지 않습니다.

❺ 대전은 서울의 남쪽에 있습니다.

❻ 부산은 아름다운 바다로 유명합니다.

❼ 서울은 크고 복잡합니다.

❽ 한국을 여행하고 싶습니다.

❾ 우리 고향은 인구가 많지 않습니다.

❿ 서울은 한국의 정치, 경제, 문화의 중심지입니다.

⓫ 동대문 시장과 남대문 시장은 역사가 오래된 시장입니다.

⓬ 부산은 한국에서 두 번째로 큰 도시입니다.

⓭ 저는 다음 달에 처음으로 서울에 갈 것입니다. 서울은 아주
  큰 도시일 것입니다.

⓮ 한국은 앞으로 더 발전할 겁니다.

8 〈보기〉와 같이 문장을 만들어 보세요.

Make a sentence as in example.

> **보기1**
> 많은 사람들이 시골에서 서울로 왔습니다.
> Many people moved from the country to 서울.
>
> ➡ 많은 사람들이 시골에서 서울로 왔다.

> **보기2**
> 백 년 전에는 서울이 지금보다 훨씬 작았습니다.
> A hundred years ago, 서울 was much smaller than now.
>
> ➡ 백 년 전에는 서울이 지금보다 훨씬 작았다.

> **보기3**
> 경주는 신라의 수도였습니다.
> 경주 was a capital of 신라.
>
> ➡ 경주는 신라의 수도였다.

New Vocabulary

훨씬 much more
신라 *Shilla*(Dynasty)
옛날 long time ago
농사를 짓다 to do farming
왕 king
한글 *Hangeul*(the Korean alphabet)
글자 letter/character
밭 field

❶ 한국 사람들은 옛날에 주로 농사를 짓고 살았습니다.

❷ 한국 사람들은 옛날부터 노래를 부르고 춤을 추는 것을 좋아했습니다.

❸ 한국에도 옛날에는 왕이 있었습니다.

❹ 한글을 만들기 전까지는 글자를 모르는 사람들이 많았습니다.

❺ 이곳이 전에는 밭이었습니다.

❻ 1900년에는 서울 인구가 80만 명 정도였습니다.

9 〈보기〉와 같이 문장을 만들어 보세요.

Make a sentence as in example.

> **보기**
> 서울에는 지하철이 있어서 교통이 편리하겠습니다.
> 서울 must have a convenient transportation system thanks to the subway.
>
> ➡ 서울에는 지하철이 있어서 교통이 편리하겠다.

❶ 서울은 인구가 많아서 아주 복잡하겠습니다.

❷ 여기는 공기가 맑아서 살기 좋겠습니다.

❸ 길이 복잡해서 시간이 많이 걸리겠습니다.

❹ 저는 앞으로 서울에서 살겠습니다.

❺ 저는 한국을 여기저기 여행하겠습니다.

❻ 저희는 일주일 정도 여기에 더 있겠습니다.

10 다음 문장을 '-다'체로 바꿔 써 보세요.

Change the following sentences with -다 style endings.

❶ 서울은 인구가 많아서 아주 복잡하겠습니다.

❷ 이탈리아 사람들은 노래를 잘합니다.

❸ 이집트는 피라미드로 유명합니다.

❹ 몽골은 한국에서 멀지 않습니다.

❺ 저는 호주에 가서 캥거루를 봤습니다.

❻ 인도 사람들은 보통 소고기를 먹지 않습니다.

❼ 저는 캐나다에 꼭 가 보고 싶습니다.

❽ 저는 이번 휴가에 방콕에 다녀왔습니다.

❾ 다음 휴가에는 프라하에 갈 것입니다.

❿ 브라질은 한국에서 너무 멉니다.

⓫ 교토는 역사적인 도시라서 관광객이 많을 것입니다.

⓬ 요즘 일이 많습니다. 그렇지만 주말에는 꼭 제주도에 다녀오겠습니다.

New Vocabulary

피라미드 pyramid
캥거루 kangaroo
소고기 beef
역사적이다 to be historic

발음 Pronunciation

Syllable-final sounds [ㅂ, ㄷ, ㄱ]

밥 [밥]

밭 [받]

밖 [박]

Syllable-final consonants [ㅂ, ㄷ, ㄱ] are pronounced with closure at one place of articulation, preventing the air from coming out. Pronunciation differs depending on which place of articulation is closed.
[ㅂ] is pronounced with the lips closed, [ㄷ] with the tip of the tongue touching the upper gums, and [ㄱ] with the back of the tongue attached to the back of the palate.

밥　　밭　　밖

▶연습해 보세요.
(1) 속초 북쪽에 있어요.
(2) 장미꽃 백 송이를 받았어요.
(3) 아직 밥도 안 먹었어요?

🎧 Listening_듣기

1 다음 대화를 잘 듣고 여자의 고향으로 알맞은 것을 고르세요.

Listen to the dialogue and choose the woman's hometown.

ⓐ

ⓑ

ⓒ

1) _____ 2) _____ 3) _____

2 다음 대화를 잘 듣고 아래의 내용이 맞으면 ○, 틀리면 ×에 표시하세요.

Listen to the dialogue and mark the following statements as either ○ or ×.

1) 왕단의 고향은 북경 근처이다. ○ ×

2) 왕단의 고향은 인구가 10만 명을 넘는다. ○ ×

3) 왕단의 고향 사람들은 주로 농사를 지으면서 산다. ○ ×

4) 왕단의 고향은 작은 도시라서 생활하기에 불편하다. ○ ×

3 다음을 잘 듣고 아래의 내용이 맞으면 ○, 틀리면 ×에 표시하세요.

Listen to the passage and mark the following statements as either ○ or ×.

1) 경주는 서울보다 작은 도시이다. ○ ×

2) 경주는 인구가 40만 명쯤 된다. ○ ×

3) 경주는 아주 역사적인 도시이다. ○ ×

4) 경주는 깨끗하지만 복잡한 도시이다. ○ ×

Speaking_말하기

1 친구의 고향은 어떤 곳일까요? 친구의 고향과 여러분의 고향에 대해 친구들과 이야기해 보세요.

Where is your friend's hometown? Make a conversation about each other's hometown with your friends.

● 친구의 고향에 대해 다음의 내용들이 궁금합니다. 어떻게 묻고 대답할지 생각해 보세요.

You want to know the following information about your friend's hometown. Think about how you are going to ask and answer about them.

알고 싶은 것	질문	내 고향
어디	고향이 어디예요?	서울
어떤 곳		
크기		
인구		
유명한 것		
소개하고 싶은 것		

● 친구들과 묻고 대답해 보세요.

Make a converation with your friends using the questions above.

2 여러분의 고향을 친구들에게 소개해 보세요.

Introduce your hometown to your friends.

● 위에서 고향에 대해 이야기한 내용을 어떤 순서로 정리해서 소개하면 좋을지 생각해 보세요.

Think about how you are going to arrange the questions above.

● 보충하고 싶은 내용이 있으면 추가해서 발표 내용을 정리하세요.

If you want to add something, add that to what you have prepared to say.

● 고향을 잘 알릴 수 있는 사진이 있으면 함께 보여 주면서 고향을 소개해 보세요.

If you have pictures of your hometown, show them when you introduce your hometown.

📖 **Reading**_읽기

1 다음은 호찌민 시를 소개하는 글입니다. 잘 읽고 질문에 답하세요.

The following is a passage introducing Hochimin city. Read it carefully and answer the questions.

● 호찌민이 어떤 도시인지 알고 있어요? 호찌민에 대해 알고 있는 내용을 이야기하며 이 글에 어떤 내용이 들어 있을지 예측해 보세요.

What do you know about Hochimin city? Talk about the city and make a guess what would be included in the passage.

● 빠른 속도로 읽으면서 예상한 내용이 있는지 확인해 보세요.

Read it quickly and see if your guess is right or not.

호찌민은 베트남의 가장 큰 도시로서 메콩강 끝에 자리 잡고 있다.

호찌민은 과거에는 남베트남의 수도였고, 사이공이라는 이름으로 불렸다. 1975년에 사이공은 베트남 혁명의 아버지 '호찌민'의 이름을 따라 '호찌민'으로 이름이 바뀌었다.

호찌민의 인구는 650만 명 정도 된다.

베트남의 수도인 하노이는 정치의 중심지라면 호찌민은 경제의 중심지라고 할 수 있다. 호찌민은 매우 빠르게 발전하고 있다.

호찌민 사람들은 오토바이를 많이 타고 다닌다. 호찌민에서는 출퇴근 시간에 오토바이를 타고 거리를 달리는 사람들을 많이 볼 수 있다.

● 다시 한 번 읽고 아래의 내용이 맞으면 ○, 틀리면 × 에 표시하세요.

Read it once again and mark the following statements as either ○ or ×.

(1) 호찌민은 베트남의 수도이다.   ○ ×

(2) 호찌민의 옛 이름은 사이공이다.   ○ ×

(3) 호찌민은 베트남 경제의 중심지이다.   ○ ×

(4) 호찌민에서는 오토바이를 타고 다니는   ○ ×
　　사람들을 많이 볼 수 있다.

▶ New Vocabulary

메콩강 Mekong river

자리를 잡다
to occupy a position

불리다 to be called

혁명 revolution

거리 street

달리다 to run/rush

Writing_쓰기

1 '-다'체를 이용해 여러분의 고향을 설명하는 글을 써 보세요.
Write a passage describing your hometown with the sentence ending form of -다 style.

● 말하기 **2**에서 소개한 내용을 바탕으로 여러분의 고향을 설명하는 글을 구상해 보세요.
Based on what you practiced in Speaking **2**, make an outline for how you are going to write about your hometown.

● 문어체 표현에 유의하며 개요를 문장으로 바꿔 쓰세요.
Turn your outline into sentences, paying attention to the written style expressions.

● 글을 완성한 후 종결형이 제대로 되었는지 확인해 보고, 친구와 바꿔 검토해 보세요.
After you finish writing, see if each sentence ends with the appropriate ending form. Exchange writings with your friend and see if there is any mistake.

자기 평가   Self-Check

● 어떤 도시나 여러분의 고향에 대해 설명할 수 있습니까?
Are you able to explain a city or your hometown?

Excellent ●——●——●——● Poor

● 도시를 설명한 글을 읽고 쓸 수 있습니까?
Are you able to read and write a passage explaining a city?

Excellent ●——●——●——● Poor

♣ −다 style (sentence ending form in written language)

- In Korean, there is a difference between the written language and the spoken language. One of the biggest differences comes from the sentence ending form. In the spoken language, the sentence ending forms like -습니다 or -어요, -어 are used, while in the written language, -다 is used.

  서울은 대한민국의 수도이다. 서울은 매우 크다. 그리고 서울의 인구는 천만 명을 넘는다.

  서울 is a capital of the Republic of Korea. 서울 is very large and 서울 has a population over 10 million.

  As you see in the examples like 수도이다, 크다, 넘는다, sentence ending form is -다, but the form of the final ending differs depending on the word classes or the tense. Further explanation will be made in 🔳, 🔳, 🔳 below.

- When you write in -다 style, you do not take the specific group of readers into consideration, so you should use 나, 우리 rather than 저, 저희.

  저는 학생이다. (×)

  나는 학생이다. (○)

- -다 style is usually used in writing, but it is also used in speaking, especially for the casual form of speech such as 걷기도 힘들다 or 정말 많다 said by Linda in the dialogue & story 🔳. When the speaker talks to oneself, not caring about the fact that someone might hear what he or she says or wants to boast about something, the -다 style is used for the low(casual) form of speech.

  와, 저 건물 정말 멋있다.

  나 이거 선물 받았다.

🔳 −다 style present tense & −(으)ㄹ 것이다

- The following endings are used after a stem according to the word classes.

1) A verb

   a. If a stem ends in a vowel or ㄹ, -ㄴ다 is used.

   b. If a stem ends in a consonant, -는다 is used.

2) An adjective or 'noun+이다'

   An adjective stem or the stem of 'noun+이다' should be followed by -다.

   In case of -(으)ㄹ 것이다 which indicates a plan or an assumption, it should be followed by -다, because 것 is a noun.

한국 사람들은 열심히 일한다.

한국 사람들은 밥을 먹는다.

서울에는 인구가 많다.

서울은 대한민국의 수도이다.

우리는 다음 달에 서울에 갈 것이다.

● If 않다 follows a verb, it goes through the same kind of changes with a verb, while if it follows an adjective, it goes through the same kind of changes with an adjective.

내 고향은 크지 않다.

고향 사람들은 이제 농사를 짓지 않는다.

● 싶다, 같다, 필요하다 are adjectives, so like other adjectives, their stems should be followed by -다.

고향에 돌아가서 살고 싶다.

우리 고향은 다른 곳보다 살기 편한 것 같다.

고향 사람들의 따뜻한 마음이 필요하다.

2 -다 style past tense

● The verb stem, the adjective stem, and the stem of 'noun+이다' should be followed by the ending of the word as in the following.

1) A verb & an adjective

    a. If the last vowel in the stem is ㅏ, ㅗ, -았다 is used.

    b. If the last vowel in the stem is any vowel other than ㅏ or ㅗ, -었다 is used.

    c. For 하다, the correct form is 하였다. However, 했다 is generally used instead of 하였다.

2) A noun

    a. If the last syllable of the noun is a vowel, -였다 is used.

    b. If the last syllable of the noun is a consonant, -이었다 is used.

내가 어릴 때는 지하철보다 버스를 타는 사람이 더 많았다.

공장이 많이 생기면서 공기가 많이 나빠졌다.

경주는 신라의 수도였다.

이 곳이 전에는 산이었다.

최근 우리 고향은 크게 발전했다.

한국 생활이 생각보다 힘들지 않았다.

3 −겠다 meaning a will and an assumption

● If a sentence has -겠- meaning a will or an assumption, -다 will follow -겠- in order to end the sentence in a -다 style.

서울에 꼭 가 보겠다.

돈을 많이 벌어서 어려운 사람을 돕겠다.

출근할 때 시간이 많이 걸리겠다.

일이 많아서 요즘 바쁘겠다.

한 시간 전에 출발했으니까 지금쯤 집에 도착했겠다.

New Vocabulary

돈을 벌다 to make money

제14과 치료
Treatment

Goals
You will be able to explain your symptoms and buy a medicine.

Topic	Treatment
Function	Explaining symptoms and the causes, Buying a medicine, Recommending good remedy to a friend
Activity	Listening : Listen to a conversation in a hospital, Listen to symptoms and how to respond to them
	Speaking : Perform a role-play as a pharmacist and a patient, Talk about your special remedy
	Reading : Read a first-aid treatment of an external injury
	Writing : Write a letter to a sick friend asking how he or she is and advising how to respond
Vocabulary	External injuries, Treatment, Digestion related diseases
Grammar	-(으)ㄹ, 때문에, -(으)ㄹ 테니까, 아무 -도
Pronunciation	Fortis and tense sound between vowels
Culture	Korea's traditional remedies

제14과 치료 Treatment

1. 여기는 어디입니까? 남자는 왜 여기에 왔어요? 여자는 무엇을 하고 있어요?

   Where are they? What brought him here? What is the woman doing now?

2. 여러분은 다쳐서 약국이나 병원에 간 적이 있어요? 그 때 어떻게 이야기했어요?

   Have you ever gotten injured and been to a hospital or a pharmacy? What did you say then?

1

약사: 어떻게 오셨습니까?

손님: 손을 좀 베었어요. 여기에 바를 약 좀 주세요.

약사: 어디 봅시다. 많이 다쳤으면 병원에 가야 돼요.

손님: 많이 다친 건 아니니까 병원에는 안 가도 될 것 같은데, 어때요?

약사: 그러네요. 살짝 베었네요. 그럼 이 약을 드릴 테니까 상처에 여러 번 바르세요.

손님: 소독은 안 해도 돼요?

약사: 이 약이 소독까지 되니까 이것만 바르면 돼요.

New Vocabulary

손을 베다
to be cut (with a knife)

바르다
to apply (an ointment)

어디 봅시다. Let's see.

살짝 slightly

드리다
to give (to the person older than the speaker)

상처 injury

여러 번 many times

소독을 하다 to disinfect

2

의사: 어떻게 오셨습니까?

환자: 한 일주일 전부터 얼굴에 뭐가 자꾸 나서요.

의사: 어디 봅시다. 혹시 최근에 화장품을 바꾸셨어요?

환자: 아니요.

의사: 여드름인 것 같네요.

환자: 네? 제가 중고등학교 다닐 때도 여드름이 안 났는데, 지금 무슨 여드름이 나요?

의사: 청소년들만 여드름이 나는 게 아닙니다. 나이가 들어서도 스트레스 때문에 여드름이 생길 수가 있어요. 약을 처방해 드릴게요.

환자: 먹는 약도 있어요?

의사: 네. 약은 하루에 세 번 드시면 되고, 연고는 자주 바르세요. 아무 것도 바르지 말고 이 연고를 발라야 합니다.

환자: 네, 감사합니다.

New Vocabulary

얼굴에 뭐가 나다
to come out on the face

최근 recently

화장품 cosmetics

여드름 pimple/acne

청소년 youth/juveniles

나이가 들다 to become old

때문에 because of

처방하다 to prescribe

연고 ointment

아무 것도 nothing

3

나는 밥을 먹고 나서 체할 때가 많다. 걱정이 있거나 뭔가 해야 할 일이 있으면 잘 체한다.

그런데 나는 약 먹는 것을 싫어해서 병원에 잘 가지 않는다. 대신 이렇게 체했을 때는 따뜻한 물을 많이 먹고 손바닥 가운데를 계속 눌러 준다. 그러면 금방 소화가 될 때가 많다.

체했을 때는 이렇게 손바닥 가운데를 눌러 주는 것이 가장 빠른 방법인 것 같다.

New Vocabulary

체하다 to have indigestion
뭔가 something
손바닥 palm
가운데 the middle/the center
소화가 되다
to be able to digest
빠르다 to be quick
방법 method

 **문화** **한국의 민간요법** Korea's traditional remedies

● 다음은 한국에서 옛날부터 전해내려 오는 응급처치법입니다. 한국 사람들은 언제 이런 방법을 이용할까요?
The following are the traditional first-aid treatments in Korea. When do Koreans use these remedies?

손가락을 바늘로 찔러 피를 낸다.
Prick a finger with a needle and shed blood.

상처에 된장을 바른다.
Put soybean paste on the injury.

배 속에 꿀을 넣고 중탕한 것을 먹는다.
Drink pear with honey warmed up in a doule boiler.

 ● Pricking a finger with a needle when you have indigestion is so well-known a traditional remedy that almost every Korean have done so.ÄPricking a finger with a needle makes your once blocked chi(energy) flow again, so that often treats your indigestion.
When you get stung by a bee, putting soybean paste is also a well-known traditional remedy. Soybean paste has detoxicating effect, so it has long been used to treat Heat Urticaria or a swelling. It has been known to work quite well.
There are traditional remedies as many as the symptoms of the cold. One of the most frequently used methods is drinking pear with honey warmed up in a double boiler. It especially works well for sore throat. Pear removes the heat in your lung and honey supplements nutrition.

● 여러분 나라에서는 감기에 걸렸을 때나 다쳤을 때 이용할 수 있는 민간요법으로 잘 알려진 것이 있어요?
Is there any traditional remedy widely used in your country when you have cold or get injured?

1 〈보기〉와 같이 이야기해 보세요.

> 보기
>
>
>
> 가 : 어떻게 오셨습니까?
> What brings you here today?
>
> 나 : 손을 베었어요.
> I cut my finger with a knife.

외상 External injuries

다치다 to get injured
손을 베다 to be cut (with a knife)
손을 데다 to be burned
손이 붓다 to swell
발목을 삐다 to sprain one's ankle
다리가 부러지다 to break one's leg
상처가 나다 to get a wound
피가 나다 to bleed
여드름이 나다 to have pimple on face
얼굴에 뭐가 나다 to come out on the face
피부가 가렵다 to be itchy
따갑다 to be pricking

❶
❷
❸
❹
❺
❻

2 〈보기〉와 같이 이야기해 보세요.

> 보기
>
> 손을 베다 /
> 약을 바르다,
> 밴드를 붙이다
>
> 가 : 손을 베었어요.
> I cut my finger with a knife.
>
> 나 : 그럼, 약을 바르고 밴드를 붙이세요.
> Then, apply an ointment and put a bandaid on the finger.

치료 Treatment

주사를 맞다 to get injections
소독을 하다 to disinfect
약을 바르다 to apply (an ointment)
밴드를 붙이다 to put on a bandaid
파스를 붙이다 to put on a poultice
붕대를 감다 to apply a bandage
깁스를 하다 to wear a plaster cast
반창고를 붙이다 to apply a plaster
찜질을 하다 to apply a hot/cold pack
주무르다 to massage
꽉 누르다 to press down hard

❶ 손을 데다 / 얼음 찜질을 하다, 약을 바르다

❷ 발목을 삐다 / 찜질을 하다, 파스를 붙이다

❸ 손을 다치다 / 소독을 하다, 약을 바르다

❹ 다리가 아프다 / 다리를 주무르다, 찜질을 하다

❺ 손목이 아프다 / 찜질을 하다, 붕대를 감다

❻ 코피가 나다 / 얼음 찜질을 하다, 코를 꽉 누르다

3 〈보기〉와 같이 이야기해 보세요.

> 보기
>
> 손을 베다,
> 약을 바르다
>
> 가 : 어떻게 오셨습니까?
> What brings you here today?
>
> 나 : 손을 베었어요. 여기에 바를 약 좀 주세요.
> I cut my finger with a knife. I need an ointment to put on.

❶ 여드름이 났다, 약을 바르다

❷ 발목을 삐었다, 파스를 붙이다

❸ 얼굴에 상처가 났다, 밴드를 붙이다

❹ 손목이 아프다, 붕대를 감다

❺ 손을 데었다, 약을 바르다

❻ 두통이 심하다, 약을 먹다

4 〈보기〉와 같이 이야기해 보세요.

> 보기
>
> 손을 베다 /
> 약을 드리다,
> 자주 바르다
>
> 가 : 손을 베었어요.
> I cut my finger with a knife.
>
> 나 : 그럼, 약을 드릴 테니까 자주 바르세요.
> Then, apply this ointment frequently.

❶ 손을 데다 / 약을 발라 주다, 찬물에 손을 담그고 기다리다

❷ 발목을 삐다 / 찜질을 해 주다, 양말을 벗다

❸ 손을 다치다 / 소독을 해 드리다, 약을 가지고 오다

❹ 허리가 아프다 / 파스를 드리다, 집에 가서 붙이다

❺ 다쳐서 피가 나다 / 약을 사 가지고 오다, 조금만 참다

❻ 생리통이 심하다 / 약을 드리다, 드시고 푹 쉬다

• New Vocabulary

찬물 cold water

손을 담그다
to dip one's hands (in water)

양말 socks

생리통
menstrual cramps/the PMS
(premenstrual syndrome)
symptoms

5 〈보기〉와 같이 이야기해 보세요.

> **보기**
>
> 가 : 어떻게 오셨습니까?
> What brings you here today?
>
> 나 : 손을 조금 베었어요. 여기에 바를 약 좀 주세요.
> I cut my finger with a knife. I need an ointment to put on.
>
> 가 : 지금도 피가 나요?
> Is it still bleeding?
>
> 나 : 아니요, 안 나요.
> No, it's not bleeding.
>
> 가 : 그럼, 연고를 드릴 테니까 상처에 바르세요.
> Then, put this ointment on the cut.
>
> 손을 조금 베다,
> 약을 바르다 /
> 지금도 피가 나다 /
> 연고, 상처에 바르다

❶ 발목을 삐다, 파스를 붙이다 / 발이 부었다 /
파스, 발목에 붙이다

❷ 손을 데다, 약을 바르다 / 많이 데었다 /
얼음주머니, 찜질을 하다

❸ 얼굴에 뭐가 나다, 약을 바르다 / 가렵다 /
약을 드리다, 자주 바르다

❹ 넘어져서 팔에 상처가 나다, 약을 바르다 /
따갑다 / 소독약, 소독하고 밴드를 붙이다

• **New Vocabulary**

얼음주머니 ice bag
소독약 disinfectant/antiseptic

• 발음 Pronunciation

Fortis and tense sound between vowels

> 아파요 바빠요
> [압파요] [밥빠요]

When you pronounce fortis(ㅋ, ㅌ, ㅍ, ㅊ) and tense sounds(ㄲ, ㄸ, ㅃ, ㅆ, ㅉ), pronouncing the syllable right before the fortis or tense sound as if there is the last consonant will make the fortis or tense sound more natural.

▶연습해 보세요.
(1) 어깨가 아파요.
(2) 신발을 바꾼 후부터 자꾸 다쳐요.
(3) 가 : 어떻게 오셨어요?
　　나 : 배탈이 났어요.

6 〈보기〉와 같이 이야기해 보세요.

> **보기**
>
>
>
> 가 : 어떻게 오셨어요?
> What brings you here today?
>
> 나 : 배가 아프고 설사를 해서 왔어요.
> I have an upset stomach and I've got diarrhea.
>
> 배가 아프다,
> 설사를 하다

❶ 배가 아프다, 소화가 안 되다　❷ 토하다, 설사를 하다

❸ 속이 답답하다, 배가 아프다　❹ 소화가 안 되다, 열이 나다

• 소화 관련 질환
Digestion related diseases

배탈이 나다
to have an upset stomach

체하다 to have indigestion

토하다 to vomit

설사하다
to suffer from diarrhea

소화가 안 되다
to be unable to digest

속이 답답하다 to feel bloated

7 〈보기〉와 같이 이야기해 보세요.

배가 아프다 /
저녁을 먹다 /
음식, 배탈이 나다

가: 수미야, 언제부터 배가 아팠어?
수미, how long have you had an upset stomach?

나: 저녁을 먹은 다음부터 그랬어.
Since I had dinner.

가: 그러면 음식 때문에 배탈이 난 것 같은데.
It seems that the food caused you to have an upset stomach.

New Vocabulary

새 new
스트레스를 받다 to have stress
새벽 dawn
꽃가루 pollen
알레르기 allergy

Language Tip

먹은 다음 is frequently used in casual conversation, meaning 먹은 후-(after eating).

❶ 얼굴에 뭐가 나다 / 화장품을 바꾸다 /
   새 화장품, 얼굴에 뭐가 나다

❷ 속이 답답하다 / 아침을 먹다 / 시험, 스트레스를 받다

❸ 열이 나다 / 새벽에 운동을 하다 / 추운 날씨, 감기에 걸리다

❹ 피부가 가렵다 / 5월이 되다 / 꽃가루, 알레르기가 생기다

8 〈보기〉와 같이 이야기해 보세요.

가: 약을 어떻게 먹어야 돼요?
How do I have to take this medicine?

나: 하루에 세 번, 식후 삼십 분에 한 봉지씩 드시면 됩니다.
Take a packet of your medicine three times a day, 30 minutes after your meal.

New Vocabulary

식후 after your meal
식전 before your meal

Language Tip

-씩 is attached to quantity words, indicating that the quantity is the same every time.

❶

❷

❸

❹

9 〈보기〉와 같이 연습하고, 아픈 친구에게 조언해 보세요.

> 보기
>
> 밥을 먹다 /
> 체했다, 아무 것
>
> 가 : 밥을 먹어도 돼요?
> Can I eat?
>
> 나 : 체했으니까 오늘은 가능하면 아무 것도
> 먹지 마세요.
> You have indigestion, so do not eat anything today,
> if possible.

❶ 밥을 먹다 / 배탈이 났다, 아무 것

❷ 밖에 나가다 / 감기에 걸렸다, 아무 데

❸ 사람들을 만나다 / 다른 사람에게 옮길 수 있다, 아무

❹ 이야기를 하다 / 목이 많이 아프다, 아무 말

10 〈보기〉와 같이 이야기해 보세요.

● New Vocabulary

밀가루 flour

> 보기
>
> 배가 아프다,
> 소화가 안 되다 /
> 어제 저녁을 먹다 /
> 체하다/
> 밥을 먹다 /
> 아무 것도
>
> 가 : 어떻게 오셨습니까?
> What brings you here today?
>
> 나 : 배가 아프고 소화가 안 돼요.
> I have an upset stomach and indigestion.
>
> 가 : 언제부터 배가 아팠어요?
> How long have you had an upset stomach?
>
> 나 : 어제 저녁을 먹은 다음부터 그랬어요.
> Since I had dinner yesterday.
>
> 가 : 어제 먹은 음식 때문에 체한 것 같네요.
> It seems that the food caused you to have an
> upset stomach.
>
> 약을 드릴 테니까 드셔 보세요.
> I'll give you some medicine, so try to take this.
>
> 나 : 밥을 먹어도 돼요?
> Can I eat?
>
> 가 : 체했으니까 오늘은 가능하면 아무 것도
> 드시지 마세요.
> You have indigestion, so do not eat anything
> today, if possible.

❶ 속이 답답하다, 설사를 하다 / 오늘 점심을 먹다 /

배탈이 나다 / 밥을 먹다 / 밀가루 음식은

❷ 토하다, 설사를 하다 / 오늘 아침을 먹다 / 배탈이 나다 /

식사를 하다 / 아무 것도

🎧 **Listening_듣기**

1 다음 대화를 잘 듣고 남자의 증상에 해당하는 그림을 고르세요.

Listen to the dialogue and choose the correct answer.

1) _____ 2) _____ 3) _____ 4) _____

2 다음 대화를 잘 듣고 질문에 대답하세요.

Listen to the dialogue and answer the following questions.

1) 남자는 왜 병원에 왔습니까?

2) 남자는 어떻게 해야 합니까? 모두 고르세요.

3 다음을 잘 듣고 질문에 대답하세요.

Listen to the passage and answer the following questions.

1) 이 사람은 발목을 삐었을 때 어떻게 하는 것이 좋다고 말했어요? 순서에 맞게 기호를 쓰세요.
What did the person say when someone sprains her ankle? Arrange the following in correct order.

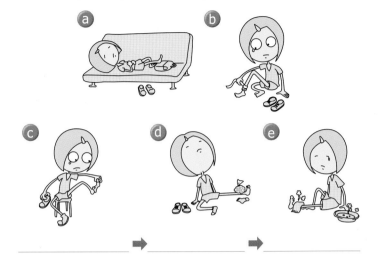

_____ ➡ _____ ➡ _____

2) 이 사람에 대한 설명이 맞으면 O, 틀리면 ✕ 에 표시하세요.
Mark the following statements as either O or ✕.

(1) 운동을 하다가 자주 다친다.　　　　　O　✕

(2) 굽이 높은 구두를 자주 신는다.　　　　O　✕

(3) 발목을 삐면 항상 병원에 간다.　　　　O　✕

🎤 Speaking_말하기

1 약사와 환자가 되어 이야기해 보세요.
Perform a role-play as a pharmacist and a patient.

● 다음과 같은 경우에 약국에 가서 어떻게 이야기하면 될까요?
What do you have to say when you go to the pharmacy in the following situation?

(1)

(2)

● 위의 그림과 같은 상황에서 한 사람은 환자, 한 사람은 약사가 되어 이야기해 보세요.
According to each situation, make conversations as a pharmacist and a patient.

2 여러분들이 알고 있는 특별한 치료법에 대해 이야기해 보세요.
Talk about your special remedy that you know.

● 다음에 대해 친구들과 이야기해 보세요.
Talk about the following with your friends.

(1) 특별히 자주 아픈 곳이 있어요?

(2) 그럴 때 어떻게 해요?

(3) 병원에 가지 않고 나을 수 있는 방법을 알고 있어요?

● 다음 중 한 가지에 대해 친구들에게 이야기해 주세요.
Talk to your friends about one of the following things.

(1) 여러분만의 특별한 치료법
your (special) remedy

(2) 다른 사람에게서 들은 특별한 치료법
the remedy that you learned from your friends

> **New Vocabulary**
>
> 특별하다 to be special
>
> 치료법 remedy/treatment

Reading_읽기

1 다음은 인터넷 게시판에 실린 불에 데었을 때의 치료법에 대한 여러 사람들의 의견입니다. 잘 읽고 질문에 답하세요.

The following is many people's own remedies when you get burnt. Read the following carefully and answer the questions.

● 여러분들은 불에 손을 데었을 때 어떻게 해요?

What do you do when you get burnt in the hand?

● 여러분의 생각과 같은지 다음 글을 읽어 보세요.

Read the following quickly and see if your idea is the same or not.

손을 데었을 때 치료법
비공개 2008.5.17 17:54   답변 4   조회 68

손을 데었을 때 어떻게 하면 좋아요?

<u>의견쓰기</u>

---

re1: 이렇게 해 보세요.
akiya 2008.5.17 18:01   조회 17

저도 손을 덴 적이 있는데, 손을 데었을 때는 빨리 얼음에 대거나 찬물에 담가서 열을 식히는 것이 중요합니다.

<u>의견쓰기</u>

---

re2: 얼음은 안 돼요.
gkdissns 2008.5.17 18:15   조회 38

불에 덴 곳에 얼음을 직접 대는 것은 좋지 않습니다. 특히 심하게 데었을 때 피부에 얼음을 대면 아주 위험합니다. 그냥 흐르는 찬물에 손을 대는 게 좋습니다. 아니면 알코올에 손을 담그는 것도 좋은 방법입니다. 알코올이 날아가면서 열을 없애 주기 때문입니다.

<u>의견쓰기</u>

---

re3: 병원에 가 보세요.
antlago 2008.5.17 18:22   조회 4

살짝 데었으면 약국에서 연고를 사서 바르면 되지만 많이 데었을 때는 빨리 병원에 가시는 게 좋을 거예요.

<u>의견쓰기</u>

---

1) 위 글에서 사람들이 소개하고 있는 치료법을 모두 고르세요.

Choose all the remedies that people introduce in the above passage.

 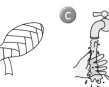

New Vocabulary

열을 식히다 to cool the heat
불 fire
위험하다 to be dangerous
흐르다 to be running
알코올 alcohol
날아가다 to evaporate

2) '답글1'과 '답글2' 소개하고 있는 내용은 어떻게 달라요?

How is different between '답글1' and '답글2'.

● 위 글에서 소개하고 있는 여러 가지 치료법 중에서 여러분은 어떤 치료법이 가장 좋다고 생각해요? 그리고 또 다른 좋은 방법이 있으면 소개해 주세요.

Which remedy is your favorite among the treatments introduced above? If there is another remedy, introduce that to your friends.

✏️ Writing_쓰기

1 배탈이 나서 학교에 오지 못한 친구에게 안부 메일을 써 보세요.

Write an email to your friend who is absent from school because of a stomach trouble.

● 여러분의 친구가 배탈이 나서 이틀 동안 학교에 못 왔어요. 배탈이 났을 때는 어떻게 하면 좋을까요? 옆 친구와 같이 이야기해 보세요.

Imagine that your friend cannot come to school because of a stomach trouble. What do we have to do when we have an upset stomach? Talk with your classmate.

● 아픈 친구에게 어떻게 치료를 하고 있는지를 묻고, 좋은 치료 방법을 소개해 주는 이메일을 써 보세요.

Write an email to a sick classmate about asking how he or she is doing and introducing a good treatment.

● 여러분이 쓴 글을 발표해 보세요.

Make a presentation based on your writing.

자기 평가 ✏️   Self-Check

● 다쳤거나 소화가 안 될 때 약국이나 병원에 가서 증상을 설명할 수 있습니까?
Are you able to explain your symptoms when you get injured or have indigestion?

Excellent ●━━●━━●━━● Poor

● 다쳤을 때의 치료 방법에 대해 묻고 답할 수 있습니까?
Are you able to ask and answer how to treat the injury when you get hurt?

Excellent ●━━●━━●━━● Poor

● 아픈 증상과 치료법에 대한 글을 읽고 쓸 수 있습니까?
Are you able to read and write a passage about the symptoms and the treatment?

Excellent ●━━●━━●━━● Poor

1 –(으)ㄹ (future tense modifier)

● -(으)ㄹ is attached to a verb stem and used to modify a following noun, indicating an action that will take place in the future.

가: 내일은 누가 발표할 거예요?
　　Who is going to make a presentation tomorrow?

나: 내일 발표할 사람은 왕웨이 씨예요.
　　It is Wang Wei who is going to make a presentation.

● This takes two forms.

a. If the stem ends in a vowel or ㄹ, -ㄹ is used.

b. If the stem ends in a consonant other than ㄹ, -을 is used.

(1) 가: 뭘 드릴까요?

　　나: 여기에 바를 약 좀 주세요.

(2) 가: 한국에서 살 집을 구했어요?

　　나: 아니요, 아직 못 구했어요.

(3) 가: 어디 가요?

　　나: 졸업식 때 입을 한복을 사러 가요.

(4) 가: 오늘 오후에 시간 있어요?

　　나: 왜요? 무슨 할 이야기가 있어요?

(5) 가: 영진 씨, 우리도 등산 같이 가고 싶어요.

　　나: 그래요? ＿＿＿＿＿＿＿＿＿＿ 일요일 아침 9시에 학교로 오세요.

(6) 가: 이 사람은 누구예요?

　　나: ＿＿＿＿＿＿＿＿＿＿＿＿＿＿＿.

> ● New Vocabulary
>
> 집을 구하다
> to look for a house

2 때문에

● 때문에 is used after a noun, meaning 'because of~'.

어제 먹은 음식 때문에 배탈이 났어요. I have an upset stomach because of the food that I ate yesterday.

(1) 가: 얼굴에 뭐가 났네요.

　　나: 새로 산 화장품 때문에 그런 것 같아요.

(2) 가: 신발 때문에 좀 불편해요. 잠깐 집에 갔다 올게요.

　　나: 그럼 얼른 갔다 오세요.

(3) 가: 한국 생활이 어때요?

　　나: 처음에는 ＿＿＿＿＿＿＿＿＿＿ 조금 힘들었어요.

(4) 가: 그 동안 왜 연락도 안 했어요. 많이 바빴어요?

　　나: 네, ＿＿＿＿＿＿＿＿＿＿＿＿＿＿＿.

3 -(으)ㄹ 테니까

- -(으)ㄹ 테니까 is attached to a verb stem, and it is used when the speaker gives orders or makes a suggestion and presents the preceding passage as the reason. The subject of the preceding passage should be the first person and the subject of the following passage should be the second person.

  약을 드릴 테니까 하루에 세 번, 식후에 드세요.
  I'll give you medicine, so take it three times a day after your meals.

- This takes two forms.
    a. If the stem ends in a vowel or the consonant ㄹ, -ㄹ 테니까 is used.
    b. If the stem ends in a consonant other than ㄹ, -을 테니까 is used.

  (1) 가 : 넘어져서 다리를 다쳤어요.
      나 : 약을 드릴 테니까 상처에 자주 바르세요.
  (2) 가 : 붕대 좀 감아 주실래요?
      나 : 제가 붕대를 감을 테니까 이것 좀 잡아 주세요.
  (3) 가 : 제가 음식을 만들까요?
      나 : 음식은 제가 만들 테니까 수미 씨는 앉아 계세요.
  (4) 가 : 머리가 아파요.
      나 : 약을 사 올 테니까 잠깐만 기다리세요.
  (5) 가 : 점심은 집에서 먹을까요?
      나 : _____ 밖에 나가서 먹어요.
  (6) 가 : 영진 씨, 제 숙제 좀 도와줄래요?
      나 : _____.

4 아무 -도

- '아무 -도' is used in the form of '아무 noun+도 안/못/없다/모르다/-지 말다', meaning that '(not) anything'.

  요즘 방학인데 다리가 부러져서 아무 데도 못 가요.
  It is the school vacation, but I cannot go anywhere because I broke my leg.

- But, when the noun refers to a person, 아무도 should be used. If the noun is followed by a postpositional word, '아무 noun+postpositional word+도' is used.

  요즘 방학을 해서 기숙사에 친구들이 아무도 없어요.
  It is the school vacation, so there is no friend in the dormitory.

  제가 한 이야기는 아무한테도 말하지 마세요.
  What I told you is a secret. Don't tell anybody about it.

  (1) 가 : 밥을 먹어도 돼요?
      나 : 체했으니까 오늘은 아무 것도 드시지 마세요.

(2) 가 : 목이 많이 아파요.

　　 나 : 목이 아프니까 가능하면 아무 말도 하지 마세요.

(3) 가 : 방금 누구하고 이야기했어요?

　　 나 : 아무하고도 이야기 안 했어요.

(4) 가 : 한국에 오기 전에 한국에 대해서 알고 있었어요?

　　 나 : 아니요, 아무 것도 모르고 왔어요.

(5) 가 : 배가 많이 고파요?

　　 나 : 네, _____.

(6) 가 : 무슨 일 있어요? 얼굴이 안 좋아요.

　　 나 : 아니요, _____.

● New Vocabulary

방금 in no time

제15과 집 구하기
Looking for a house

Goals

You will be able to talk about the conditions of a house to rent and look for a house.

Topic	Looking for a house
Function	Talking about moving and the conditions of a house to rent at a real estate agency, Going house hunting
Activity	Listening : Listen to a conversation at a real estate agency, Listen to a conversation that one does for house hunting
	Speaking : Talk about a house, Do house hunting role play
	Reading : Read an ad looking for a studio and a room for boarding
	Writing : Write an ad looking for a roommate
Vocabulary	Structure of a house, House moving, Features of a house, Surroundings of a house
Grammar	-(으)ㄹ까 하다, -았/었/였으면 좋겠다, -만큼, -에 비해서
Pronunciation	ㄹ
Culture	Korea's housing culture

제15과 **집 구하기** Looking for a house

1. 여기는 어디입니까? 여자는 지금 무엇을 하고 있을까요?
   Where are they? What might a woman be doing now?

2. 원하는 집을 구하기 위해서는 무슨 이야기를 어떻게 해야 할까요?
   What should you talk about when you look for a house to rent?

1

중개인: 어서 오세요.

마　야: 고려대학교 근처에 있는 원룸을 구하고 싶은데요.

중개인: 지금은 방학이라서 비어 있는 원룸이 많은데 어떤 방을 찾
　　　　으세요?

마　야: 침대하고 옷장 같은 가구가 있는 방이었으면 좋겠어요.
　　　　그리고 방도 좀 컸으면 좋겠고요.

중개인: 마침 안암역 근처에 좋은 원룸이 있어요. 지은 지 얼마 안
　　　　돼서 방도 깨끗하고 가구도 전부 새것이에요.

마　야: 방은 얼마나 커요?

중개인: 방은 이 사무실만큼 커요.

마　야: 가격은 어느 정도예요?

중개인: 한 달에 50만 원이에요.

마　야: 그럼 지금 보러 갈 수 있을까요?

중개인: 물론이죠. 주인아주머니한테 전화해 볼 테니까 잠깐만 기다
　　　　리세요.

New Vocabulary

중개인 real estate agent

비다 to become empty

가구 furniture

마침 fortunately

짓다 to build

깨끗하다 to be clean

새것 to be (brand) new

사무실 office

2

아주머니: 이 방이에요. 창문이 커서 햇빛도 잘 들어와요.

마　　야: 방이 정말 밝네요. 가구도 새것이라서 깨끗하고요.
　　　　　저기가 화장실이에요?

아주머니: 네. 화장실도 아주 깨끗하고 좋아요.

마　　야: 방은 좋은데 제가 생각한 것보다는 작은 것 같아요. 혹시
　　　　　이 방보다 더 큰 방은 없어요?

아주머니: 더 큰 방으로 보여 드려요? 그럼 이쪽으로 오세요.

〈잠시 후〉

마　　야: 우와! 넓다. 그런데 이 방은 아까 그 방보다 많이 비싸겠
　　　　　어요.

아주머니: 가격은 똑같아요. 여기는 그 방보다 햇빛이 덜 들어와서
　　　　　크기에 비해서 좀 싸요.

마　　야: 그럼 이 방으로 할게요.

New Vocabulary

햇빛이 잘 들어오다
(sunlight) to come into well

밝다 to be bright

아까 some time ago

덜 less

크기 size

3

안녕, 영미야. 나 마야야.

나 오늘 이사할 집을 구했어. 부동산에 가서 알아봤는데 좋은 게 있어서 바로 결정했어. 새로 지은 집이라서 방도 깨끗하고 가구도 새것이라서 정말 좋아. 창문이 서쪽에 있어서 햇빛이 잘 들지는 않지만 그것 때문에 좀 싼 편이야. 그리고 내 방은 복도 끝에 있어서 조용할 것 같아. 아주 마음에 들어.

이사는 주말쯤 할까 해. 영미 너는 고향에서 잘 쉬고 있어? 다음 주엔 올라올 거지? 네가 서울에 올 때쯤이면 집 정리도 다 끝났을 테니까 우리 집에 한 번 놀러 와.

그럼 잘 지내고 나중에 서울에서 만나.
안녕.

문화 한국의 주거 문화 Korea's housing culture

- 여러분 나라에서는 집을 빌리는 사람이 많아요, 집을 사는 사람이 많아요? 한국에는 어떤 사람들이 많은지 알고 있어요?
  In your country, do people usually rent a house or buy a house? Do you know what Koreans prefer?

- 위 사진에 있는 매매, 전세, 월세 같은 말의 의미는 무엇일까요?
  What do you think that 매매, 전세, 월세 in the picture above mean?

- There are many Koreans who think that they should own a house. For this reason, in most cases, the top priority for the newly wed is buying a house(매매). But it takes about 10 years for the newly wed to buy a house, so most people lease or rent a house before they own a house. The lease of a house(전세) means that you deposit money for a certain period of time and lease a house, but when your contract expires and return the house to the owner, you receive the deposit money. In contrast, the monthly rent(월세) means that you pay the monthly fee every month for the house or the room that you rent. You do not need a large sum of money but you cannot receive the monthly fee that you pay, so many people prefer the lease to the rent. When you rent a house, you also have to pay a certain amount of money for deposit, which is relatively smaller than the lease deposit. The deposit is also given back when you move out. Studios(원룸) near universities or stations are available mostly in the form of the monthly rent.

- 여러분 나라의 주거 형태는 어떤지 이야기해 보세요.
  Talk about the housing culture in your country.

〈보기〉와 같이 이야기해 보세요.

> 보기
>
> 안방
>
> 가 : 새로 이사한 집은 어때요?
> How do you like your new house?
>
> 나 : 안방이 넓어서 좋아요.
> I like it because it has a big main room.

집의 구조 Structure of a house
안방 main room (of a house occupied by the hostess)
작은방 small room
거실 living room
부엌 kitchen
화장실 toilet
욕실 bathroom
베란다 terrace
현관 entrance
마당 garden
대문 front gate

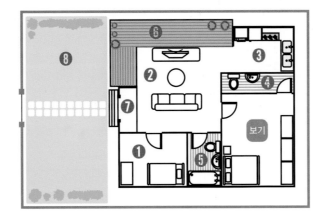

 〈보기〉와 같이 이야기해 보세요.

> 보기
>
> 학교 기숙사,
> 다른 곳으로 이사하다
>
> 가 : 지금 어디에 살아요?
> Where are you living now?
>
> 나 : 학교 기숙사에 살아요. 그런데
> 다른 곳으로 이사할까 해요.
> I live at the school dormitory. But I'm
> considering moving to another place.

이사 House moving
이사하다 to move
이사를 가다 to move (out) to (a place)
이사를 오다 to move into (a place)
집을 옮기다 to move house
다른 곳으로 옮기다 to move to another place

❶ 회사 기숙사, 하숙집으로 이사를 가다

❷ 원룸, 학교 앞 하숙집으로 이사하다

❸ 원룸, 회사 근처 고시원으로 옮기다

❹ 하숙집, 학교 기숙사로 이사를 오다

❺ 고시원, 학교 근처 하숙집으로 이사하다

❻ 고시원, 지하철역 근처 원룸으로 옮기다

3 〈보기〉와 같이 연습하고, 여러분이 지금 살고 있는 곳은 어떤 점이 불편한지 친구와 함께 묻고 대답해 보세요.
Talk about what you don't like about your house with your classmate as in example.

보기

가 : 왜 이사하려고 해요?
Why do you want to move out?

방이 너무 좁다,
불편하다

나 : 방이 너무 좁아서 불편해요.
My room is too small and uncomfortable.

❶ 공기가 잘 안 통하다, 냄새가 나고 답답하다

❷ 지은 지 오래된 집이다, 좀 지저분하다

❸ 방이 너무 어둡다, 아침에 일어나기 힘들다

❹ 화장실이 하나밖에 없다, 사용하기 불편하다

❺ 집 주변이 너무 시끄럽다, 공부하기 힘들다

❻ 교통이 불편하다, 외출할 때 시간이 많이 걸리다

집의 특징 1 Features of a house
방이 크다/작다 room to be big/small
방이 넓다/좁다 room to be large/small
방이 밝다/어둡다 room to be bright/dark
햇빛이 잘 들다 sunlight to come in
창문이 크다/작다 window to be big/small
공기가 잘 통하다 to be well ventilated
전망이 좋다 to have a good view
가구가 있다 to be furnished
화장실이 딸려 있다 to have a bathroom
새로 짓다 to be newly built
지은 지 오래되다 (building) to be old
집이 낡다 (house) to be old
깨끗하다/지저분하다 to be clean/dirty

4 〈보기〉와 같이 연습하고, 여러분은 어떤 집에서 살고 싶은지
친구와 함께 묻고 대답해 보세요.

Talk with your classmate about a house that you want to live in
as in example.

학교 근처에 있는 원룸 /
공기가 잘 통하다,
햇빛이 잘 들다

가 : 어서 오세요.
Come in, please.

나 : 학교 근처에 있는 원룸을 구하고
싶은데요.
I am looking for a studio near my school.

가 : 어떤 집을 찾으세요?
What kind of house are you looking for?

나 : 공기가 잘 통하고 햇빛이 잘 들
었으면 좋겠어요.
I want a house with good ventilation and
much sunlight coming into.

집의 특징 2
Surroundings of a house

교통이 편리하다 /불편하다
transportation to be
convenient /inconvenient

지하철역에서 가깝다 /멀다
to be close to /far away from a
subway station

집 주변이 조용하다 /시끄럽다
to be quiet /noisy around a
house

공기가 좋다 to have fresh air

주변 경치가 좋다
to have a fine view

시설이 잘 되어 있다
to have good facilities

❶ 지하철역 근처에 있는 하숙집 / 공기가 잘 통하다,

방이 크다

❷ 학교 근처에 있는 하숙집 / 가구가 딸려 있다,

햇빛이 잘 들다

❸ 이 근처에 있는 하숙집 / 교통이 편리하다,

집 주변이 조용하다

❹ 지하철역 근처에 있는 원룸/ 집 주변이 조용하다,

전망이 좋다

❺ 학교 근처에 있는 원룸 / 침대하고 옷장이 있다,

지은 지 얼마 안 되다

❻ 이 근처에 있는 원룸 / 지하철역에서 가깝다,

시설이 잘 되어 있다

5 〈보기 1〉이나 〈보기 2〉와 같이 이야기해 보세요.

보기1

방이 큰 원룸 /
이 사무실

가: 방이 큰 원룸을 구하고 싶은데요.
I am looking for a big studio.

나: 마침 이 사무실만큼 방이 큰 데가
있어요.
Fortunately, there is a studio as big as this office.

보기2

방이 큰 원룸 /
집, 그 집

가: 방이 큰 원룸을 구하고 싶은데요.
I am looking for a big studio.

나: 마침 좋은 집이 있어요. 그 집만큼
방이 큰 데는 없을 거예요.
There is just a good one. I don't think there is
a studio as big as this one.

❶ 방이 넓은 하숙집 / 우리 사무실

❷ 전망이 좋은 원룸 / 호텔

❸ 교통이 좋은 고시원 / 여기

❹ 주변이 조용한 하숙집 / 집, 거기

❺ 시설이 좋은 고시원 / 고시원, 그곳

❻ 햇빛이 잘 드는 원룸 / 집, 그 집

6 〈보기〉처럼 이야기해 보세요.

보기

이 근처에 있는 원룸 /
위치, 50만 원

가: 이 근처에 있는 원룸은 한 달에
얼마 정도 해요?
What's the monthly rent for studios near
here?

나: 위치에 따라 다르지만 50만 원 정
도면 좋은 곳을 구할 수 있어요.
It depends on the locations, but ₩ 500,000
would be enough for you to get a good one.

❶ 지하철에서 가까운 하숙집 / 크기, 50만 원

❷ 학교에서 가까운 원룸 / 시설, 60만 원

❸ 학교 앞에 있는 고시원 / 크기, 30만 원

❹ 학교 근처에 있는 하숙집 / 시설, 40만 원

❺ 지하철역 근처에 있는 원룸 / 넓이, 50만 원

❻ 이 근처에 있는 하숙집 / 위치, 40만 원

7 〈보기〉처럼 이야기해 보세요.

> 보기
>
> 남쪽에 있다, 햇빛이
> 잘 들어오다 /
> 방이 환하다
>
> 가 : 이 방이에요. 남쪽에 있어서 햇빛이
> 잘 들어와요.
> This is the room. The room faces toward the
> south, so sunlight comes into it well.
> 나 : 네, 정말 방이 환하네요.
> Yes, it is really bright here.

● New Vocabulary

나무 tree

공사를 하다 to do construction

새집 (brand) new house

환하다 to be bright

❶ 창문이 크다, 공기가 아주 잘 통하다 / 방이 시원하다

❷ 근처에 나무가 많다, 전망이 좋다 / 전망이 그림 같다

❸ 집 근처에 산이 있다, 공기가 좋다 / 공기가 맑다

❹ 얼마 전에 다시 공사를 하다, 깨끗하다 / 새집 같다

❺ 복도 끝에 있다, 아주 조용하다 / 공부하기 좋겠다

❻ 시설이 잘 되어 있다, 살기 좋다 / 살기 편하겠다

8 〈보기〉와 같이 이야기해 보세요.

> 보기
>
> 이 방은 꽤 넓다 /
> 다른 방
>
> 가 : 이 방은 꽤 넓네요.
> This room is quite big.
> 나 : 네, 다른 방에 비해서 넓은 편이에요.
> Yes, it is big compared to other rooms.

❶ 이 방은 참 밝다 / 다른 방

❷ 이 방은 좀 크다 / 아까 본 방

❸ 이 집은 시설이 좋다 / 다른 집

❹ 이 집은 깨끗하다 / 아까 본 집

❺ 여기는 햇빛이 잘 들다 / 다른 데

❻ 여기는 위치가 좋다 / 아까 본 데

9 〈보기〉와 같이 이야기해 보세요.

발음 Pronunciation

> 보기
>
> 방이 크다 /
> 좀 어둡다,
> 방이 좀 더 밝다
>
> 가 : 자, 이 방이에요. 방이 크지요?
> Here we are. This room is big, isn't it?
>
> 나 : 네. 그런데 좀 어둡네요. 방이 좀 더 밝았으면 좋겠어요.
> Yes, but it's a little bit dark. I'd like it a little brighter.
>
> 가 : 지금은 빈 방이 이것밖에 없어요.
> But this is the only one available now.
>
> 나 : 그럼 죄송하지만 나중에 다시 올게요. 잘 봤습니다.
> Then, I am sorry. I'll come again. Thank you.

ㄹㄱ

읽다   맑고   밝아요
[익따] [말꼬] [발가요]

If the last consonant(ㄹㄱ) is followed by a consonant, ㄹ is omitted and only ㄱ is pronounced. But if followed by ㄱ, ㄱ is omitted and ㄹ is pronounced.

▶연습해 보세요.
(1) 가 : 내일 날씨가 맑을까요?
　　나 : 네, 내일도 날씨가 맑겠어요.
(2) 가 : 방이 밝습니까?
　　나 : 네, 참 밝네요.
(3) 가 : 무슨 책을 읽고 있어요?
　　나 : 소설책을 읽어요.

❶ 방이 밝다 / 너무 작다, 방이 조금만 더 크다

❷ 방이 크다 / 좀 시끄럽다, 주변이 좀 조용하다

❸ 햇빛이 잘 들다 / 너무 크다, 방이 이것보다 작다

❹ 방이 넓다 / 가구가 없다, 방에 가구가 딸려 있다

10 〈보기〉와 같이 이야기해 보세요.

> 보기
>
> 방이 크다 /
> 좀 어둡다,
> 방이 좀 더 밝다
>
> 가 : 자, 이 방이에요. 방이 크지요?
> Here we are. This room is big, isn't it?
>
> 나 : 네. 그런데 좀 어둡네요. 방이 좀 더 밝았으면 좋겠어요.
> Yes, but it's a little bit dark. I'd like it a little brighter.
>
> 가 : 밝은 방도 있어요. 이쪽으로 오세요.
> There is a brighter one. Come this way, please.
>
> 나 : 이 방은 밝고 크네요. 이 방으로 할게요.
> This room is bright and big. I will take it.

❶ 방이 밝다 / 좀 좁다, 방이 조금 더 넓다

❷ 방이 크다 / 좀 지저분하다, 방이 더 깨끗하다

❸ 방이 크다 / 좀 어둡다, 방에 햇빛이 잘 들다

❹ 방이 넓다 / 좀 답답하다, 공기가 잘 통하는 방이다

❺ 방이 넓다 / 침대가 없다, 방에 가구가 있다

❻ 방이 넓다 / 화장실이 없다, 방에 화장실이 있다

🎧 Listening_듣기

1 다음은 부동산에서의 대화입니다. 대화를 잘 듣고 질문에 대답하세요.
Listen to the dialogue and answer the questions.

● 부동산 중개인이 추천한 곳을 고르세요.
  Choose what the real estate agent recommended.

New Vocabulary
전자제품 electronic equipment
비슷비슷하다
to be much the same

(1) ☐한국 고시원　　☐고려 고시원　　☐두 곳 모두

(2) ☐우리 원룸　　☐미래 원룸　　☐두 곳 모두

(3) ☐고모네 하숙　　☐아름 하숙　　☐두 곳 모두

● 다시 듣고 부동산 중개인이 추천한 이유를 이야기해 보세요.
  Listen again and tell the reasons why the real estate agent recommended them.

2 다음은 방을 보러 가서 하는 대화입니다. 대화를 잘 듣고 질문에 대답하세요.
The following is a conversation that you have when you look for a house. Listen to the dialogue and answer the following questions.

1) 남자는 어떤 방을 구합니까?

New Vocabulary
세탁실 laundry room
치우다 to remove

2) 여자는 이제 무엇을 해야 합니까?

3) 다시 잘 듣고 아래의 내용이 맞으면 ○, 틀리면 ✕에 표시하세요.

(1) 남자는 부동산의 아저씨가 소개해서 이 방을 보러 왔다.　　○ ✕

(2) 남자가 이 집에 이사 오면 화장실과 세탁실을 함께 사용해야 된다.　　○ ✕

(3) 에어컨과 냉장고가 있는 방은 없는 방에 비해서 5만 원이 비싸다.　　○ ✕

3 다음은 집을 보고 온 친구가 남긴 음성 메시지입니다. 잘 듣고 아래의 내용이 맞으면 ○, 틀리면 ✕에 표시하세요.
The following is a voice mail left by a friend who went house hunting. Listen carefully and mark the following statements as either ○ or ✕.

1) 이 집은 가구가 없어서 방이 넓다.　　○ ✕

2) 이 집에는 화장실이 딸려 있다.　　○ ✕

3) 이 집은 지은 지 오래되었다.　　○ ✕

New Vocabulary
따로 있다
to have a separate(bathroom or kitchen)
딸려 있다
to be furnished with (a bathroom)
책장 bookshelf

🎙 Speaking_말하기

1 친구는 어떤 곳에서 살고 있을까요? 같이 이야기해 보세요.

Where is your friend living now? Talk with your friend about where he or she now lives.

● 다음에 대해 친구들과 이야기해 보세요.

Ask and answer about the following with your friend.

(1) 지금 어디에서 살고 있어요?

(2) 왜 그곳에서 살게 되었어요?

(3) 지금 살고 있는 집은 어때요?

(4) 어떤 집에서 살았으면 좋겠어요? 왜 그렇게 생각해요?

2 집을 구하는 대화를 해 보세요.

Do house hunting role-play.

● 부동산에 집을 구하러 갔습니다. 부동산 중개인과 손님이 되어 이야기해 보세요.

Imagine you went to a real estate agency searching for a house. Play (a role of) a real estate agent and a customer.

부동산 중개인	손님이 원하는 곳을 소개해 주세요. 가격은 마음대로 정해도 됩니다.
손님	햇빛이 잘 들고 공기가 잘 통하는 고시원을 구하고 싶습니다. 원하는 방의 크기, 가격 등은 마음대로 이야기해도 됩니다.

● 광고를 보고 집을 보러 갔습니다. 주인과 집을 보러 간 손님이 되어 이야기해 보세요.

Imagine that you went to see a house after seeing an ad. Play (a role of) the owner of the house and a potential tenant.

집 주인	집을 보러 온 사람이 원하는 방을 보여 주세요.
손님	가구가 있고, 화장실이 딸려 있는 원룸을 구하고 싶습니다. 원하는 방의 크기, 가격 등은 마음대로 이야기해도 됩니다.

Reading_읽기

1 다음은 집을 광고하는 글입니다. 다음을 읽고 질문에 답하세요.

The following is an ad for rent. Read the following and answer the questions.

● 집을 광고하는 글에는 어떤 내용이 들어 있을지 추측해 보세요.

Guess what would be included in the ad for rent.

● 빠른 속도로 읽으면서 예상한 내용이 있는지 확인해 보세요.

Read it quickly and see if you guess it right or not.

빈 방 있음 -우리원룸-
- 신축 원룸
- 지하철역에서 걸어서 3분
- 근처에 대형 할인점 위치
- 방마다 화장실, 에어컨 있음.
- 가구 있는 방, 없는 방 등 다양
- 한 달에 50~60만 원

3290-1111 (×9)

하숙생 구함 -이모네 하숙-
- 조용하고 내집 같은 곳
- 학교에서 5분 거리
- 맛있는 아침·저녁 식사 제공
- 층마다 공동 샤워실과 화장실
- 1인실·2인실 선택 가능
- 2인실 35만 원·1인실 55만 원

3290-2580 (×9)

New Vocabulary

신축 newly built

대형 할인점
large-scale discount store

위치하다 to be located

다양하다 to be various

제공하다 to offer

공동 샤워실
shared shower room

1인실 single (bedded) room

선택하다 to choose

● 다시 한 번 읽고 아래의 내용이 맞으면 〇, 틀리면 ✕에 표시하세요.

Read it again and mark the following statements as either O or X.

(1) 두 곳 모두 학교에서 5분이면 갈 수 있다. 〇 ✕

(2) 원룸은 지은 지 얼마 안 되는 새집이다. 〇 ✕

(3) 화장실을 혼자 사용하고 싶으면 원룸에 가야 한다. 〇 ✕

(4) 하숙집은 원룸에 비해서 시설이 잘 되어 있다. 〇 ✕

✎ **Writing_쓰기**

1 여러분과 같이 살 친구를 구하는 광고를 만들어 보세요.
Write an ad looking for a roommate to live with you.

● 먼저 여러분의 집은 어떤 특징이 있는지 생각해 보세요.
Think about the features of your house.

● 무슨 내용을 어떻게 쓸지 정리해 보세요.
Think about what and how you are going to write about.

● 위에서 생각한 것을 바탕으로 광고지를 만들어 보세요.
Based on it, write an ad.

● 여러분이 쓴 광고 내용을 친구들 앞에서 발표해 보세요. 친구들이 발표한 집 중에 여러분이 살고 싶은 집이 있어요? 어느 집이에요? 왜 그 집에 살고 싶어요?
Make a presentation of your ad in front of your friends. Is there any house that you want to line in? Which one is it? What is the reason for choosing that house?

자기 평가 ✎   Self-Check

● 지금 살고 있는 집의 특징과 살고 싶은 집의 특징에 대해 묻고 대답할 수 있습니까?
Are you able to ask and answer what your current house is like and what kind of house you want to live in the future?

Excellent ●━━●━━●━━● Poor

● 자신이 원하는 집의 조건을 이야기하고 집을 구할 수 있습니까?
Are you able to talk about the conditions of a house to rent and look for a house?

Excellent ●━━●━━●━━● Poor

● 원룸이나 하숙집의 광고 글을 읽고 쓸 수 있습니까?
Are you able to read and write an ad for a studio or a room for boarding?

Excellent ●━━●━━●━━● Poor

1 –(으)ㄹ까 하다

- –(으)ㄹ까 하다 is attached to a verb stem, indicating that the subject has a plan or an intention to do something.

  기숙사가 불편해서 다른 곳으로 이사할까 해요.
  I feel uncomfortable living in a dormitory, so I consider moving to another place.

- This takes two forms.

  a. If the stem ends in a vowel or the ㄹ, -ㄹ까 하다 is used.

  b. If the stem ends in a consonant other than ㄹ, -을까 하다 is used.

  (1) 가 : 이번 방학에 다른 하숙집으로 옮길까 해요.
  　　나 : 지금 있는 곳이 불편하세요?

  (2) 가 : 점심에 맛있는 거 먹으러 갈까 하는데 같이 갈래요?
  　　나 : 전 할 일이 많아서 김밥이나 먹을까 해요.

  (3) 가 : 어제 뭐 했어요?
  　　나 : 오래간만에 영화를 보러 갈까 했는데 날씨가 너무 더워서 그만뒀어요.

  (4) 가 : 일요일에 뭐 할 거예요?
  　　나 : 쉬면서 소설책을 읽을까 해요.

  (5) 가 : 이번 방학에 뭐 할 거예요?
  　　나 : _____.

  (6) 가 : 주말에 왜 집에만 있었어요?
  　　나 : _____.

2 –았/었/였으면 좋겠다

- -았/었/였으면 좋겠다 is attached to a verb, an adjective, and 'noun+이다', indicating the speaker's desire, wish or expectation.

  방이 컸으면 좋겠어요.　I wish the room is bigger.

- This takes three forms.

  a. If the last vowel in the stem is ㅏ or ㅗ, -았으면 좋겠다 is used.

  b. If the last vowel in the stem is any vowel other than ㅏ or ㅗ, -었으면 좋겠다 is used.

  c. For 하다, the correct form is 하였으면 좋겠다. However, 했으면 좋겠다 is generally used instead of 하였으면 좋겠다.

  (1) 가 : 어떤 집을 찾으세요?
  　　나 : 햇빛도 잘 들고 공기도 잘 통하는 집이었으면 좋겠어요.

(2) 가 : 왜 이렇게 늦었어요?

　　나 : 회사까지 한 시간이나 걸렸어요. 집이 회사에서 가까웠으면 좋겠어요.

(3) 가 : 이번 휴가 때 어디 갈까요?

　　나 : 저는 바다에 놀러 갔으면 좋겠어요.

(4) 가 : 한국어 공부는 어때요?

　　나 : 재미는 있는데 말하기 실력이 늘지 않아서 걱정이에요. 말을 더 잘했으면 좋겠어요.

(5) 가 : 내일 날씨가 어떨까요?

　　나 : _____.

(6) 가 : 꿈이 뭐예요?

　　나 : _____.

3 -만큼

● -만큼 is attached to a noun, indicating that the subject is equivalent to the noun.

　　영진 씨는 마이클 씨만큼 키가 커요. 영진 is as tall as Michael.

(1) 가 : 방이 얼마만큼 넓어요?

　　나 : 운동장만큼 넓어요.

(2) 가 : 날씨가 많이 덥지요?

　　나 : 네. 그렇지만 우리 고향만큼 덥지는 않아요.

(3) 가 : 지금까지 가 본 곳 중에서 어디가 제일 좋았어요?

　　나 : 저는 제주도가 제일 좋았어요. 제주도만큼 아름다운 곳은 없는 것 같아요.

(4) 가 : 얼마만큼 드릴까요?

　　나 : 이만큼만 주세요.

(5) 가 : 수미 씨가 그렇게 좋아요?

　　나 : _____.

(6) 가 : 마이클 씨가 한국말을 아주 잘하죠?

　　나 : _____.

4 -에 비해서

● -에 비해서 is attached to a noun, indicating comparison between the subject and the noun. With 서 omitted, -에 비해 is often used.

이 가방은 가격에 비해서 품질이 좋아요. This bag has good quality for the price.

(1) 가: 이 방은 다른 방에 비해서 방값이 싼 것 같아요.

　　나: 창문이 작아서 그래요.

(2) 가: 집이 정말 조용하네요.

　　나: 여긴 다른 곳에 비해서 아주 조용한 편이에요.

(3) 가: 오늘 날씨 어때요?

　　나: 어제에 비해서 따뜻해요.

(4) 가: 히로미 씨는 다른 사람들에 비해서 한국말을 참 잘하죠?

　　나: 네, 정말 그런 것 같아요.

(5) 가: 지금 사는 곳은 어때요?

　　나: _____.

(6) 가: 학교 앞에 새로 생긴 식당 어때요?

　　나: _____.

Listening Transcript 듣기 대본

제1과 자기소개

CD1. track 8~10

1

1) 가: 안녕하세요? 저는 김기중이라고 합니다.

   나: 안녕하세요? 저는 아만다입니다. 호주에서 왔습니다.

2) 가: 안녕하세요, 선생님? 이 분은 태국에서 온 수밧 씨입니다.

   나: 안녕하세요? 태국 방콕에서 온 수밧입니다.

   잘 부탁드립니다.

3) 가: 대학원에 다니세요?

   나: 아닙니다. 지난 학기에 졸업하고 지금은 회사에 다니고 있습니다.

4) 가: 무슨 일을 하십니까?

   나: 변호사가 되고 싶어서 법학을 공부하고 있습니다.

2

1) 아티아: 안녕하세요? 저는 몽골에서 온 아티아라고 합니다. 2년 전에 한국에 왔습니다. 고려대학교에서 한국 역사를 전공하고 있습니다.

2) 하 산: 안녕하십니까? 저는 이집트에서 온 하산입니다. 현대자동차에 다니고 있습니다. 한국에 오기 전에 2년 동안 한국어를 공부했습니다. 잘 부탁합니다.

3) 왕 단: 안녕하십니까? 저는 중국 베이징에서 온 왕단입니다. 경영학과 4학년입니다. 대학을 졸업하고 사업을 하고 싶습니다. 감사합니다.

3

이수진: 처음 뵙겠습니다. 저는 이수진입니다.

디에고: 안녕하세요. 저는 디에고입니다. 스페인에서 왔습니다.

이수진: 아! 스페인이요? 스페인 어디에서 오셨어요?

디에고: 마드리드에서 왔어요.

이수진: 마드리드요? 저도 한 번 가 봤어요. 그런데 한국에 뭐 하러 오셨어요?

디에고: 관광 안내원이 되고 싶어서 한국어를 배우러 왔어요.

이수진: 그럼 스페인에서도 한국어를 공부했어요?

디에고: 아니요, 대학 때 전공은 사회학이었어요. 6개월 전부터 한국어를 배웠어요.

이수진: 그런데 한국어를 아주 잘하시네요.

디에고: 그래요? 감사합니다.

제2과 취미

CD1. track 17~19

1

1) 가: 취미가 뭐예요?

   나: 제 취미는 음악회에 가는 거예요.

2) 가: 영화를 보는 것을 좋아해요?

   나: 아니요, 영화를 보는 것은 별로 안 좋아해요. 전 책을 읽는 것을 좋아해요.

3) 가: 시간이 있을 때 보통 무엇을 해요?

   나: 배드민턴이나 테니스를 쳐요.

   가: 운동을 좋아해요?

   나: 네, 운동을 좋아해서 시간이 날 때는 항상 운동을 해요.

4) 가: 산책하는 것을 좋아해요?

   나: 네, 좋아해요. 그래서 매일 한두 시간은 꼭 산책을 해요.

2

유 키: 마이클 씨는 취미가 뭐예요?

마이클: 저는 그림을 보는 것을 좋아해요.

유 키: 그림을 보는 것이요? 그럼 그림을 그리는 것도 좋아해요?

마이클: 아니요, 그리는 것은 별로 안 좋아해요. 그런데 유키 씨는 취미가 뭐예요?

유 키: 제 취미요? 저는 요리를 하는 것도 좋아하고, 맛있는 음식을 먹는 것도 좋아해요.

마이클: 와! 그러면 요리를 자주 해요?

유 키: 그럼요. 주말에는 항상 요리를 해요. 마이클 씨도 시간 있을 때 우리 집에 한번 놀러 오세요. 내가 맛있는 음식을 만들어 줄게요.

3

저는 야구하는 것을 좋아해요. 지금은 우리 대학교의 여자 야구팀 선수예요. 저는 다섯 살 때 아버지에게서 야구를 배웠어요. 아버지는 제가 어릴 때 건강이 안 좋았기 때문에 야구를 가르쳐 주었어요. 처음에는 야구하는 것이 싫었지만 지금은 야구하는 것이 제일 좋아요. 열심히 연습해서 우리 학교 최고의 야구 선수가 되고 싶어요.

제3과 날씨

CD1. track 26~28

1

1) 가: 지금 비가 와요?

   나: 네, 조금 전까지 맑았어요. 그런데 갑자기 소나기가 내리네요.

2) 가: 저 조깅 좀 하고 올게요.

　　나: 기온이 많이 내려가서 추워요. 따뜻한 옷을 입고 나가세요.

3) 가: 영진 씨, 우산 좀 빌려 주실래요?

　　나: 조금 전에 비가 그쳤어요. 그냥 나가서도 돼요.

4) 가: 내일 비가 올까요?

　　나: 글쎄요. 지금 날이 많이 흐리네요. 내일 비가 올 것 같아요.

2

가: 날씨가 꽤 춥네요.

나: 맞아요. 비가 온 후에 날씨가 많이 추워졌어요.

가: 이번 주말에 친구들하고 등산을 가는데 그 때도 추울까요?

나: 글쎄요. 그 때쯤에는 괜찮아질 것 같아요.

가: 그런데 마이클 씨는 추운 날씨를 싫어해요?

나: 네, 저는 더운 건 괜찮은데, 추운 건 정말 싫어요.

가: 마이클 씨의 고향은 별로 안 추워요?

나: 네, 한국보다 기온이 좀 높아요.

3

오늘 밤과 내일의 날씨를 말씀 드리겠습니다. 지금 하늘에 구름이 많이 끼었는데요. 오늘 밤 늦게 비가 내릴 것 같습니다. 이 비는 내일 오전까지만 내리고 오후에는 개겠습니다. 내일은 아침 최저 기온이 1도까지 내려가 추워지겠습니다. 그렇지만 낮에는 기온이 15도까지 올라가 오늘보다 따뜻하겠습니다. 아침과 낮의 기온 차이가 큽니다. 이럴 때는 두꺼운 옷을 입는 것보다 얇은 옷을 여러 개 입는 것이 좋습니다. 이상 오늘 밤과 내일의 날씨를 말씀 드렸습니다. 편안한 저녁 보내시기 바랍니다.

제4과 물건 사기

CD1. track 35~37

1

1) 가: 저기요, 바지를 사려고 하는데요.

　　나: 이 바지는 어떠세요? 하얀색이 시원해 보여요.

　　가: 그거 좋은데요. 그걸로 할게요.

2) 가: 티셔츠 좀 보여 주세요.

　　나: 이 갈색 티셔츠는 어떠세요?

　　가: 요즘 더워서 짧은 걸 사려고 하는데……

　　나: 그럼 이 주황색으로 하세요. 손님에게 잘 어울릴 거예요.

　　가: 예쁘네요. 그걸로 주세요.

3) 가: 저기요, 남방을 하나 사려고 하는데요.

　　나: 이쪽에서 천천히 보세요.

　　가: 이 노란색 남방이요, 다른 색도 있어요?

나: 흰색하고 회색이 있었는데 다 팔리고 지금은 노란색만 있어요.

가: 그래요? 그럼 이 갈색 티셔츠 주세요.

4) 가: 어서 오세요. 뭐 찾으시는 거 있으세요?

　　나: 청바지를 하나 살까 하는데요.

　　가: 청바지요? 이게 요즘 잘 나가는데 한번 입어 보시겠어요? 진한 파란색이라서 다른 옷하고도 잘 어울려요.

　　나: 네, 그걸로 할게요.

2

가: 뭐 찾으시는 거 있으세요?

나: 양복을 한 벌 사려고 하는데요.

가: 이 갈색 양복은 어떠세요? 가을이라서 그런지 아주 잘 나가요.

나: 전 유행하는 옷은 별로 안 좋아해요.

가: 그럼 이걸 한번 입어 보시겠어요? 회색은 언제나 입을 수 있으니까요.

나: 너무 밝은 것 같은데 그것보다 어두운 색도 있어요?

가: 여기 진한 회색도 있어요. 한번 입어 보세요.

〈잠시 후〉

가: 마음에 드세요?

나: 생각보다 편하네요. 그런데 저한테는 조금 큰 것 같아요.

가: 지금은 작은 게 없네요. 주문하면 다음 주에는 오니까 주문해 드릴까요?

나: 네, 그럼 주문해 주세요.

3

오늘도 저희 슈퍼를 찾아주신 고객 여러분께 감사드립니다. 지금부터 과일 할인 행사를 시작하겠습니다. 육천 원짜리 바나나를 천 원짜리 세 장에 드립니다. 육천 원짜리 바나나가 삼천 원. 천 원짜리 사과, 다섯 개에 삼천 원. 천 원짜리 사과 다섯 개에 삼천 원입니다. 이천 원짜리 귤 한 봉지가 천 원. 귤이 천 원. 과일이 아주 싱싱하고 맛있습니다. 어서어서 오세요.

제5과 길 묻기

CD1. track 44~46

1

1) 가: 이 근처에 서점이 있어요?

　　나: 네, 저기 횡단보도 근처에 있어요.

2) 가: 말씀 좀 묻겠습니다. 여기에서 제일 가까운 은행이 어디예요?

　　나: 저기 육교가 보이죠? 그 근처에 있어요.

3) 가: 저, 실례합니다. 이 근처에 편의점이 있어요?

　　나: 이쪽으로 똑바로 가면 지하도가 나와요. 그 옆에 있어요.

4) 가: 영진 씨, 서울식당에 어떻게 가요?

　　나: 이쪽으로 쭉 가면 삼거리가 나와요. 서울식당은 그 근처에 있어요.

2

가: 저, 실례합니다. 말씀 좀 묻겠습니다.

나: 네, 말씀하세요.

가: 이 근처에 우체국이 있어요?

나: 죄송합니다. 저도 잘 모르겠어요.

〈잠시 후〉

가: 저, 말씀 좀 물을게요. 이 근처에 우체국이 어디에 있어요?

다: 아, 우체국이요? 이쪽으로 쭉 가면 사거리가 나와요. 거기에서 오른쪽으로 가면 보일 거예요.

가: 많이 가야 돼요?

다: 아니요. 사거리에서 오른쪽으로 50미터쯤 가면 횡단보도가 나와요. 거기에서 길을 건너서 왼쪽으로 조금만 가면 돼요.

가: 아, 네. 감사합니다.

3

안녕하십니까. 떡 박물관입니다. 개장 시간 및 요금 안내는 1번, 위치 안내는 2번을 눌러 주세요.

위치 안내입니다.

저희 떡 박물관은 지하철 종로3가역 근처에 있습니다. 종로3가역 7번 출구로 나와서 100미터쯤 오면 오른쪽에 슈퍼마켓이 있습니다. 슈퍼마켓을 지나서 조금 더 오면 횡단보도가 나옵니다. 이 횡단보도를 건너서 다시 왼쪽으로 조금만 오면 됩니다. 이용해 주셔서 감사합니다.

제6과 안부 · 근황

CD1. track 53~55

1

1) 가: 동수야, 안녕. 오늘은 일찍 왔네.

　　나: 응, 미키. 어제도 늦었는데 오늘도 늦으면 안 되지. 우리 오늘 뭐 할래?

　　가: 오래간만에 같이 영화 보자.

2) 가: 마이클, 오래간만이야.

　　나: 그래, 정말 오래간만이야. 그동안 잘 지냈어?

　　가: 응, 덕분에 잘 지냈어.

3) 가: 수경아, 여기야.

　　나: 어, 투안. 그동안 잘 지냈지?

가: 응, 덕분에 잘 지냈어. 그런데 왜 이렇게 연락이 없었어?

나: 미안해. 좀 바빴어.

4) 가: 영미야, 안녕. 어제 잘 들어갔지?

　　나: 응. 너도 잘 들어갔지?

　　가: 근데 너 린다한테 전화했어?

　　나: 아니, 안 했어.

　　가: 어제도 안 했어?

2

제프: 소현아.

소연: 어머! 제프. 제프 아니야?

제프: 정말 오랜만이야. 그동안 잘 지냈지?

소연: 응, 난 잘 지냈어. 그런데 한국에는 웬일이야?

제프: 일주일 동안 출장 왔어.

소연: 그래? 그런데 오기 전에 왜 연락 안 했어?

제프: 처음 오는 출장이라서 좀 정신이 없었어. 너는 어떻게 지냈어?

소연: 나? 나는 매일 똑같지, 뭐. 학교 다니고, 영어 학원도 다니고…… 이렇게 우연히 만나니까 더 반갑네. 우리 어디 가서 커피 한 잔 할래?

제프: 미안. 지금 중요한 회의가 있어서 가야 되니까 내가 일 끝나면 전화할게.

소연: 그래, 꼭 연락해.

3

수미야, 나 링링이야. 요즘 많이 바빠? 전화도 안 받고, 이메일 답장도 없어서 오늘은 메시지를 남겨. 별일 없지? 나는 다음 주부터 여름휴가야. 그때 한국에 가려고 해. 한국에 가면 너도 보고 싶은데, 너는 시간이 어때? 메시지를 들으면 나한테 연락 좀 해 줘. 그럼 기다릴게. 안녕.

제7과 외모 · 복장

CD1. track 62~64

1

1) 가: 어떻게 생겼어요?

　　나: 키가 작고 약간 통통한 편이에요. 그리고 배도 좀 나왔어요.

2) 가: 정장을 자주 입어요?

　　나: 아니요, 정장을 잘 안 입어요. 그런데 오늘은 정장을 입고 있어요.

3) 가: 안경을 썼어요?

　　나: 평소에는 안경을 쓰고 다녀요. 그런데 지금은 안경을 안 쓰고 있네요.

4) 가 : 가방을 멨어요?

　　나 : 오늘은 바지하고 같은 색깔의 가방을 들고 있어요. 가방이 기준 씨한테 아주 잘 어울려요.

2

가 : 어머! 토머스 씨의 가족사진이에요? 가족들이 모두 모델처럼 키가 크고 날씬해요. 그런데 어머니가 아버지보다 키가 크시네요.

나 : 네, 어머니가 우리 가족 중에서 제일 크세요. 형제들도 어머니를 닮아서 키가 크고 체격도 큰 편이에요.

가 : 얼굴은 누구를 닮았어요? 눈은 어머니를 닮아서 큰 것 같은데 얼굴형은 좀 다르네요. 아버지, 어머니의 얼굴은 동그란 편인데 토머스 씨하고 형제들은 얼굴이 좀 긴 것 같아요.

나 : 얼굴형도 어머니를 닮았어요. 어머니가 살이 쪄서 얼굴이 동그래지신 거예요.

3

다섯 살짜리 여자 아이를 찾고 있습니다. 이름은 유미리, 보통 키에 체격이 작고 마른 편입니다. 노란색 원피스에 빨간색 조끼를 입고 있습니다. 그리고 빨간색 모자를 쓰고 있습니다. 얼굴은 동그랗고 눈이 큰 편입니다. 머리는 긴 편입니다. 혹시 이런 아이를 보신 분이나 보호하고 계신 분은 가까운 미아보호소로 연락해 주시면 감사하겠습니다.

제8과 교통

CD1. track 71~73

1

1) 가 : 종로 2가에 가려면 어느 역에서 갈아타야 돼요?

　　나 : 종로 2가요? 동묘역에서 갈아타면 돼요. 그런데 내려서 많이 걸어야 되니까 273번 버스를 타는 게 좋겠어요.

2) 가 : 저기요, 올림픽공원에 가려고 하는데요. 여기에서 제일 가까운 지하철역이 어디예요?

　　나 : 지하철은 많이 돌아가니까 택시를 타세요. 택시로 10분이면 도착할 거예요.

3) 가 : 저기요, 혹시 여기에 압구정동에 가는 버스가 있어요?

　　나 : 압구정동까지 한 번에 가는 버스가 없어서 갈아타야 돼요. 여기에서 똑바로 10분쯤 가면 지하철역이 있으니까 지하철을 타고 가세요.

2

가 : 어머! 벌써 다섯 시가 다 됐네. 민수야, 나 여섯 시에 강남역에서 약속이 있는데 지금 안 나가면 늦을 것 같아. 먼저 갈게.

나 : 강남역? 아직 시간 괜찮아. 천천히 가도 돼.

가 : 아까 지하철 노선도를 보니까 스물다섯 정거장이었는데, 그럼 한 시간 정도 걸리지 않을까?

나 : 두 번 갈아타고 가면 40분이면 갈 수 있어.

가 : 그래? 그럼 어디에서 갈아타야 돼?

나 : 삼각지역에서 4호선으로 갈아타고 사당역까지 가. 그리고 거기에서 다시 2호선으로 갈아타면 금방 갈 수 있을 거야.

가 : 그렇구나. 고마워. 덕분에 천천히 가도 되겠다.

3

1) 지금 상일동, 상일동행 열차가 들어오고 있습니다. 손님 여러분께서는 한 걸음 물러서 주시기 바랍니다.

2) 지금 마천, 마천행 열차가 들어오고 있습니다. 손님 여러분께서는 한 걸음 물러서 주시기 바랍니다.

3) 이번 역은 강동, 강동역입니다. 내리실 문은 오른쪽입니다. 계속해서 마천 방면으로 가실 손님은 이번 역에서 마천행 열차로 갈아타시기 바랍니다.

4) 이번 역은 종착역인 마천, 마천역입니다. 내리실 문은 오른쪽입니다. 내리실 때에는 차 안에 두고 내리는 물건이 없는지 다시 한 번 살펴보시기 바랍니다. 오늘도 저희 5호선 열차를 이용해 주셔서 감사합니다. 안녕히 가십시오.

제9과 기분·감정

CD2. track 7~9

1

1) 가 : 아까 넘어졌을 때 많이 아팠죠?

　　나 : 아프기도 아팠지만 너무 부끄러웠어요. 사람들이 다 저를 볼 때는 어디로 도망가고 싶었는데 다리가 아파서 그럴 수도 없고.

2) 가 : 지금이 몇 시야? 늦을 것 같으면 이야기를 해야지.

　　나 : 미안해. 전화를 안 받아서 문자 메시지를 남겼는데, 못 봤어?

　　가 : 나도 하루 종일 정신없었어.

3) 가 : 영미 씨, 어제 무슨 일이 있었어요? 전화 많이 했는데 계속 안 받아서 걱정했어요.

　　나 : 어제 수미 씨의 생일 파티에 갔는데 깜빡하고 전화를 안 가지고 갔어요.

　　가 : 어제가 수미 씨의 생일이었어요? 그런데 왜 저한테는 아무도 전화를 안 했지요? 저도 가고 싶었는데…… 재미있었겠네요.

4) 가 : 와! 철민 씨, 정말 축하해요. 너무 멋있어요.

　　나 : 다들 바쁘신데 이렇게 제 결혼식까지 와 주셔서 고맙습니다.

　　가 : 철민 씨, 드디어 준코 씨랑 결혼을 했는데 기분이 어때요?

　　나 : 정말 최곱니다. 여러분도 빨리 결혼하세요.

②

가: 안나 씨, 한국어능력시험에 합격했지요? 정말 좋겠어요.

나: 열심히 공부했는데 점수가 별로 안 좋아서 좀 속상해요. 그래서 한국어 공부도 싫어졌어요.

가: 무슨 말이에요? 1급을 공부하면서 1급에 합격했으니까 그건 아주 잘한 거예요. 속상한 일이 아니라 기쁜 일이죠.

나: 며칠 전에 문제를 다시 풀어 봤어요. 그런데 아는 문제도 틀린 것 같았어요.

가: 그건 그동안 안나 씨의 한국어 실력이 좋아져서 그래요.

나: 정말이요? 그럼 제가 괜히 실망한 거예요? 정수 씨, 고마워요.

가: 기분이 다시 좋아졌지요? 그럼 앞으로도 재미있게 한국어를 공부할 수 있겠네요.

③

여러분, 그동안 정말 고마웠습니다. 한국말도 못하고, 일도 잘 못하지만 여러분 덕분에 한국에서 잘 지낼 수 있었습니다. 한국자동차에서 일하는 동안 저는 일을 하는 것이 아니라 한국어를 배우면서 즐겁게 노는 것 같았습니다. 여러분과 보낸 시간은 저에게 좋은 추억이 될 것입니다. 고향에서도 잊지 않겠습니다. 이렇게 빨리 돌아가는 것이 섭섭하지만 나중에 또 만날 수 있기 때문에 저는 웃으면서 가겠습니다. 여러분 모두 안녕히 계십시오.

제10과 여행

CD2. track 16~18

①

1) 가: 여행을 가고 싶은데 어디에 가면 좋을까요?

　나: 경주나 부여에 가는 게 어때요?

　가: 경주는 전에 가 본 적이 있어요.

2) 가: 한국에서 어디에 가 봤어요?

　나: 부산하고 설악산에 가 봤어요.

　가: 설악산 아주 좋지요?

　나: 네, 경치가 아주 아름다웠어요.

3) 가: 지난주에 광주와 전주에 다녀왔어요.

　나: 나도 작년에 전주에 다녀왔는데…… 전주에서 비빔밥도 먹었어요?

②

가: 저 휴가 때 베이징에 갔다 왔어요.

나: 베이징이요? 베이징 좋지요? 저도 작년 가을에 갔었는데 아주 좋았어요. 구경 많이 했어요?

가: 네, 자금성도 보고, 이화원에도 갔어요. 천안문 광장에도 갔는데 규모가 커서 아주 놀랐어요.

나: 만리장성에도 갔어요?

가: 네. 만리장성이 정말 인상적이었어요.

나: 전 하루밖에 여행을 못 해서 만리장성에는 못 갔어요. 다음에 꼭 가 보고 싶어요.

③

나는 일요일에 춘천에 다녀왔습니다. 춘천에는 기차를 타고 갈 수도 있지만 나는 버스를 타고 갔습니다. 서울에서 춘천까지 버스로 두 시간쯤 걸렸습니다. 춘천에는 큰 호수가 있습니다. 나는 호수 주위를 산책하고 시내에 갔습니다. 춘천은 외국인에게 유명한 곳입니다. 춘천에서 유명한 드라마를 찍었기 때문입니다. 나는 춘천 시내를 구경하면서 외국인 관광객을 많이 만났습니다. 춘천 구경을 마친 다음에는 춘천의 유명한 음식인 닭갈비를 먹었습니다.

제11과 부탁

CD2. track 25~27

①

1) 가: 미키 씨, 밥도 안 먹으러 가고 하루 종일 뭐 해요?

　나: 저 지금 일이 너무 많아서 그러는데 혹시 지금 시간 있으면 부탁 좀 들어줄 수 있어요?

　가: 무슨 부탁이에요?

　나: 이 자료 좀 정리해 주세요. 이 메모를 보고 하면 돼요.

2) 가: 수미야, 미안한데, 혹시 돈 좀 있으면 나 십만 원만 빌려 줄래?

　나: 십만 원이나?

　가: 사실은 친구의 물건을 잃어버렸는데 새로 사 줘야 할 것 같아.

　나: 지금은 나도 돈이 없는데 저녁에 빌려 줘도 돼?

　가: 당연하지.

3) 가: 영진이 형, 지금 시간 있으면 이 발표문 좀 고쳐 줄 수 있어요?

　나: 그래. 줘 봐. 음, 이거 틀린 게 너무 많아서 지금 고쳐 주기는 어려울 것 같네. 나도 나가야 되는데 어떡하지?

②

린다: 여보세요, 민수 씨?

민수: 네, 린다 씨. 이 시간에 웬일이에요?

린다: 아침 일찍 미안한데 지금 통화할 수 있어요?

민수: 네, 괜찮아요.

린다: 지금 컴퓨터로 숙제를 하고 있었는데 갑자기 한글 프로그램이 안 돼요. 이럴 땐 어떻게 해야 돼요?

민수: 그러면 컴퓨터를 끈 후에 다시 켜 보세요. 그래도 안 되면 바이러스 체크를 해 보세요. 그 다음은 저도 잘 모르겠어요. 바이러스 체크 후에도 안 되면 AS센터에 연락하는 게 좋을 거예요.

린다: 알겠어요. 컴퓨터를 다시 켜고 바이러스 체크요?

민수: 네, 별로 도움이 안 돼서 미안해요.

린다: 도움이 안 되기는요. 그럼 그렇게 해 볼게요. 고마워요, 민수 씨.

3

링링 씨, 미킨데요. 갑자기 일이 생겨서 저 지금 일본에 가요. 전화했는데 계속 안 받아서 메시지 남겨요. 링링 씨에게 몇 가지 부탁이 있어요. 링링 씨도 바쁜데 미안해요. 책상 위에 보고서가 있는데 그걸 내일 선생님께 좀 전해 주세요. 그리고 오늘 저녁에 세탁소에서 아저씨가 옷을 가지고 올 거예요. 세탁비를 좀 내 주세요. 돈은 책상 서랍에 들어 있어요. 도착하면 다시 전화할게요. 이렇게 부탁만 하고 가서 미안해요. 그럼 나중에 봐요.

제12과 한국 생활

CD2. track 34~36

1

1) 가: 마이클 씨는 한국에 온 지 오래 됐어요?

   나: 아니요, 아직 4개월밖에 안 됐어요.

   가: 그럼 한국 생활이 아직 힘들겠어요?

   나: 친구들도 많고 한국어 공부도 재미있어서 별로 힘들지 않아요.

2) 가: 차따 씨, 요즘 얼굴이 안 좋은데 무슨 일 있어요?

   나: 별일 없어요. 그런데 부모님이랑 가족들이 너무 보고 싶어요.

   가: 차따 씨가 향수병에 걸린 것 같네요. 그럴 때는 고향 음식을 먹으면서 고향 친구들하고 이야기를 하면 좀 좋아질 거예요.

3) 가: 미라 씨, 이번 주말에 시간 있으면 같이 전주에 안 갈래요? 친구들하고 한옥 체험을 하고 싶은데 미라 씨가 좀 설명해 주세요.

   나: 이번에는 한옥 체험이에요? 디에고 씨는 정말 대단해요.

   가: 저는 한국 생활이 정말 즐거워요. 특히 전통 문화를 체험하는 것이 너무너무 좋아요.

2

가: 닉 씨는 한국에 온 지 오래 됐지요?

나: 이제 삼 년쯤 됐으니까 오래 된 편이지요.

가: 그래서 한국말도 잘 하는구나. 그런데 좋은 회사에 다니고 있었는데 왜 갑자기 한국에 왔어요?

나: 제가 좋아하는 일이 아니라 사람들이 좋아하는 일을 하고 있는 것 같았어요.

가: 그래요? 그럼 닉 씨가 좋아하는 일은 뭐였어요?

나: 저도 수진 씨처럼 한국 음식 문화에 관심이 많았어요. 나중에 한국 음식 문화에 대한 책을 써 보고 싶어서 한국에 온 거예요.

가: 우와! 멋져요. 그럼 책을 쓰는 일은 잘 되고 있어요?

나: 아직 한국말이 서툴러서 시간이 좀 더 필요할 것 같아요. 아주머니들이 하는 말에는 사전에 없는 것도 많아서 좀 힘들어요.

가: 그러면 모르는 말이 있을 때 제가 좀 더 쉬운 한국말로 설명해 줄까요?

나: 정말이요? 그러면 저는 좋지만 미안해서 …….

가: 아니에요, 저한테도 도움이 될 거예요. 그럼 우리 이제부터 한국어하고 한국의 음식 문화를 같이 공부하기로 해요.

3

이 분은 서울 안암동에 사시는 유학생이시네요. 저는 한국에 온 지 다섯 달이 지난 중국 유학생 장정입니다. 처음 한국에 왔을 때 음식도 너무 맵고, 한국어도 잘 몰라서 많이 힘들었는데 친구들이 도와준 덕분에 지금은 잘 지내고 있습니다. 제가 밥을 못 먹을 때에는 중국 음식도 만들어 주고, 모르는 한국말도 잘 설명해 주었지요. 참 좋은 친구를 사귀셨네요. 그런데 요즘 우리 반의 왕방 씨와 차따 씨는 매일 고향 이야기만 하면서 한국 생활을 너무 힘들어합니다. 우리 반 친구들 모두가 열심히 도와주고 있지만 방송에서도 격려해 주면 좋을 것 같습니다. 왕방 씨, 차따 씨와 같이 듣고 싶습니다. "힘내라, 청춘아." 아주 마음이 따뜻한 분이네요. 저도 응원해 드릴게요. 왕방 씨, 차따 씨, 이 노래 듣고 힘내세요. "힘내라, 청춘아"입니다.

제13과 도시

CD2. track 43~45

1

1) 가: 줄리 씨의 고향은 어떤 곳이에요?

　나: 서울하고 비슷한 대도시예요.

2) 가: 아이코 씨의 고향은 어떤 곳이에요?

　나: 제 고향은 아주 시골이에요. 도시에서 멀리 떨어져 있고 인구도 적어요.

3) 가: 고향이 어떤 곳이에요?

　나: 제 고향은 유명한 관광지예요. 외국 사람들이 많이 와요.

2

가: 왕단, 고향이 췐수이위라고 했지? 어떤 곳이야?

나: 췐수이위는 북경에서 가까운 시골이야. 북경에서 80킬로미터쯤 떨어져 있어. 인구가 만 명도 안 돼.

가: 사람들은 주로 뭘 하고 살아?

나: 주로 농사를 지어. 우리 고향의 복숭아는 맛이 좋아서 중국에서 아주 유명해.

가: 그렇게 작은 도시면 병원이나 큰 가게 같은 것이 없어서 불편하겠네.

나: 아니. 우리 마을에는 큰 극장이나 병원이 없지만 근처에 큰 도시가 있어서 별로 불편하지 않아. 차로 20분쯤 가면 큰 도시가 있어.

3

경주는 한국의 남쪽에 있는 도시입니다. 전체 면적은 서울의 두 배 정도 되지만, 인구는 40만 명 정도밖에 되지 않습니다. 경주는 옛날에 신라의 수도였기 때문에 경주에는 오래된 건물과 유적지, 박물관이 많습니다. 그래서 도시 전체가 박물관 같습니다. 경주는 한국의 대표적인 관광지입니다. 그래서 경주는 깨끗하고, 경주 사람들은 아주 친절합니다. 좋은 숙소도 많이 있기 때문에 여행하기에도 좋은 곳입니다.

제14과 치료

CD2. track 52~54

1

1) 가: 왜 그래요?

　나: 배탈이 난 것 같아요. 속이 안 좋네요.

2) 가: 아니, 영진 씨! 다리에서 피가 나요.

　나: 네. 지금 막 뛰어 들어오다가 넘어졌어요.

3) 가: 발목이 많이 부었네요.

　나: 그래요? 정말 그렇네요. 어떻게 하죠?

　가: 발목을 삐었을 때는 얼음찜질이 좋아요. 우선 찜질을 한번 해 봅시다.

4) 가: 얼굴이 왜 그래요? 여드름이에요?

　나: 얼굴만 이런 게 아니에요. 온몸에 다 났어요. 너무 가려워서 정말 힘들어요.

2

의사: 어떻게 오셨습니까?

환자: 운동하다가 넘어져서 팔을 다쳤어요. 여기에 바를 약 좀 주세요.

의사: 어디 봅시다. 피도 났네요. 피가 많이 났어요?

환자: 아니요, 많이 나지는 않았어요.

의사: 그래요? 그럼, 여기를 누르면 어때요?

환자: 아, 아, 아~!

의사: 그럼, 팔을 이렇게 한번 돌려 보세요. 아프세요?

환자: 아니요, 괜찮아요.

의사: 다행히 팔이 부러지지는 않았네요.

환자: 괜찮은 거예요?

의사: 네. 약을 처방해 드릴 테니까 하루에 세 번 드시고 연고는 상처에 발라 주세요. 그리고 팔을 안 쓰는 게 좋으니까 오늘은 아무 일도 하지 말고 푹 쉬세요.

환자: 네, 감사합니다.

3

저는 발목을 잘 삐는 편입니다. 보통 사람들은 굽이 높은 신발 때문에 발목을 삐는데, 저는 운동화를 신고 있을 때도 발목을 삡니다. 정말 신기하죠? 저는 이렇게 발목을 삘 때가 많아서 이럴 때 어떻게 하는 것이 좋은지 잘 알게 되었습니다. 발목을 삐었을 때는 무조건 앉아서 쉬어야 합니다. 자리에 앉으면 신발과 양말을 벗어야 합니다. 그리고 누워서 발목을 약간 높은 곳에 올려놓습니다. 다시 걸어야 할 때는 붕대를 감고 걷는 것이 좋습니다. 여러분도 발목을 삐었을 때는 이렇게 해 보세요.

제15과 집 구하기

CD2. track 61~63

1

(1) 가: 햇빛이 잘 드는 고시원을 찾는데요.

　나: 햇빛이 잘 드는 방이면, 한국 고시원하고 고려 고시원이 좋겠네요.

　가: 방은 어느 쪽이 더 커요?

　나: 고려 고시원이 한국 고시원에 비해서 조금 넓은 편이에요. 거기에 한 번 가 봅시다.

(2) 가: 가구나 전자제품도 있고 시설이 잘 되어 있는 원룸을 구하려고 하는데요.

나 : 이 근처에 있는 원룸들은 시설이 모두 비슷비슷해요. 참, 얼마 전에 우리 원룸하고 미래 원룸이 다시 공사를 해서 새집 같은데 거기에 한 번 가 보죠.

(3) 가 : 학교 근처에 괜찮은 하숙집 좀 소개해 주시겠어요?

나 : 학교에서도 가깝고 음식도 맛있어서 고모네 하숙하고 아름 하숙이 학생들한테 인기가 많아요.

가 : 거기 여학생 욕실도 있어요?

나 : 그럼 고모네 하숙에 가 보실래요? 거기 3층은 여학생들만 있고 욕실도 여학생들만 써요.

2

가 : 아까 광고를 보고 전화한 학생인데요.

나 : 아, 그래요? 이쪽으로 따라오세요.

가 : 방이 정말 크고 환하네요. 이 침대하고 옷장도 제가 사용할 수 있지요?

나 : 방에 딸려 있는 것인데 물론이지요.

가 : 그런데 화장실은 어디에 있어요?

나 : 화장실하고 세탁실은 복도 끝에 있어요.

가 : 화장실을 같이 써야 돼요? 저는 지금 살고 있는 하숙집에서 화장실 같이 쓰는 것이 싫어서 이사할까 했는데…….

나 : 그래요? 화장실이 붙어 있는 방도 있기는 해요. 그런데 이 방보다는 한 달에 5만 원이 더 비싼데, 보여 드릴까요?

가 : 네, 한 번 보여 주세요.

나 : 이쪽으로 오세요. 이 방이에요. 화장실도 붙어 있고, 에어컨하고 냉장고도 있어요.

가 : 화장실도 깨끗하고 좋네요. 그런데 침대는 없어요?

나 : 방이 너무 좁은 것 같아서 침대는 치웠어요. 필요하면 갖다 줄 수 있어요.

가 : 그럼 이 방으로 할게요. 그리고 침대도 갖다 주세요. 혹시 이사는 다음 주말에 와도 돼요?

나 : 방이 비어 있으니까 언제든지 오세요. 침대는 이사 오기 전에 준비해 줄게요.

3

밍밍, 나야. 지금 부동산 아저씨하고 집을 보러 왔는데 아주 좋은 방이 있어. 메시지 들으면 바로 전화해 줘. 방이 아주 넓어서 우리 둘이 같이 살 수 있을 것 같아. 화장실도 따로 있고, 책장이랑 옷장도 있어. 새집이라서 방도 깨끗하고 햇빛도 잘 들어와. 나는 천천히 보고 있을 테니까 빨리 전화해. 너도 마음에 들면 오늘 결정하자.

Answers 정답

제1과 자기소개

〔듣기〕

1 1) □ 영국 사람　☑ 호주 사람
　2) ☑ 태국 사람　□ 인도 사람
　3) □ 학생　　　☑ 회사원
　4) ☑ 학생　　　□ 변호사

2 1)
국적	☑ 몽골 □ 인도	직업	☑ 학생 □ 회사원
2) 국적	□ 알제리 ☑ 이집트	직업	□ 학생 ☑ 회사원
3) 국적	☑ 중국 □ 일본	직업	☑ 학생 □ 회사원

3 1) ○　2) ×　3) ×

〔읽기〕

1 (1) ○　(2) ×　(3) ○　(4) ×

제2과 취미

〔듣기〕

1 1) d　2) e　3) f　4) a
2 1) ③
　2) (1) ○　(2) ×　(3) ×
3 1) 다섯 살 때부터 야구를 했어요.
　2) 어릴 때 건강이 안 좋았기 때문에 배웠어요.
　3) 열심히 연습해서 학교 최고의 야구 선수가 되는 것이
　　에요.

〔읽기〕

1 (1) 사진을 찍는 것입니다.
　(2) 사진은 내가 말로 이야기할 수 없는 것도 잘 이야기해
　　주기 때문입니다.
　(3) 매일 찍습니다.

제3과 날씨

〔듣기〕

1 1) b　2) c　3) a　4) d
2 1) ×　2) ×　3) ○　4) ○
3 1) ③　2) ②　3) ②

〔읽기〕

1 (1) ②
　(2) ① ○　② ○　③ ×

제4과 물건 사기

〔듣기〕

1 1) f　2) a　3) e　4) b
2 1) ×　2) ○　3) ○
3 바나나 - 3,000원, 사과 - 3,000원, 귤 - 1,000원

〔읽기〕

1

좋아하는 옷	□ 정장　　☑ 캐주얼
	☑ 편한 옷　□ 예쁘고 멋있는 옷　□ 유행하는 옷
	□ 붙는 옷　☑ 헐렁한 옷

제5과 길 묻기

〔듣기〕

1 1) a　2) d　3) e　4) c
2 1) d
　2) (1) ○　(2) ×　(3) ○
3 b

〔읽기〕

1 1) b
　2) (1) ○　(2) ○　(3) ×　(4) ×

제6과 안부 · 근황

〔듣기〕

1 1) ×　2) ○　3) ○　4) ×
2 1) ○　2) ×　3) ○　4) ×
3 1) 아니요. 자주 연락하지 않았어요.
　2) 한국에 가려고 해요.

〔읽기〕

1 (1) ×　(2) ○　(3) ×　(4) ○

제7과 외모 · 복장

〔듣기〕

1 1) ○　2) ×　3) ○　4) ○
2 1) ○　2) ×　3) ×
3 a

〔읽기〕

1 b

제8과 교통

〔듣기〕

1 1) b   2) c   3) a
2 1) ○   2) ×   3) ○
3 1) □ 타요   ☑ 안 타요
  2) ☑ 타요   □ 안 타요
  3) ☑ 내려요   □ 안 내려요
  4) ☑ 내려요   □ 안 내려요

〔읽기〕

1 (1) × (2) × (3) ○ (4) ○

제9과 기분 · 감정

〔듣기〕

1 1) d   2) f   3) c   4) e
2 1) ×   2) ×   3) ○
3 1) 섭섭해요.
  2) 한국에서 같이 일했던 사람들에게 작별 인사를 하고 있어요.

〔읽기〕

1 (1) × (2) ○ (3) ○

제10과 여행

〔듣기〕

1 1) ☑ 경주   □ 경주와 부여
  2) □ 설악산   ☑ 설악산과 부산
  3) ☑ 전주   □ 전주와 광주
2 1) ○   2) ×   3) ○   4) ×
3 1) 버스를 타고 갔습니다.
  2) 춘천에서 유명한 드라마를 찍었기 때문입니다.
  3) 춘천 시내를 구경하면서 외국인 관광객을 많이 만났습니다. 닭갈비를 먹었습니다.

〔읽기〕

1 (1) ○ (2) ○ (3) × (4) ○

제11과 부탁

〔듣기〕

1 1) ○   2) ○   3) ×
2 1) ②
  2) ① 컴퓨터를 끈 후에 다시 켜요.
     ② 바이러스 체크를 해요.
     ③ AS센터에 연락해요.
3 ①

〔읽기〕

1 ②

제12과 한국 생활

〔듣기〕

1 1) ○   2) ×   3) ○
2 1) ○   2) ○   3) ×   4) ○
3 (1) 왕방 씨와 차따 씨를 격려하려고 신청했어요.
  (2) 힘내라 청춘아
  (3) 다섯 달이 되었어요.
  (4) 친구들이 중국 음식도 만들어 주고, 모르는 한국말도 설명해 주었어요.

〔읽기〕

1 (1) ○ (2) × (3) × (4) × (5) ○

제13과 도시

〔듣기〕

1 1) b   2) c   3) a
2 1) ○   2) ×   3) ○   4) ×
3 1) ×   2) ○   3) ○   4) ×

〔읽기〕

1 (1) × (2) ○ (3) ○ (4) ○

제14과 치료

〔듣기〕

1 1) f   2) d   3) b   4) e
2 1) d   2) b
3 1) c→a→b
  2) (1) ×   (2) ×   (3) ×

〔읽기〕

1 1) c
  2) '답글1'은 얼음에 대거나 찬물에 담그는 것을 소개하고 있는데 '답글2'는 얼음을 대는 것은 위험하다고 해요.

제15과 집 구하기

〔듣기〕

1 (1) □ 한국 고시원 ☑ 고려 고시원 □ 두 곳 모두
  (2) □ 우리 원룸   □ 미래 원룸   ☑ 두 곳 모두
  (3) ☑ 고모네 하숙 □ 아름 하숙   □ 두 곳 모두
2 1) 화장실이 붙어 있는 방을 구해요.
  2) 침대를 준비해야 해요.
  3) (1) × (2) × (3) ×
3 1) ×   2) ○   3) ×

〔읽기〕

1 (1) × (2) ○ (3) ○ (4) ×

Glossary 찾아보기

ㄹ

ㅁ

ㅅ

ㅋ

ㅌ

집필위원　김정숙 (*Kim, Chungsook*)

　　　　　고려대학교 문과대학 국어국문학과 교수

　　　　　주요 저서: 재미있는 한국어 1 (공저)

　　　　　　　　　　외국인을 위한 한국어 문법(공저)

　　　　　정명숙 (*Jung, Myungsook*)

　　　　　부산외국어대학교 한국어문학부 교수

　　　　　전 고려대학교 국제어학원 한국어문화교육센터 교육 부장

　　　　　주요 저서: 재미있는 한국어 1 (공저)

　　　　　　　　　　한국어 초급 쓰기(공저)

　　　　　김지영 (*Kim, Jiyoung*)

　　　　　고려대학교 교육대학원 한국어교육전공 강사

　　　　　주요 저서: 재미있는 한국어 1 워크북 (공저)

　　　　　　　　　　한국어 교재론(공저)

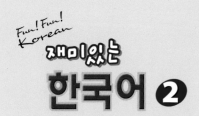

발행일　　2009. 1. 30 초판 1쇄

　　　　　　2010. 1. 20 초판 2쇄

지은이　　고려대학교 한국어문화교육센터

발행인　　김성룡

발행처　　㈜교보문고

총 괄　　변재경

기 획　　안선영

출판등록　제 1-0040호(1981년 11월 12일)

주 소　　서울시 종로구 종로 1가 1번지 ㈜교보문고

전 화　　대표전화 1544-1900

　　　　　　도서주문 02-2076-0366

　　　　　　팩스주문 02-2076-0470

ISBN　　978-89-7085-974-3　13710

값　　　 28,000원